DEUX ANS
DE VACANCES

JULES VERNE
DEUX ANS
DE VACANCES

MAGASINS PAR L'ÉDITEUR

COLLECTION HETZEL

LES VOYAGES EXTRAORDINAIRES

Couronnés par l'Académie française.

DEUX ANS

DE VACANCES

PAR

JULES VERNE

91 *Dessins par Benett et une Carte.*

BIBLIOTHÈQUE

D'ÉDUCATION ET DE RÉCRÉATION

J. HETZEL ET Cⁱᵉ, 18, RUE JACOB

PARIS

I

PREFACE

Bien des Robinsons ont déjà tenu en éveil la curiosité de nos jeunes lecteurs. Daniel de Foë, dans son immortel Robinson Crusoé, a mis en scène l'homme seul ; Wyss, dans son Robinson suisse, la famille ; Cooper, dans Le Cratère, la société avec ses éléments multiples. Dans L'Ile mystérieuse, j'ai mis des savants aux prises avec les nécessités de cette situation. On a imaginé encore le Robinson de douze ans, le Robinson des glaces, le Robinson des jeunes filles, etc. Malgré le nombre infini des romans qui composent le cycle des Robinsons, il m'a paru que, pour le parfaire, il restait à montrer une troupe d'enfants de huit à treize ans, abandonnés dans une île, luttant pour la vie au milieu des passions entretenues par les différences de nationalité, — en un mot, un pensionnat de Robinsons.

D'autre part, dans le Capitaine de quinze ans, j'avais entrepris de montrer ce que peuvent la bravoure et l'intelligence d'un enfant aux prises avec les périls et les difficultés d'une responsabilité au-dessus de son âge. Or, j'ai pensé que si l'enseignement contenu dans ce livre pouvait être profitable à tous, il devait être complété.

C'est dans ce double but qu'a été fait ce nouvel ouvrage.

JULES VERNE.

I

LA TEMPETE. — UN SCHOONER DESEMPARE. — QUATRE JEUNES GAR-
ÇONS SUR LE PONT DU *SLOUGHI*. — LA MISAINE EN LAMBEAUX. — VISITE
A L'INTERIEUR DU YACHT. — LE MOUSSE A DEMI ETRANGLE. — UNE
LAME PAR L'ARRIERE. — LA TERRE A TRAVERS LES BRUMES DU MATIN. —
LE BANC DE RECIFS.

Pendant la nuit du 9 mars 1860, les nuages, se confon-
dant avec la mer, limitaient à quelques brasses la portée
de la vue.

Sur cette mer démontée, dont les lames déferlaient en projetant des lueurs livides, un léger bâtiment fuyait presque à sec de toile.

C'était un yacht de cent tonneaux — un schooner —, nom que portent les goélettes en Angleterre et en Amérique.

Ce schooner se nommait le *Sloughi*, et vainement eût-on cherché à lire ce nom sur son tableau d'arrière, qu'un accident — coup de mer ou collision — avait en partie arraché au-dessous du couronnement.

Il était onze heures du soir. Sous cette latitude, au commencement du mois de mars, les nuits sont courtes encore. Les premières blancheurs du jour ne devaient apparaître que vers cinq heures du matin. Mais les dangers qui menaçaient le *Sloughi* seraient-ils moins grands lorsque le soleil éclairerait l'espace ? Le frêle bâtiment ne resterait-il pas toujours à la merci des lames ? Assurément, et l'apaisement de la houle, l'accalmie de la rafale, pouvaient seuls le sauver du plus affreux des naufrages, — celui qui se produit en plein Océan, loin de toute terre sur laquelle les survivants trouveraient le salut peut-être !

A l'arrière du *Sloughi*, trois jeunes garçons, âgés l'un de quatorze ans, les deux autres de treize, plus un mousse d'une douzaine d'années, de race nègre, étaient postés à la roue du gouvernail. Là, ils réunissaient leurs forces pour parer aux embardées qui risquaient de jeter le yacht en travers. Rude besogne, car la roue, tournant malgré eux, aurait pu les lancer par-dessus les bastingages. Et même, un peu avant minuit, un tel paquet de mer s'abattit sur le flanc du yacht que ce fut miracle s'il ne fut pas démonté de son gouvernail.

Les enfants, qui avaient été renversés du coup, purent se relever presque aussitôt.

« Gouverne-t-il, Briant ? demanda l'un d'eux.

— Oui, Gordon », répondit Briant, qui avait repris sa place et conservé tout son sang-froid.

Puis, s'adressant au troisième :

« Tiens-toi solidement, Doniphan, ajouta-t-il, et ne perdons pas courage !... Il y en a d'autres que nous à sauver ! »

Ces quelques phrases avaient été prononcées en anglais — bien que, chez Briant, l'accent dénotât une origine française.

Celui-ci, se tournant vers le mousse :

« Tu n'es pas blessé, Moko ?

— Non, monsieur Briant, répondit le mousse. Surtout, tâchons de maintenir le yacht debout aux lames, ou nous risquerions de couler à pic ! »

A ce moment, la porte du capot d'escalier, qui conduisait au salon du schooner, fut vivement ouverte. Deux petites bêtes apparurent au niveau du pont, en même temps que la bonne face d'un chien, dont les aboiements se firent entendre.

« Briant ?... Briant ?... s'écria un enfant de neuf ans. Qu'est-ce qu'il y a donc ?

— Rien, Iverson, rien ! répliqua Briant. Veux-tu bien redescendre avec Dole,... et plus vite que ça !

— C'est que nous avons grand-peur ! ajouta le second enfant, qui était un peu plus jeune.

— Et les autres ?... demanda Doniphan.

— Les autres aussi ! répliqua Dole.

— Voyons, rentrez tous ! répondit Briant. Enfermez-vous, cachez-vous sous vos draps, fermez les yeux, et vous n'aurez plus peur ! Il n'y a pas de danger !

— Attention !... Encore une lame ! » s'écria Moko.

Un choc violent heurta l'arrière du yacht. Cette fois, la mer n'embarqua pas, heureusement, car, si l'eau eût pénétré à l'intérieur par la porte du capot, le yacht, très alourdi, n'aurait pu s'élever à la houle.

« Rentrez donc ! s'écria Gordon, Rentrez... ou vous aurez affaire à moi !

— Voyons, rentrez, les petits ! » ajouta Briant, d'un ton plus amical.

Les deux têtes disparurent au moment où un autre garçon, qui venait de se montrer dans l'encadrement du capot, disait :

« Tu n'as pas besoin de nous, Briant ?

— Non, Baxter, répondit Briant. Cross, Webb, Service, Wilcox et toi, restez avec les petits !... A quatre, nous suffirons ! »

Baxter referma la porte intérieurement.

« Les autres aussi ont peur ! » avait dit Dole.

Mais il n'y avait donc que des enfants à bord de ce schooner, emporté par l'ouragan ? — Oui, rien que des enfants ! — Et combien étaient-ils à bord ? — Quinze, en comptant Gordon, Briant, Doniphan et le mousse. — Dans quelles circonstances s'étaient-ils embarqués ? — On le saura bientôt.

Et pas un homme sur le yacht ? Pas un capitaine pour le commander ? Pas un marin pour donner la main aux manœuvres ? Pas un timonier pour gouverner au milieu de cette tempête ? — Non !... Pas un !

Aussi, personne à bord n'eût-il pu dire quelle était la position exacte du *Sloughi* sur cet Océan !... Et quel Océan ? Le plus vaste de tous ! Ce Pacifique, qui s'étend sur deux mille lieues de largeur, depuis les terres de l'Australie et de la Nouvelle-Zélande jusqu'au littoral du Sud-Amérique.

Qu'était-il donc arrivé ? L'équipage du schooner avait-il disparu dans quelque catastrophe ? Des pirates de la Malaisie l'avaient-ils enlevé, ne laissant à bord que de jeunes passagers livrés à eux-mêmes, et dont le plus âgé comptait quatorze ans à peine ? Un yacht de cent tonneaux exige, à tout le moins, un capitaine, un maître, cinq ou six hommes, et, de ce personnel, indispensable pour le manœuvrer, il ne restait plus que le mousse !... Enfin, d'où venait-il, ce schooner, de quels parages australasiens ou de quels archipels de l'Océanie, et depuis combien de temps, et pour quelle destination ? A ces questions que tout capitaine aurait faites s'il eût rencontré le *Sloughi* dans ces mers lointaines, ces enfants sans doute auraient pu répondre ; mais il n'y avait aucun navire en vue, ni de ces transatlantiques dont les itinéraires se croisent sur les mers océaniennes, ni de ces bâtiments de commerce, à vapeur ou à voile, que l'Europe ou l'Amérique envoient par centaines vers les ports du Pacifique. Et lors même que l'un de ces bâtiments, si puissants par leur machine ou leur appareil vélique, se fût trouvé dans ces parages, tout occupé de lutter contre la tempête, il n'aurait pu porter secours au yacht que la mer ballottait comme une épave !

Cependant Briant et ses camarades veillaient de leur mieux à ce que le schooner n'embardât pas sur un bord ou sur l'autre.

« Que faire !... dit alors Doniphan.

— Tout ce qui sera possible pour nous sauver, Dieu aidant ! » répondit Briant.

Il disait cela, ce jeune garçon, et c'est à peine si l'homme le plus énergique eût pu conserver quelque espoir !

En effet, la tempête redoublait de violence. Le vent soufflait en foudre, comme disent les marins, et cette expression n'est que très juste, puisque le *Sloughi* risquait d'être « foudroyé » par les coups de rafale. D'ailleurs, depuis quarante-huit heures, à demi désemparé, son grand mât rompu à quatre pieds au-dessus de l'étambrai, on n'avait pu installer une voile de cape, qui eût permis de gouverner plus sûrement. Le mât de misaine, décapité de son mât de flèche, tenait bon encore, mais il fallait prévoir le moment où, largué de ses haubans, il s'abattrait sur le pont. A l'avant, les lambeaux du petit foc battaient avec des détonations comparables à celles d'une arme à feu. Pour toute voilure, il ne restait plus que la misaine qui menaçait de se déchirer, car ces jeunes garçons n'avaient pas eu la force d'en prendre le dernier ris pour diminuer sa surface. Si cela arrivait, le schooner ne pourrait plus être maintenu dans le lit du vent, les lames l'aborderaient par le travers, il chavirerait, il coulerait à pic, et ses passagers disparaîtraient avec lui dans l'abîme.

Et jusqu'alors, pas une île n'avait été signalée au large, pas un continent n'était apparu dans l'est ! Se mettre à la côte est une éventualité terrible, et, pourtant, ces enfants ne l'eussent pas redoutée autant que les fureurs de cette interminable mer. Un littoral, quel qu'il fût, avec ses bas-fonds, ses brisants, les formidables coups de houle qui l'assaillent, le ressac dont ses roches sont incessamment battues, ce littoral, croyaient-ils, c'eût été le salut pour eux, c'eût été la terre ferme, au lieu de cet Océan, prêt à s'entrouvrir sous leurs pieds !

Aussi cherchaient-ils à voir quelque feu sur lequel ils auraient pu mettre le cap...

Aucune lueur ne se montrait au milieu de cette profonde nuit !

Tout à coup, vers une heure du matin, un effroyable déchirement domina les sifflements de la rafale.

« Le mât de misaine est brisé !... s'écria Doniphan.

— Non ! répondit le mousse. C'est la voile qui s'est arrachée des ralingues !

Briant et Moko firent preuve d'une adresse remarquable.
(Page 8.)

« — Il faut s'en débarrasser, dit Briant. — Gordon, reste au gouvernail avec Doniphan, et toi, Moko, viens m'aider ! »

Si Moko, en sa qualité de mousse, devait avoir quelques connaissances nautiques, Briant n'en était pas absolument dépourvu. Pour avoir déjà traversé l'Atlantique et le Pacifique, lorsqu'il était venu d'Europe en Océanie, il s'était tant soit peu familiarisé avec les manœuvres d'un bâtiment. Cela explique comment les autres jeunes garçons, qui n'y entendaient rien, avaient dû s'en remettre à Moko et à lui du soin de diriger le schooner.

En un instant, Briant et le mousse s'étaient hardiment portés vers l'avant du yacht. Pour éviter d'être jeté en travers, il fallait à tout prix se débarrasser de la misaine, qui formait poche dans sa partie inférieure et faisait gîter le schooner au point qu'il risquait d'engager. Si cela avait lieu, il ne pourrait plus se relever, à moins que l'on ne coupât le mât de misaine par le pied, après avoir rompu ses haubans métalliques ; et comment des enfants en seraient-ils venus à bout ?

Dans ces conditions, Briant et Moko firent preuve d'une adresse remarquable. Bien résolus à garder le plus de toile possible, afin de maintenir le *Sloughi* vent arrière tant que durerait la bourrasque, ils parvinrent à larguer la drisse de la vergue qui s'abaissa à quatre ou cinq pieds au-dessus du pont. Les lambeaux de la misaine ayant été détachés au couteau, ses coins inférieurs, saisis par deux faux-bras, furent amarrés aux cabillots des pavois, non sans que les deux intrépides garçons eussent failli vingt fois être emportés par les lames.

Sous cette voilure extrêmement réduite, le schooner put garder la direction qu'il suivait depuis si longtemps déjà. Rien qu'avec sa coque, il donnait assez de prise au vent pour filer avec la rapidité d'un torpilleur. Ce qui importait surtout, c'était qu'il pût se dérober aux lames en fuyant plus rapidement qu'elles, afin de ne pas recevoir quelque mauvais coup de mer par-dessus le couronnement.

Cela fait, Birant et Moko revinrent près de Gordon et de Doniphan, afin de les aider à gouverner.

En ce moment, la porte du capot s'ouvrit une seconde fois. Un enfant passa sa tête au-dehors. C'était Jacques, le frère de Briant, de trois ans moins âgé que lui.

« Que veux-tu, Jacques ? lui demanda son frère.

— Viens !... Viens !... répondit Jacques. Il y a de l'eau jusque dans le salon !

— Est-ce possible ? » s'écria Briant.

Et, se précipitant vers le capot, il descendit en toute hâte.

Le salon était confusément éclairé par une lampe que le roulis balançait violemment. A sa lueur, on pouvait voir une dizaine d'enfants étendus sur les divans ou sur les couchettes du *Sloughi*. Les plus petits — il y en avait de huit à neuf ans — serrés les uns contre les autres, étaient en proie à l'épouvante.

« Il n'y a pas de danger ! leur dit Briant, qui voulut les rassurer tout d'abord. Nous sommes là !... N'ayez pas peur ! »

Alors, promenant un fanal allumé sur le plancher du salon, il put constater qu'une certaine quantité d'eau courait d'un bord à l'autre du yacht.

D'où venait cette eau ? Avait-elle pénétré par quelque fissure du bordage ? C'est ce qu'il s'agissait de reconnaître.

En avant du salon se trouvaient la grande chambre, puis la salle à manger et le poste de l'équipage.

Cette eau ne provenait que des paquets de mer. (Page 11.)

Briant parcourut ces divers compartiments, et il observa que l'eau ne pénétrait ni au-dessus ni au-dessous de la ligne de flottaison. Cette eau, renvoyée à l'arrière par l'acculage du yacht, ne provenait que des paquets de mer, embarqués par l'avant, et dont le capot du poste avait laissé une certaine quantité couler à l'intérieur. Donc, aucun danger de ce chef.

Briant rassura ses camarades en repassant à travers le salon, et, un peu moins inquiet, revint prendre sa place au gouvernail. Le schooner, très solidement construit, nouvellement caréné d'une bonne doublure de cuivre, ne faisait point d'eau et devait être en état de résister aux coups de mer.

Il était alors une heure du matin. A ce moment de la nuit, rendue plus obscure encore par l'épaisseur des nuages, la bourrasque se déchaînait furieusement. Le yacht naviguait comme s'il eût été plongé tout entier en un milieu liquide. Des cris aigus de pétrels déchiraient les airs. De leur apparition pouvait-on conclure que la terre fût proche ? Non, car on les rencontre souvent à plusieurs centaines de lieues des côtes. D'ailleurs, impuissants à lutter contre le courant aérien, ces oiseaux des tempêtes le suivaient comme le schooner, dont aucune force humaine n'aurait pu enrayer la vitesse.

Une heure plus tard, un second déchirement se fit entendre à bord. Ce qui restait de la misaine venait d'être lacéré, et des lambeaux de toile s'éparpillèrent dans l'espace, semblables à d'énormes goélands.

« Nous n'avons plus de voile, s'écria Doniphan, et il est impossible d'en installer une autre !

— Qu'importe ! répondit Briant. Sois sûr que nous n'en irons pas moins vite !

— La belle réponse ! répliqua Doniphan. Si c'est là ta manière de manœuvrer...

— Gare aux lames de l'arrière ! dit Moko. Il faut nous attacher solidement, ou nous serons emportés... »

Le mousse n'avait pas achevé sa phrase que plusieurs tonnes d'eau embarquaient par-dessus le couronnement. Briant, Doniphan et Gordon furent lancés contre le capot, auquel ils parvinrent à se cramponner. Mais le mousse avait disparu avec cette masse qui balaya le *Sloughi* de l'arrière à l'avant, entraînant une partie de la drôme, les deux canots et la yole, bien qu'ils eussent été rentrés en dedans, plus quelques espars, ainsi que l'habitacle de la boussole. Toutefois, les pavois ayant été défoncés du coup, l'eau put s'écouler rapidement — ce qui sauva le yacht du danger de sombrer sous cette énorme surcharge.

« Moko !... Moko ! s'était écrié Briant, dès qu'il fut en état de parler.

— Est-ce qu'il a été jeté à la mer ?... répondit Doniphan.

— Non !... On ne le voit pas... on ne l'entend pas ! dit Gordon, qui venait de se pencher au-dessus du bord.

— Il faut le sauver... lui envoyer une bouée... des cordes ! » répondit Briant.

Et, d'une voix qui retentit fortement pendant quelques secondes d'accalmie, il cria de nouveau :

« Moko ?... Moko ?...

— A moi !... A moi !... répondit le mousse.

— Il n'est pas à la mer, dit Gordon. Sa voix vient de l'avant du schooner !...

— Je le sauverai ! » s'écria Briant.

Et, le voilà qui se met à ramper sur le pont, évitant de son mieux le choc des poulies, balancées au bout des manœuvres à demi larguées, se garant des chutes que le roulis rendait presque inévitables sur ce pont glissant.

La voix du mousse traversa encore une fois l'espace. Puis, tout se tut.

Cependant, au prix des plus grands efforts, Briant était parvenu à atteindre le capot du poste.

Il appela...

Aucune réponse.

Moko avait-il donc été enlevé par un nouveau coup de mer depuis qu'il avait jeté son dernier cri? En ce cas, le malheureux enfant devait être loin maintenant, bien loin au vent, car la houle n'aurait pu le transporter avec une vitesse égale à celle du schooner. Et alors, il était perdu...

Non! Un cri plus faible arriva jusqu'à Briant, qui se précipita vers le guindeau dans le montant duquel s'encastrait le pied du beaupré. Là, ses mains rencontrèrent un corps qui se débattait...

C'était le mousse, engagé dans l'angle que formaient les pavois en se rejoignant à la proue. Une drisse, que ses efforts tendaient de plus en plus, le serrait à la gorge. Après avoir été retenu par cette drisse, au moment où l'énorme lame allait l'emporter, devait-il ensuite périr par strangulation?...

Briant ouvrit son couteau, et, non sans peine, parvint à couper le cordage qui retenait le mousse.

Moko fut alors ramené à l'arrière, et dès qu'il eut retrouvé la force de parler :

« Merci, monsieur Briant, merci! » dit-il.

Il reprit sa place au gouvernail, et tous quatre s'amarrèrent, afin de résister aux lames énormes qui se dressaient au vent du *Sloughi.*

Contrairement à ce qu'avait cru Briant, la vitesse du yacht avait quelque peu diminué depuis qu'il ne restait plus rien de la misaine — ce qui constituait un nouveau danger. En effet, les lames, courant plus vite que lui, pouvaient l'assaillir par l'arrière et l'emplir.

Mais qu'y faire ? Il eût été impossible de gréer le moindre
bout de voilure.

Dans l'hémisphère austral, le mois de mars correspond
au mois de septembre de l'hémisphère boréal, et les
nuits n'ont plus qu'une durée moyenne. Or, comme il
était environ quatre heures du matin, l'horizon ne devait
pas tarder à blanchir dans l'est, c'est-à-dire au-dessus
de cette partie de l'Océan vers laquelle la tempête
traînait le *Sloughi*. Peut-être, avec le jour naissant,
la rafale perdrait-elle de sa violence ? Peut-être aussi,
une terre serait-elle en vue, et le sort de cet équipage
d'enfants se déciderait-il en quelques minutes ? On le
verrait bien, quand l'aube teinterait les lointains du ciel.

Vers quatre heures et demie, quelques lueurs diffuses
se glissèrent jusqu'au zénith. Par malheur, les brumes
limitaient encore le rayon de vue à moins d'un quart
de mille. On sentait que les nuages passaient avec une
vitesse effrayante. L'ouragan n'avait rien perdu de sa
force, et, au large, la mer disparaissait sous l'écume
d'une houle déferlante. Le schooner, tantôt enlevé sur
une crête de lame, tantôt précipité au fond d'un gouffre,
eût vingt fois chaviré s'il eût été pris en travers.

Les quatre jeunes garçons regardaient ce chaos de
flots échevelés. Ils sentaient bien que, si l'accalmie
tardait à se faire, leur situation serait désespérée. Jamais
le *Sloughi* ne résisterait vingt-quatre heures de plus aux
paquets de mer qui finiraient par défoncer les capots.

Ce fut alors que Moko cria :

« Terre !... Terre ! »

A travers une déchirure des brumes, le mousse croyait
avoir aperçu les contours d'une côte vers l'est. Ne se
trompait-il pas ? Rien de plus difficile à reconnaître
que ces vagues linéaments qui se confondent si aisément
avec des volutes de nuages.

« Une terre ?... avait répondu Briant.

— Oui... reprit Moko,... une terre... à l'est ! »

Et il indiquait un point de l'horizon que cachait maintenant l'amas des vapeurs.

« Tu es sûr ?... demanda Doniphan.

— Oui !... oui !... certainement !... répondit le mousse. Si le brouillard se déchire encore, regardez bien... là-bas... un peu à droite du mât de misaine... Tenez... tenez !... »

Les brumes, qui venaient de s'entrouvrir, commençaient à se dégager de la mer pour remonter vers de plus hautes zones. Quelques instants après, l'Océan reparut sur un espace de plusieurs milles en avant du yacht.

« Oui !... la terre !... C'est bien la terre !... s'écria Briant.

— Et une terre très basse ! » ajouta Gordon, qui venait d'observer plus attentivement le littoral signalé.

Il n'y avait plus à douter, cette fois. Une terre, continent ou île, se dessinait à cinq ou six milles, dans un large segment de l'horizon. Avec la direction qu'il suivait et dont la bourrasque ne lui permettait pas de s'écarter, le *Sloughi* ne pouvait manquer d'y être jeté en moins d'une heure. Qu'il y fût brisé, surtout si des brisants l'arrêtaient avant qu'il eût atteint la franche terre, cela était à craindre. Mais ces jeunes garçons n'y songeaient même pas. Dans cette terre, qui s'offrait inopinément à leurs regards, ils ne voyaient, ils ne pouvaient voir que le salut.

En ce moment, le vent se reprit à souffler avec plus de rage. Le *Sloughi*, emporté comme une plume, se précipita vers la côte, qui se découpait avec la netteté d'un trait à l'encre sur le fond blanchâtre du ciel. A l'arrière-plan s'élevait une falaise, dont la hauteur ne devait pas dépasser cent cinquante à deux cents

GORDON.

pieds. En avant s'étendait une grève jaunâtre, encadrée, vers la droite, de masses arrondies qui semblaient appartenir à une forêt de l'intérieur.

Ah ! si le *Sloughi* pouvait atteindre cette plage sablonneuse sans rencontrer un banc de récifs, si l'embouchure d'une rivière lui offrait refuge, peut-être ses jeunes passagers s'en réchapperaient-ils sains et saufs !

Tandis que Doniphan, Gordon et Moko restaient à la barre, Briant s'était porté à l'avant et regardait la terre qui se rapprochait à vue d'œil, tant la vitesse était considérable. Mais en vain cherchait-il quelque place où le yacht pourrait faire côte dans des conditions plus favorables. On ne voyait ni une embouchure de rivière ou de ruisseau, ni même une bande de sable, sur laquelle il eût été possible de s'échouer d'un seul coup. En effet, en deçà de la grève se développait une rangée de brisants, dont les têtes noires émergeaient des ondulations de la houle, et que battait sans relâche un monstrueux ressac. Là, au premier choc, le *Sloughi* serait mis en pièces.

Briant eut alors la pensée que mieux valait avoir tous ses camarades sur le pont, au moment où se produirait l'échouage, et, ouvrant la porte du capot :

« En haut, tout le monde ! » cria-t-il.

Aussitôt le chien de s'élancer au-dehors, suivi d'une dizaine d'enfants qui se traînèrent à l'arrière du yacht. Les plus petits, à la vue des lames que le bas-fonds rendait plus redoutables, poussèrent des cris d'épouvante...

Un peu avant six heures du matin, le *Sloughi* était arrivé à l'accore des brisants.

« Tenez-vous bien !... Tenez-vous bien ! » cria Briant.

Et, à demi dépouillé de ses vêtements, il se tint prêt à porter secours à ceux que le ressac entraînerait, car, certainement, le yacht allait être roulé sur les récifs.

DONIPHAN.

Soudain une première secousse se fit sentir. Le *Sloughi* venait de talonner par l'arrière ; mais, bien que toute sa coque en eût été ébranlée, l'eau ne pénétra pas à travers le bordage.

Soulevé par une seconde lame, il fut porté d'une cinquantaine de pieds en avant, sans même avoir effleuré les roches, dont les pointes perçaient en mille places. Puis, incliné sur bâbord, il demeura immobile au milieu des bouillonnements du ressac.

S'il n'était plus en pleine mer, il était encore à un quart de mille de la grève.

II

AU MILIEU DU RESSAC. — BRIANT ET DONIPHAN. — LA COTE OBSERVEE. — PREPARATIFS DE SAUVETAGE. — LE CANOT DISPUTE. — DU HAUT DU MAT DE MISAINE. — COURAGEUSE TENTATIVE DE BRIANT. — UN EFFET DE MASCARET.

En ce moment, l'espace, dégagé du rideau des brumes, permettait au regard de s'étendre sur un vaste rayon autour du schooner. Les nuages chassaient toujours avec une extrême rapidité ; la bourrasque n'avait encore rien perdu de sa fureur. Peut-être, pourtant, frappait-elle de ses derniers coups ces parages inconnus de l'océan Pacifique.

C'était à espérer, car la situation n'offrait pas moins de périls que pendant la nuit, alors que le *Sloughi* se débattait contre les violences du large. Réunis les uns près des autres, ces enfants devaient se croire perdus lorsque quelque lame déferlait par-dessus les bastingages et les couvrait d'écume. Les chocs étaient d'autant plus rudes que le schooner ne pouvait s'y dérober. Toutefois, s'il tressaillait à chaque coup jusque dans sa membrure, il ne paraissait point que son bordé se fût ouvert, ni en talonnant à l'accore des récifs, ni au moment où il s'était pour ainsi dire encastré entre les têtes de roches. Briant et Gordon, après être descendus dans les chambres, s'étaient rendu compte que l'eau ne pénétrait pas à l'intérieur de la cale.

Ils rassurèrent donc du mieux qu'ils le purent leurs camarades, — les petits particulièrement.

« N'ayez pas peur !... répétait toujours Briant. Le yacht est solide !... La côte n'est pas loin !... Attendons, et nous chercherons à gagner la grève !

— Et pourquoi attendre ?... demanda Doniphan.

— Oui... pourquoi ?... ajouta un autre garçon d'une douzaine d'années, nommé Wilcox. Doniphan a raison... Pourquoi attendre ?...

— Parce que la mer est trop dure encore et qu'elle nous roulerait sur les roches ! répondit Briant.

— Et si le yacht se démolit, s'écria un troisième garçon, appelé Webb, qui était à peu près du même âge que Wilcox.

— Je ne crois pas que ce soit à craindre, répliqua Briant, du moins tant que la marée baissera. Lorsqu'elle sera retirée autant que le permettra le vent, nous nous occuperons du sauvetage ! »

Briant avait raison. Bien que les marées soient relativement peu considérables dans l'océan Pacifique, elles peuvent cependant produire une différence de niveau assez importante entre les hautes et les basses eaux. Il y aurait donc avantage à attendre quelques heures, surtout si le vent venait à mollir. Peut-être le jusant mettrait-il à sec une partie du banc de récifs. Il serait moins dangereux alors de quitter le schooner et plus facile de franchir le quart de mille qui le séparait de la grève.

Pourtant, si raisonnable que fût ce conseil, Doniphan et deux ou trois autres ne parurent point disposés à le suivre. Ils se groupèrent à l'avant et causèrent à voix basse. Ce qui apparaissait clairement déjà, c'est que Doniphan, Wilcox, Webb et un autre garçon nommé Cross ne semblaient point d'humeur à s'entendre avec Briant. Pendant la longue traversée du *Sloughi*, s'ils avaient consenti à lui obéir, c'est que Briant, on l'a dit, avait quelque habitude de la navigation. Mais ils avaient toujours eu la pensée que, dès qu'ils seraient à terre, ils reprendraient leur liberté d'action — surtout Doniphan, qui, pour l'instruction et l'intelligence, se croyait supérieur à Briant comme à tous ses autres camarades. D'ailleurs, cette jalousie de Doniphan à l'égard de Briant datait de loin déjà, et, par cela même que celui-ci était Français, de jeunes Anglais devaient être peu enclins à subir sa domination.

Il était donc à craindre que ces dispositions n'accrussent la gravité d'une situation déjà si inquiétante.

Cependant Doniphan, Wilcox, Cross et Webb regardaient cette nappe d'écume, semée de tourbillons, sillonnée de courants, qui paraissait très dangereuse à traverser. Le plus habile nageur n'eût pas résisté au ressac de la marée descendante que le vent prenait à revers. Le conseil d'attendre quelques heures n'était donc que trop justifié. Il fallut bien que Doniphan et ses camarades se rendissent à l'évidence, et, finalement, ils revinrent à l'arrière où se tenaient les plus jeunes.

Briant disait alors à Gordon et à quelques-uns de ceux qui l'entouraient :

« A aucun prix ne nous séparons pas !... Restons ensemble, ou nous sommes perdus !...

— Tu ne prétends pas nous faire la loi ! s'écria Doniphan, qui venait de l'entendre.

— Je ne prétends rien, répondit Briant, si ce n'est qu'il faut agir de concert pour le salut de tous !

— Briant a raison ! ajouta Gordon, garçon froid et sérieux, qui ne parlait jamais sans avoir bien réfléchi.

— Oui !... oui !... » s'écrièrent deux ou trois des petits qu'un secret instinct portait à se rapprocher de Briant.

Doniphan ne répliqua pas ; mais ses camarades et lui persistèrent à se tenir à l'écart, en attendant l'heure de procéder au sauvetage.

Et maintenant, quelle était cette terre ? Appartenait-elle à l'une des îles de l'océan Pacifique ou à quelque continent ? Cette question ne pouvait être résolue, attendu que le *Sloughi* se trouvait trop rapproché du littoral pour qu'il fût permis de l'observer sur un périmètre suffisant. Sa concavité, formant une large baie, se terminait par deux promontoires, l'un assez élevé et coupé à pic vers le nord, l'autre effilé en pointe vers le sud. Mais, au-delà de ces deux caps, la mer s'arrondissait-elle de manière à baigner les contours d'une île ? C'est ce que Briant essaya vainement de reconnaître avec une des lunettes du bord.

En effet, dans le cas où cette terre serait une île, comment parviendrait-on à la quitter, s'il était impossible de renflouer le schooner, que la marée montante ne tarderait pas à démolir en le traînant sur les récifs ? Et si cette île était déserte — il y en a dans les mers du Pacifique —, comment ces enfants, réduits à eux-mêmes, n'ayant que ce qu'ils sauveraient des provisions du yacht, suffiront-ils aux nécessités de l'existence ?

Sur un continent, au contraire, les chances de salut eussent été notablement accrues, puisque ce continent n'aurait pu être que celui de l'Amérique du Sud. Là, à travers les territoires du Chili ou de la Bolivie, on trouverait assistance, sinon immédiatement, du moins quelques jours après avoir pris terre. Il est vrai, sur ce littoral voisin des Pampas, bien des mauvaises rencontres étaient à craindre. Mais, en ce moment, il n'était question que d'atteindre la terre.

Le temps était assez clair pour en laisser voir tous les détails. On distinguait nettement le premier plan de la grève, la falaise qui l'encadrait en arrière, ainsi que les massifs d'arbres groupés à sa base. Briant signala même l'embouchure d'un rio sur la droite du rivage.

En somme, si l'aspect de cette côte n'avait rien de bien attrayant, le rideau de verdure indiquait une certaine fertilité, comparable à celle des zones de moyenne latitude. Sans doute, au-delà de la falaise, à l'abri des vents du large, la végétation, trouvant un sol plus favorable, devait se développer avec quelque vigueur.

Quant à être habitée, il ne paraissait pas que cette partie de la côte le fût. On n'y voyait ni maison ni hutte, pas même à l'embouchure du rio. Peut-être les indigènes, s'il y en avait, résidaient-ils de préférence à l'intérieur du pays, où ils étaient moins exposés aux brutales attaques des vents d'ouest ?

« Je n'aperçois pas la moindre fumée ! dit Briant, en abaissant sa lunette.

— Et il n'y a pas une seule embarcation sur la plage ! fit observer Moko.

— Comment y en aurait-il, puisqu'il n'y a pas de port ?... répliqua Doniphan.

— Il n'est pas nécessaire qu'il y ait un port, reprit Gordon. Des barques de pêche peuvent trouver refuge à l'entrée d'une rivière, et il serait possible que la tempête eût obligé à les ramener vers l'intérieur. »

L'observation de Gordon était juste. Quoi qu'il en soit, pour une raison ou pour une autre, on ne découvrit aucune embarcation, et, en réalité, cette partie du littoral semblait être absolument dépourvue d'habitants. Serait-elle habitable, au cas où les jeunes naufragés auraient à y séjourner quelques semaines ? voilà ce dont ils devaient se préoccuper avant tout.

Cependant la marée se retirait peu à peu — très lentement, il est vrai, car le vent du large lui faisait obstacle, bien qu'il semblât mollir en s'infléchissant vers le nord-ouest. Il importait donc d'être prêt pour le moment où le banc de récifs offrirait un passage praticable.

Il était près de sept heures. Chacun s'occupa de monter sur le pont du yacht les objets de première nécessité, quitte à recueillir les autres, lorsque la mer les porterait à la côte. Petits et grands mirent la main à ce travail. Il y avait à bord un assez fort approvisionnement de conserves, biscuits, viandes salées ou fumées. On en fit des ballots, destinés à être répartis entre les plus âgés, auxquels incomberait le soin de les transporter à terre.

Mais, pour que ce transport pût s'effectuer, il fallait que le banc de récifs fût à sec. En serait-il ainsi à marée basse, et le reflux suffirait-il à dégager les roches jusqu'à la grève ?

Briant et Gordon s'appliquèrent à observer soigneusement la mer. Avec la modification dans la direction du vent, l'accalmie se faisait sentir et les bouillonnements du ressac commençaient à s'apaiser. Ainsi il devenait donc aisé de noter la décroissance des eaux le long des pointes émergeantes. D'ailleurs, le schooner ressentait les effets de cette décroissance en donnant une bande plus accentuée sur bâbord. Il était même à craindre, si son inclinaison augmentait, qu'il se couchât sur le flanc, car il était très fin de formes, ayant les varangues

relevées et une grande hauteur de quille, comme les
yachts de haute marche. Dans ce cas, si l'eau envahissait
son pont avant qu'on eût pu le quitter, la situation
serait extrêmement grave.

Combien il était regrettable que les canots eussent
été emportés pendant la tempête ! Avec ces embarcations, capables de les contenir tous, Briant et ses camarades auraient pu dès à présent tenter d'atteindre la
côte. Puis, quelle facilité pour établir une communication
entre le littoral et le schooner, pour transporter tant
d'objets utiles qu'il faudrait momentanément laisser
à bord ! Et, la nuit prochaine, si le *Sloughi* se fracassait,
que vaudraient ses épaves, lorsque le ressac les aurait
roulées à travers les récifs ? Pourrait-on les utiliser
encore ? Ce qui resterait des approvisionnements ne
serait-il pas absolument avarié ? Les jeunes naufragés
ne seraient-ils pas bientôt réduits aux seules ressources
de cette terre ?

C'était une bien fâcheuse circonstance qu'il n'y eût
plus d'embarcation pour opérer le sauvetage !

Soudain, des cris éclatèrent à l'avant. Baxter venait
de faire une découverte qui avait son importance.

La yole du schooner, que l'on croyait perdue, se trouvait engagée entre les sous-barbes du beaupré. Cette
yole, il est vrai, ne pouvait porter que cinq à six personnes ; mais, comme elle était intacte — ce qui fut
constaté lorsqu'on l'eut rentrée sur le pont — il ne serait
pas impossible de l'utiliser dans le cas où la mer ne
permettrait pas de franchir les brisants à pied sec. Il
convenait par suite d'attendre que la marée fût à son
plus bas, et, cependant, il s'ensuivit une vive discussion
dans laquelle Briant et Doniphan furent encore aux
prises.

En effet, Doniphan, Wilcox, Webb et Cross, après

s'être emparés de la yole, se préparaient à la lancer par-dessus bord, lorsque Briant vint à eux.

« Que voulez-vous faire ?... demanda-t-il.

— Ce qui nous convient !... répondit Wilcox.

— Vous embarquer dans ce canot ?...

— Oui, répliqua Doniphan, et ce ne sera pas toi qui nous en empêcheras !

— Ce sera moi, reprit Briant, moi et tous ceux que tu veux abandonner !...

— Abandonner ?... Où vois-tu cela ? répondit Doniphan avec hauteur. Je ne veux abandonner personne, entends-tu !... Une fois à la grève, l'un de nous ramènera la yole...

— Et si elle ne peut revenir, s'écria Briant qui ne se contenait pas sans peine, et si elle se crève sur ces roches...

— Embarquons !... Embarquons ! » répondit Webb, qui venait de repousser Briant.

Puis, aidé de Wilcox et de Cross, il souleva l'embarcation enfin de l'envoyer à la mer.

Briant la saisit par un de ses bouts.

« Vous n'embarquerez pas ! dit-il.

— C'est ce que nous verrons ! répondit Doniphan.

— Vous n'embarquerez pas ! répéta Briant, bien décidé à résister dans l'intérêt commun. La yole doit être réservée d'abord aux plus petits, s'il reste trop d'eau à mer basse pour que l'on puisse gagner la grève...

— Laisse-nous tranquille ! s'écria Doniphan que la colère emportait. Je te le répète, Briant, ce n'est pas toi qui nous empêcheras de faire ce que nous voulons !

— Et je te répète, s'écria Briant, que ce sera moi, Doniphan ! »

Les deux jeunes garçons étaient prêts à s'élancer l'un

BRIANT ET JACQUES.

sur l'autre. Dans cette querelle, Wilcox, Webb et Cross allaient naturellement prendre parti pour Doniphan, tandis que Baxter, Service et Garnett se rangeraient du côté de Briant. Il pouvait dès lors en résulter des conséquences déplorables, lorsque Gordon intervint.

Gordon, le plus âgé et aussi le plus maître de soi, comprenant tout ce qu'un tel précédent aurait de regrettable, eut le bon sens de s'interposer en faveur de Briant.

« Allons ! allons ! dit-il, un peu de patience, Doniphan ! Tu vois bien que la mer est trop forte encore, et que nous risquerions de perdre notre yole !

— Je ne veux pas, s'écria Doniphan, que Briant nous fasse la loi ! comme il en a pris l'habitude depuis quelque temps !

— Non !... Non !... répliquèrent Cross et Webb.

— Je ne prétends faire la loi à personne, répondit Briant, mais je ne la laisserai faire par personne, quand il s'agira de l'intérêt de tous !

— Nous en avons autant souci que toi ! riposta Doniphan. Et maintenant que nous sommes à terre...

— Pas encore, malheureusement, répondit Gordon. Doniphan, ne t'entête pas, et attendons un moment favorable pour employer la yole ! »

Très à propos, Gordon venait de jouer le rôle de modérateur entre Doniphan et Briant — ce qui lui était arrivé plus d'une fois déjà —, et ses camarades se rendirent à son observation.

La marée avait alors baissé de deux pieds. Existait-il un chenal entre les brisants ? c'est ce qu'il eût été très utile de reconnaître.

Briant, pensant qu'il pourrait mieux se rendre compte de la position des roches en les observant du mât de misaine, se dirigea vers l'avant du yacht, saisit les hau-

bans de tribord, et, à la force des poignets, s'éleva jusqu'aux barres.

A travers le banc de récifs, se dessinait une passe
dont la direction était marquée par les pointes qui
émergeaient de chaque côté et qu'il conviendrait de
suivre, si l'on essayait de gagner la grève en s'embarquant
dans la yole. Mais, à cette heure, il y avait encore trop
de tourbillons et de remous à la surface des brisants pour
que l'on pût s'en servir avec succès. Immanquablement,
elle eût été lancée sur quelque pointe et s'y fût crevée
en un instant. D'ailleurs, mieux valait attendre, pour
le cas où le retrait de la mer laisserait un passage praticable.

Du haut des barres sur lesquelles il s'était achevalé,
Briant se mit à prendre une plus exacte connaissance
du littoral. Il promena sa lunette le long de la grève
et jusqu'au pied de la falaise. La côte paraissait être
absolument inhabitée entre les deux promontoires que
séparait une distance de huit à neuf milles.

Après être resté une demi-heure en observation,
Briant descendit et vint rendre compte à ses camarades
de ce qu'il avait vu. Si Doniphan, Wilcox, Webb et
Cross affectèrent de l'écouter sans rien dire, il n'en
fut pas ainsi de Gordon qui lui demanda :

« Lorsque le *Sloughi* s'est échoué, Briant, n'était-il
pas environ six heures du matin ?

— Oui, répondit Briant.

— Et combien de temps faut-il pour qu'il y ait basse
mer ?

— Cinq heures, je crois. — N'est-ce pas, Moko ?

— Oui... de cinq à six heures, répondit le mousse.

— Ce serait alors vers onze heures, reprit Gordon,
le moment le plus favorable pour tenter d'atteindre
la côte ?...

— C'est ainsi que j'ai calculé, répliqua Briant.

— Eh bien, reprit Gordon, tenons-nous prêts pour ce moment, et prenons un peu de nourriture. Si nous sommes obligés de nous mettre à l'eau, au moins ne le ferons-nous que quelques heures après notre repas. »

Bon conseil qui devait naturellement venir de ce prudent garçon. On s'occupa donc du premier déjeuner, composé de conserves et de biscuit. Briant eut soin de surveiller particulièrement les petits. Jenkins, Iverson, Dole, Costar, avec cette insouciance naturelle à leur âge, commençaient à se rassurer, et ils eussent peut-être mangé sans aucune retenue, car ils n'avaient pour ainsi dire rien pris depuis vingt-quatre heures. Mais tout se passa bien, et quelques gouttes de brandy, adoucies d'un peu d'eau, fournirent une boisson réconfortante.

Cela fait, Briant revint vers l'avant du schooner, et là, accoudé sur les pavois, se remit à observer les récifs.

Avec quelle lenteur s'effectuait la décroissance de la mer ! Il était manifeste, pourtant, que son niveau baissait, puisque l'inclinaison du yacht s'accentuait. Moko, ayant jeté un plomb de sonde, reconnut qu'il restait encore au moins huit pieds d'eau sur le banc. Or, pouvait-on espérer que le jusant descendrait assez pour le laisser à sec ? Moko ne le pensait pas et crut devoir le dire à Briant en secret, afin de n'effrayer personne.

Briant vint alors entretenir Gordon à ce sujet. Tous deux comprenaient bien que le vent, quoiqu'il eût un peu remonté vers le nord, empêchait la mer de baisser autant qu'elle l'aurait fait par temps calme.

« Quel parti prendre ? dit Gordon.

— Je ne sais... je ne sais !... répondit Briant. Et, quel malheur de ne pas savoir... de n'être que des enfants, quand il faudrait être des hommes ! »

— La nécessité nous instruira ! répliqua Gordon. Ne désespérons pas, Briant, et agissons prudemment !...

— Oui, agissons, Gordon ! Si nous n'avons pas abandonné le *Sloughi* avant le retour de la marée, s'il faut encore rester une nuit à bord, nous sommes perdus...

— Cela n'est que trop évident, car le yacht sera mis en pièces ! Aussi devrons-nous l'avoir quitté à tout prix...

— Oui, à tout prix, Gordon !

— Est-ce qu'il ne serait pas à propos de construire une sorte de radeau, un va-et-vient ?...

— J'y avais déjà songé, répondit Briant. Par malheur, presque tous les espars ont été enlevés dans la tempête. Quant à briser les pavois pour essayer de faire un radeau avec leurs débris, nous n'en avons plus le temps ! Reste la yole, dont on ne peut se servir, car la mer est trop forte ! Non ! Ce que l'on pourrait tenter, ce serait de porter un câble à travers le banc de récifs et de l'amarrer par son extrémité à la pointe d'une roche. Peut-être alors parviendrait-on à se haler près de la grève...

— Qui portera ce câble ?

— Moi, répondit Briant.

— Et je t'y aiderai !... dit Gordon.

— Non, moi seul !... répliqua Briant.

— Sers-toi de la yole ?

— Ce serait risquer de la perdre, Gordon, et mieux vaut la conserver comme dernière ressource ! »

Cependant, avant de mettre à exécution ce périlleux projet, Briant voulut prendre une utile précaution afin de parer à toute éventualité.

Il y avait à bord quelques ceintures natatoires, dont il obligea les petits à se munir sur l'heure. Dans le cas où ils devraient quitter le yacht, lorsque l'eau serait trop profonde encore pour qu'ils pussent prendre pied,

ces appareils les maintiendraient, et les grands essaie-
raient alors de les pousser vers le rivage en se halant
eux-mêmes sur le câble.

Il était alors dix heures un quart. Avant quarante-
cinq minutes, la marée aurait atteint sa plus basse
dépression. A l'étrave du *Sloughi*, on ne relevait déjà
plus que quatre à cinq pieds d'eau ; mais il ne semblait
pas que la mer dût perdre au-delà de quelques pouces.
A une soixantaine de yards, il est vrai, le fond remontait
sensiblement — ce que l'on pouvait reconnaître à la
couleur noirâtre de l'eau et aux nombreuses pointes
qui émergeaient le long de la grève. La difficulté serait
de franchir les profondeurs que la mer accusait sur
l'avant du yacht. Toutefois, si Briant parvenait à élonger
un câble dans cette direction, à le fixer solidement
à l'une des roches, ce câble, après qu'il aurait été tendu
du bord à l'aide du guindeau, permettrait de gagner
quelque endroit où l'on aurait pied. De plus, en faisant
glisser sur ce câble les ballots contenant les provisions
et les ustensiles indispensables, ils arriveraient à terre
sans dommages.

Quelque dangereuse que dût être sa tentative, Briant
n'eût voulu laisser à personne le soin de le remplacer,
et il prit ses dispositions en conséquence.

Il y avait à bord plusieurs de ces câbles, longs d'une
centaine de pieds, qu'on emploie comme aussières ou
remorques. Briant en choisit un de moyenne grosseur
qui lui parut convenable, et dont il tourna l'extrémité
à sa ceinture, après s'être dévêtu.

« Allons, les autres, cria Gordon, soyez là pour filer
le câble !... Venez à l'avant ! »

Doniphan, Wilcox, Cross et Webb ne pouvaient
refuser leur concours à une opération dont ils comprenaient l'importance. Aussi, quelles que fussent leurs

Briant, saisi par l'enlacement des eaux... (Page 34.)

dispositions, se préparèrent-ils a dérouler la glène du
câble qu'il serait nécessaire de mollir peu à peu, afin
de ménager les forces de Briant.

Au moment où celui-ci allait s'affaler à la mer, son
frère, s'approchant, s'écria :

« Frère !... Frère !...

— N'aie pas peur, Jacques, n'aie pas peur pour moi ! »
répondit Briant.

Un instant après, on le voyait à la surface de l'eau,
nageant avec vigueur, pendant que le câble se déroulait
derrière lui.

Or, même par une mer calme, cette manœuvre eût
été difficile, car le ressac battait violemment le long semis
de roches. Courants et contre-courants empêchaient
le hardi garçon de se maintenir en droite ligne, et,
quand ils le saisissaient, il éprouvait une peine extrême
à en sortir.

Pourtant Briant gagnait peu à peu vers la grève
tandis que ses camarades lui filaient du câble à la mesure.
Mais il était visible que ses forces commençaient à
s'épuiser, bien qu'il ne fût encore qu'à une cinquantaine
de pieds du schooner. Devant lui se creusait une sorte
de tourbillon, produit par la rencontre de deux houles
contraires. S'il réussissait à les tourner, peut-être attein-
drait-il son but, la mer étant plus calme au-delà. Il
essaya donc de se jeter sur la gauche par un violent
effort. Mais sa tentative devait être infructueuse. Un
nageur vigoureux, dans toute la force de l'âge, n'y aurait
pu parvenir. Saisi par l'enlacement des eaux, Briant fut
irrésistiblement attiré vers le centre du tourbillon.

« A moi !... Halez !... Halez !... » eut-il la force de
crier avant de disparaître.

A bord du yacht, l'épouvante fut au comble.

« Halez !... » commanda froidement Gordon.

Et ses camarades se hâtèrent de rembraquer le câble, afin de ramener Briant à bord, avant qu'une trop longue immersion ne l'eût asphyxié.

En moins d'une minute, Briant fut rehissé sur le pont — sans connaissance, il est vrai ; mais il revint promptement à lui dans les bras de son frère.

La tentative, ayant pour but d'établir un câble à la surface du banc de récifs, avait échoué. Nul n'eût pu la reprendre avec quelque chance de succès. Ces malheureux enfants en étaient donc réduits à attendre... Attendre quoi ?... Un secours ?... et de quel côté, et par qui aurait-il pu leur venir !

Il était plus de midi alors. La marée se faisait déjà sentir, et le ressac s'accroissait. Et même, comme c'était nouvelle lune, le flot allait être plus fort que la veille. Aussi, pour peu que le vent retombât du côté du large, le schooner risquerait-il d'être soulevé de son lit de roches... Il talonnerait de nouveau, il serait chaviré à la surface du récif !... Personne ne survivrait à ce dénouement du naufrage ! Et rien à faire, rien !

Tous, à l'arrière, les petits entourés par les grands, regardaient la mer qui se gonflait, à mesure que les têtes de roches disparaissaient l'une après l'autre. Par malheur, le vent était revenu à l'ouest, et, comme la nuit précédente, il battait de plein fouet la terre. Avec l'eau plus profonde, les lames, plus hautes, couvraient le *Sloughi* de leurs embruns et ne tarderaient pas à déferler contre lui. Dieu seul pouvait venir en aide aux jeunes naufragés. Leurs prières se mêlèrent à leurs cris d'épouvante.

Un peu avant deux heures, le schooner, redressé par la marée, ne donnait plus la bande sur bâbord ; mais, par suite du tangage, l'avant heurtait contre le fond, tandis qu'à l'arrière son étambot restait encore fixé au lit de roches. Bientôt les coups de talon se succédèrent sans relâche, et le *Sloughi* roula d'un bord sur l'autre. Les enfants durent se retenir les uns aux autres pour ne pas être jetés par-dessus le bord.

En ce moment, une montagne écumante venant de la haute mer, se dressa à deux encablures du yacht. On eût dit l'énorme lame d'un mascaret ou d'un raz de marée, dont la hauteur dépassait vingt pieds. Elle arriva avec la furie d'un torrent, couvrit en grand le banc de récifs, souleva le *Sloughi*, l'entraîna par-dessus les roches, sans que sa coque en fût même effleurée.

En moins d'une minute, au milieu des bouillonnements de cette masse d'eau, le *Sloughi*, porté jusqu'au centre de la grève, vint buter contre un renflement de sable, à deux cents pieds en avant des premiers arbres massés au bas de la falaise. Et là, il resta immobile — sur la terre ferme, cette fois —, pendant que la mer, en se retirant, laissait toute la grève à sec.

III

LA PENSION CHAIRMAN A AUCKLAND. — GRANDS ET PETITS. — VACANCES EN MER. — LE SCHOONER *SLOUGHI*. — LA NUIT DU 15 FEVRIER. — EN DERIVE. — ABORDAGE. — TEMPETE. — ENQUETE A AUCKLAND. — CE QUI RESTE DU SCHOONER.

A cette époque, la pension Chairman était l'une des plus estimées de la ville d'Auckland, capitale de la Nouvelle-Zélande, importante colonie anglaise du Pacifique. On y comptait une centaine d'élèves, appartenant aux meilleures familles du pays. Les Maoris, qui sont les indigènes de cet archipel, n'auraient pu y faire admettre leurs enfants pour lesquels, d'ailleurs, d'autres écoles étaient réservées. Il n'y avait à la pension Chairman que de jeunes Anglais, Français, Américains, Allemands, fils des propriétaires, rentiers, négociants ou fonctionnaires du pays. Ils y recevaient une éducation très complète, identique à celle qui est donnée dans les établissements similaires du Royaume-Uni.

L'archipel de la Nouvelle-Zélande se compose de deux îles principales : au nord, Ika-Na-Mawi ou Ile du Poisson, au sud, Tawaï-Ponamou ou Terre du Jade-Vert. Séparées par le détroit de Cook, elles gisent entre le 34e et le 45e parallèle sud — position équivalente à celle qu'occupe, dans l'hémisphère boréal, la partie de l'Europe comprenant la France et le nord de l'Afrique.

L'île d'Ika-Na-Mawi, très déchiquetée dans sa partie méridionale, forme une sorte de trapèze irrégulier, qui se prolonge vers le nord-ouest, suivant une courbe terminée par le cap Van-Diemen.

C'est à peu près à la naissance de cette courbe, en un point où la presqu'île mesure seulement quelques milles, qu'est bâtie Auckland. La ville est donc située comme l'est Corinthe, en Grèce — ce qui lui a valu le nom de « Corinthe du Sud ». Elle possède deux ports ouverts, l'un à l'ouest, l'autre à l'est. Ce dernier, sur le golfe Hauraki, étant peu profond, il a fallu projeter quelques-uns de ces longs « piers », à la mode anglaise, où les navires de moyen tonnage peuvent venir accoster. Entre autres s'allonge le Commercial-pier, auquel aboutit Queen's-street, l'une des principales rues de la cité.

C'est vers le milieu de cette rue que se trouvait la pension Chairman.

Or, le 15 février 1860, dans l'après-midi, il sortait dudit pensionnat une centaine de jeunes garçons, accompagnés de leurs parents, l'air gai, l'allure joyeuse

— des oiseaux auxquels on vient d'ouvrir leur cage.

En effet, c'était le commencement des vacances. Deux mois d'indépendance, deux mois de liberté. Et, pour un certain nombre de ces élèves, il y avait aussi la perspective d'un voyage en mer, dont on s'entretenait depuis longtemps à la pension Chairman. Inutile d'ajouter quelle envie excitait ceux auxquels leur bonne fortune allait permettre de prendre passage à bord du yacht *Sloughi,* qui se préparait à visiter les côtes de la Nouvelle-Zélande dans une promenade de circumnavigation.

Ce joli schooner, frété par les parents des élèves, avait été disposé pour une campagne de six semaines. Il appartenait au père de l'un d'eux, M. William H. Garnett, ancien capitaine de la marine marchande, en qui l'on pouvait avoir toute confiance. Une souscription, répartie entre les diverses familles, devait couvrir les frais du voyage, qui s'effectuerait dans les meilleures conditions de sécurité et de confort. C'était là une grande joie pour ces jeunes garçons, et il eût été difficile de mieux employer quelques semaines de vacances.

Dans les pensionnats anglais, l'éducation diffère assez sensiblement de celle qui est donnée dans les pensionnats de France. On y laisse aux élèves plus d'initiative, et, par suite, une liberté relative qui influe assez heureusement sur leur avenir. Ils restent moins longtemps enfants. En un mot, l'éducation y marche de pair avec l'instruction. De là vient que, pour la plupart, ils sont polis, attentionnés, soignés dans leur tenue, et — ce qui est digne d'être noté — peu enclins à employer la dissimulation ou le mensonge, lors même qu'il s'agit de se soustraire à quelque juste punition. Il faut observer également que, dans ces établissements scolaires, les jeunes garçons sont moins astreints aux règles de la vie commune et aux lois du silence qui en découlent. Le plus généralement, ils occupent des chambres à part, y prennent certains repas, et, quand ils s'assoient à la table d'un réfectoire, ils peuvent causer en toute liberté.

C'est suivant leur âge que les élèves sont classés par divisions. Il y en avait cinq dans le pensionnat Chairman. Si, dans la première et dans la seconde, les petits en étaient encore à embrasser leurs parents sur les joues, déjà dans la troisième, les grands remplaçaient le baiser filial par la poignée de main des hommes faits. Aussi, pas de pion pour les surveiller, lecture de romans et de journaux permise, jours de congé fréquemment renouvelés, heures d'étude assez restreintes, exercices du corps très bien compris, gymnastique, boxe et jeux de toutes sortes. Mais, comme correctif à cette indépendance, dont les élèves mésusaient rarement, les punitions corporelles étaient de règle, principalement le fouet. D'ailleurs, être fouetté n'a rien de déshonorant pour de jeunes Anglo-Saxons, et ils se soumettent sans protestation à ce châtiment, lorsqu'ils reconnaissent l'avoir mérité.

Les Anglais, personne ne l'ignore, ont le respect des traditions dans la vie privée aussi bien que dans la vie publique, et ces traditions sont non moins respectées — même quand elles sont absurdes — dans les établissements scolaires, où elles ne ressemblent en rien aux brimades françaises. Si les anciens sont chargés de protéger les nouveaux, c'est à la condition que ceux-ci leur rendent en retour certains services domestiques, auxquels ils ne peuvent se soustraire. Ces services, qui consistent à apporter le déjeuner du matin, à brosser les habits, à cirer les souliers, à faire les commissions, sont connus sous le nom de « faggisme », et ceux qui les doivent s'appellent « fags ». Ce sont les plus petits, ceux des premières divisions qui servent de fags aux élèves des divisions supérieures, et, s'ils refusaient d'obéir, on leur ferait la vie dure. Mais aucun d'eux n'y songe, et cela les habitue à se plier à une discipline qu'on ne retrouve guère chez les élèves des lycées français. D'ailleurs, la tradition l'exige, et, s'il est un pays qui l'observe entre tous, c'est bien le Royaume-Uni, où elle s'impose au plus humble « cockney » de la rue comme aux pairs de la Chambre Haute.

Les élèves, qui devaient prendre part à l'excursion du *Sloughi,* appartenaient aux diverses divisions du pensionnat Chairman. Ainsi qu'on a pu le remarquer à bord du schooner, il s'en trouvait depuis l'âge de huit ans jusqu'à l'âge de quatorze. Et ces quinze jeunes garçons, y compris le mousse, allaient être entraînés loin et longtemps dans de terribles aventures !

Il importe de faire connaître leurs noms, leur âge, leurs aptitudes, leurs caractères, la situation de leur famille, et quels rapports existaient entre eux dans cet établissement qu'ils venaient de quitter à l'époque habituelle des vacances.

A l'exception de deux Français, les frères Briant, et de Gordon, qui est Américain, ils sont tous d'origine anglaise.

Doniphan et Cross appartiennent à une famille de riches propriétaires qui occupent le premier rang dans la société de la Nouvelle-Zélande. Agés de treize ans et quelques mois, ils sont cousins, et tous deux font partie de la cinquième division. Doniphan, élégant et soigné de sa personne, est de tous, sans contredit, l'élève le plus distingué. Intelligent et studieux, il tient à ne jamais déchoir, autant par goût de s'instruire que par désir de l'emporter sur ses camarades. Une certaine morgue aristocratique lui a valu le sobriquet de « lord Doniphan », et son caractère impérieux le

porte à vouloir dominer partout où il se trouve. De là
vient, entre Briant et lui, cette rivalité qui remonte à
plusieurs années et qui s'est surtout accentuée depuis
que les circonstances ont accru l'influence de Briant sur
ses camarades. Quant à Cross, c'est un élève assez
ordinaire, mais pénétré d'admiration pour tout ce que
pense, dit ou fait son cousin Doniphan.

Baxter, de la même division, âgé de treize ans, garçon
froid, réfléchi, travailleur, très ingénieux, très adroit
de ses mains, est le fils d'un commerçant dans une
position de fortune assez modeste.

Webb et Wilcox, âgés de douze ans et demi, comptent
parmi les élèves de la quatrième division. D'intelligence
moyenne, assez volontaires et d'humeur querelleuse,
ils se sont toujours montrés très exigeants dans l'observation des pratiques du faggisme. Leurs familles sont
riches et tiennent un rang élevé parmi la magistrature
du pays.

Garnett, de la troisième division comme son copain
Service — douze ans tous deux — sont fils, l'un d'un
capitaine de marine à la retraite, l'autre d'un colon
aisé, qui habitent le North-Shore sur la côte septentrionale du port de Waitemala. Les deux familles sont
très liées, et de cette intimité il résulte que Garnett et
Service sont devenus inséparables. Ils ont bon cœur,
mais peu de goût au travail, et, si on leur donnait la
clef des champs, ils ne la laisseraient point se rouiller
dans leur poche. Garnett est surtout passionné — passion
regrettable — pour l'accordéon, si apprécié dans la
marine anglaise. Aussi, en sa qualité de fils de marin,
joue-t-il à ses moments perdus de son instrument de
prédilection, et n'a-t-il pas négligé de l'emporter à bord
du *Sloughi*. Quant à Service, à coup sûr, c'est le plus gai,
le plus évaporé de la bande, le véritable loustic du

pensionnat Chairman, ne rêvant qu'aventures de voyage, et nourri à fond du *Robinson Crusoé* et du *Robinson Suisse,* dont il fait sa lecture favorite.

Il faut maintenant nommer deux autres garçons, âgés de neuf ans. Le premier, Jenkins, est fils du directeur de la Société des Sciences, la « New-Zealand-Royal-Society » ; l'autre, Iverson, est fils du pasteur de l'église métropolitaine de Saint-Paul. S'ils ne sont encore que dans la troisième et la deuxième division, on les cite parmi les bons élèves du pensionnat.

Viennent ensuite deux enfants, Dole, huit ans et demi, et Costar, huit ans, tous deux fils d'officiers de l'armée anglo-zélandaise, qui habitent la petite ville d'Ouchunga, à six milles d'Auckland, sur le littoral du port de Manukau. Ce sont de ces « petits », sur lesquels on ne dit rien, si ce n'est que Dole est fort entêté, et Costar fort gourmand. S'ils ne brillent guère dans la première division, ils ne s'en croient pas moins très avancés parce qu'ils savent lire et écrire — ce dont il n'y a pas autrement lieu de se vanter à leur âge.

On le voit, ces enfants appartiennent tous à d'honorables familles, fixées depuis longtemps en Nouvelle-Zélande.

Il reste à parler des trois autres garçons, embarqués sur le schooner, l'Américain et les deux Français.

L'Américain, c'est Gordon, âgé de quatorze ans. Sa figure comme sa tournure sont déjà empreintes d'une certaine rudesse toute « yankee ». Quoique un peu gauche, un peu lourd, c'est évidemment le plus posé des élèves de la cinquième division. S'il n'a pas le brillant de son camarade Doniphan, il possède un esprit juste, un sens pratique dont il a souvent donné des preuves. Il a le goût des choses sérieuses, étant d'un caractère observateur, d'un tempérament froid. Méthodique jusqu'à la minutie, il range les idées dans son cerveau comme les objets dans son pupitre, où tout est classé, étiqueté, annoté sur un carnet spécial. En somme, ses camarades l'estiment, reconnaissent ses qualités, et, bien qu'il ne soit pas anglais de naissance, lui ont toujours fait bon accueil. Gordon est originaire de Boston ; mais, orphelin de père et de mère, il n'a d'autre parent que son tuteur, ancien agent consulaire, qui, après fortune faite, s'est fixé dans la Nouvelle-Zélande, et depuis quelques années déjà, habite une de ces jolies villas, éparpillées sur les hauteurs, près du village de Mount-Saint-John.

Les deux jeunes Français, Briant et Jacques, sont les fils d'un ingénieur distingué, qui est venu — il y avait deux ans et demi — prendre la direction de grands travaux de dessèchement dans les marais du centre d'Ika-Na-Mawi. L'aîné a treize ans. Peu travailleur quoique très intelligent, il lui arrive le plus souvent d'être un des derniers de la cinquième division. Cependant, quand il le veut, avec sa facilité d'assimilation, sa remarquable mémoire, il s'élève au premier rang, et c'est là ce dont Doniphan se montre le plus jaloux. Aussi Briant et lui n'ont-ils jamais pu être en bonne intelligence au pensionnat Chairman, et on a déjà vu les conséquences de ce désaccord à bord du *Sloughi*. Et puis, Briant est audacieux, entreprenant, adroit aux exercices du corps, vif à la repartie, de plus, serviable, bon garçon, n'ayant rien de la morgue de Doniphan, un peu débraillé, par exemple et manquant de tenue — en un mot, très français et par cela même, très différent de ses camarades d'origine anglaise. D'ailleurs, il a souvent protégé les plus faibles contre l'abus que les grands faisaient de leur force, et, en ce qui le concerne, n'a jamais voulu se soumettre aux obligations du faggisme. De là, des

résistances, des luttes, des batailles, desquelles, grâce
à sa vigueur et à son courage, il est presque toujours sorti
vainqueur. Aussi est-il généralement aimé, et, quand
il s'est agi de la direction du *Sloughi*, ses camarades,
à quelques exceptions près, n'ont-ils point hésité à lui
obéir — d'autant plus, on le sait, qu'il avait pu acquérir
quelques connaissances nautiques pendant sa traversée
de l'Europe à la Nouvelle-Zélande.

Quant au cadet, Jacques, il avait été considéré jusqu'alors comme le plus espiègle de la troisième division
— sinon de tout le pensionnat Chairman, sans en excep-
ter Service — inventant sans cesse des niches nouvelles,
jouant des tours pendables à ses camarades, et se faisant
punir plus que de raison. Mais, ainsi qu'on le verra,
son caractère s'était absolument modifié depuis le
départ du yacht, sans que l'on sût pour quel motif.

Tels sont les jeunes garçons que la tempête venait
de jeter sur une des terres de l'océan Pacifique.

Pendant cette promenade de quelques semaines le
long des côtes de la Nouvelle-Zélande, le *Sloughi* devait
être commandé par son propriétaire, le père de Garnett,
l'un des plus hardis yachtmen des parages de l'Australasie. Que de fois le schooner avait paru sur le littoral
de la Nouvelle-Calédonie, de la Nouvelle-Hollande,
depuis le détroit de Torrès jusqu'aux pointes méridionales de la Tasmanie, et jusque dans ces mers des Molu-
ques, des Philippines et des Célèbes, si funestes parfois
aux bâtiments du plus fort tonnage ! Mais c'était un
yacht solidement construit, très marin, et qui tenait
admirablement la mer, même par les gros temps.

L'équipage se composait d'un maître, de six matelots,
d'un cuisinier et d'un mousse, — Moko, jeune Nègre
de douze ans, dont la famille était depuis longtemps
au service d'un colon de la Nouvelle-Zélande. Il faut

mentionner aussi un beau chien de chasse, Phann, de
race américaine, qui appartenait à Gordon et ne quittait
jamais son maître.

Le jour du départ avait été fixé au 15 février. En
attendant, le *Sloughi* restait amarré par l'arrière à l'extrémité du Commercial-pier et, conséquemment, assez
au large dans le port.

L'équipage n'était pas à bord, lorsque, le 14 au soir,
les jeunes passagers vinrent s'embarquer. Le capitaine
Garnett ne devait arriver qu'au moment de l'appareil-
lage. Seuls, le maître et le mousse reçurent Gordon et
ses camarades, — les hommes étant allés vider un
dernier verre de wisky. Et même, après que tous furent
installés et couchés, le maître crut pouvoir rejoindre
son équipage dans un des cabarets du port, où il eut le
tort impardonnable de s'attarder jusqu'à une heure
avancée de la nuit. Quant au mousse, il s'était affalé
dans le poste pour dormir.

Que se passa-t-il alors ? Très probablement, on ne
devait jamais le savoir. Ce qui est certain, c'est que
l'amarre du yacht fut détachée par négligence ou par
malveillance... A bord on ne s'aperçut de rien.

Une nuit noire enveloppait le port et le golfe Hauraki.
Le vent de terre se faisait sentir avec force, et le schooner,
pris en dessous par un courant de reflux qui portait
au large, se mit à fuir vers la haute mer.

Lorsque le mousse se réveilla, le *Sloughi* roulait comme
s'il eût été bercé par une houle qu'on ne pouvait confondre avec le ressac habituel. Moko se hâta aussitôt de
monter sur le pont... Le yacht était en dérive !

Aux cris du mousse, Gordon, Briant, Doniphan et
quelques autres, se jetant à bas de leurs couchettes,
s'élancèrent hors du capot. Vainement appelèrent-ils
à leur aide ! Ils n'apercevaient même plus une seule

des lumières de la ville ou du port. Le schooner était déjà en plein golfe, à trois milles de la côte.

Tout d'abord, sur les conseils de Briant auquel se joignit le mousse, ces jeunes garçons essayèrent d'établir une voile, afin de revenir au port en courant une bordée. Mais, trop lourde pour pouvoir être orientée convenablement, cette voile n'eut d'autre effet que de les entraîner plus loin par la prise qu'elle donnait au vent d'ouest. Le *Sloughi* doubla le cap Colville, franchit le détroit qui le sépare de l'île de la Grande-Barrière, et se trouva bientôt à plusieurs milles de la Nouvelle-Zélande.

On comprend la gravité d'une pareille situation. Briant et ses camarades ne pouvaient plus espérer aucun secours de terre. Au cas où quelque navire du port se mettrait à leur recherche, plusieurs heures se passeraient avant qu'il eût pu les rejoindre, étant même admis qu'il fût possible de retrouver le schooner au milieu de cette profonde obscurité. Et d'ailleurs, le jour venu, comment apercevrait-on un si petit bâtiment, perdu sur la haute mer ? Quant à se tirer d'affaire par leurs seuls efforts, comment ces enfants y parviendraient-ils ? Si le vent ne changeait pas, ils devraient renoncer à revenir vers la terre.

Restait, il est vrai, la chance d'être rencontré par un bâtiment faisant route vers un des ports de la Nouvelle-Zélande. C'est pourquoi, si problématique que fût cette éventualité, Moko se hâta-t-il de hisser un fanal en tête du mât de misaine. Il n'y eut plus alors qu'à attendre le lever du jour.

Quant aux petits, comme le tumulte ne les avait point réveillés, il avait paru bon de les laisser dormir. Leur effroi n'aurait pu que mettre le désordre à bord.

Cependant, plusieurs tentatives furent encore faites

Ils poussèrent inutilement des cris de détresse. (Page 48.)

pour ramener le *Sloughi* au vent. Mais il abattait aussitôt et dérivait dans l'est avec rapidité.

Soudain, un feu fut signalé à deux ou trois milles. C'était un feu blanc, en tête de mât — ce qui est le signe distinctif des steamers en marche. Bientôt les deux feux de position, rouge et vert, apparurent, et, comme ils étaient visibles à la fois l'un et l'autre, c'est que ce steamer se dirigeait droit sur le yacht.

Les jeunes garçons poussèrent inutilement des cris de détresse. Le fracas des lames, le sifflement de la vapeur qui fusait par les tuyaux d'échappement du steamer, le vent devenu plus violent au large, tout se réunissait pour que leurs voix se perdissent dans l'espace.

Pourtant, s'ils ne pouvaient les entendre, les matelots de quart n'apercevraient-ils pas le fanal du *Sloughi* ? C'était une dernière chance.

Par malheur, dans un coup de tangage, la drisse vint à casser, le fanal tomba à la mer, et rien n'indiqua plus la présence du *Sloughi*, sur lequel le steamer courait avec une vitesse de douze milles à l'heure.

En quelques secondes, le yacht fut abordé et il aurait sombré à l'instant, s'il eût été pris par le travers ; mais la collision se produisit seulement à l'arrière et ne démolit qu'une partie du tableau, sans heurter la coque.

Le choc avait été si faible, en somme, que, laissant le *Sloughi* à la merci d'une bourrasque très prochaine, le steamer continua sa route.

Trop souvent, les capitaines ne s'inquiètent guère de porter secours au navire qu'ils ont heurté. C'est là une conduite criminelle, dont on a de nombreux exemples. Mais, dans l'espèce, il était très admissible qu'à bord du steamer, on n'eût rien senti de la collision avec ce léger yacht, qui n'avait pas même été entrevu dans l'ombre.

BAXTER.

Alors, emportés par le vent. ces jeunes garçons durent se croire perdus. Quand le jour se leva, l'immensité était déserte. En cette portion peu fréquentée du Pacifique, les navires, qui vont de l'Australasie à l'Amérique ou de l'Amérique à l'Australasie, suivent des routes plus méridionales ou plus septentrionales. Pas un ne passa en vue du yacht. La nuit vint, encore plus mauvaise, et, s'il y eut des accalmies dans la rafale, le vent ne cessa de souffler de l'ouest.

Ce que durerait cette traversée, c'est ce dont ni Briant ni ses camarades ne pouvaient se faire une idée. En vain voulurent-ils manœuvrer de façon à ramener le schooner dans les parages néo-zélandais ? Le savoir leur manquait pour modifier son allure, comme la force pour installer ses voiles.

Ce fut dans ces conditions que Briant, déployant une énergie très supérieure à son âge, commença de prendre sur ses camarades une influence que Doniphan lui-même dut subir. Si, aidé en cela par Moko, il ne parvint pas à ramener le yacht vers les parages de l'ouest, du moins employa-t-il le peu qu'il savait à le maintenir dans de suffisantes conditions de navigabilité. Il ne s'épargna pas, il veilla nuit et jour, ses regards parcourant obstinément l'horizon pour y chercher une chance de salut. Il eut soin aussi de faire jeter à la mer quelques bouteilles renfermant un document relatif au *Sloughi*. Faible ressource, sans doute, mais qu'il ne voulut pas négliger.

Cependant, les vents d'ouest poussaient toujours le yacht à travers le Pacifique, sans qu'il fût possible d'enrayer sa marche ni même de diminuer sa vitesse.

On sait ce qui s'était passé. Quelques jours après que le schooner eut été drossé hors des passes du golfe Hauraki, une tempête s'éleva, et, pendant deux semaines, se déchaîna avec une impétuosité extraordinaire. Assailli par des lames monstrueuses, après avoir failli cent fois être écrasé sous d'énormes coups de mer, — ce qui fut arrivé n'eût été sa construction solide et ses qualités nautiques, — le *Sloughi* vint faire côte sur une terre inconnue de l'océan Pacifique.

Et maintenant, quel serait le sort de ce pensionnat de naufragés, entraînés à dix-huit cents lieues de la Nouvelle-Zélande ? De quel côté leur arriverait un secours qu'ils ne pourraient trouver en eux-mêmes ?...

En tout cas, leurs familles n'avaient que trop lieu de les croire engloutis avec le schooner.

Voici pourquoi :

A Auckland, lorsque la disparition du *Sloughi* eut été constatée dans la nuit même du 14 au 15 février, on prévint le capitaine Garnett et les familles de ces malheureux enfants. Inutile d'insister sur l'effet qu'un tel événement produisit dans la ville, où la consternation fut générale.

Mais, si son amarre s'était détachée ou rompue, peut-être la dérive n'avait-elle pas rejeté le schooner au large du golfe ? Peut-être serait-il possible de le retrouver, bien que le vent d'ouest, qui prenait de la force, fût de nature à donner les plus douloureuses inquiétudes ?

Aussi, sans perdre un instant, le directeur du port prit-il ses mesures pour venir au secours du yacht. Deux petits vapeurs allèrent porter leurs recherches sur un espace de plusieurs milles en dehors du golfe Hauraki. Pendant la nuit entière, ils parcoururent ces parages, où la mer commençait à devenir très dure. Et, le jour venu, quand ils rentrèrent, ce fut pour enlever tout espoir aux familles frappées par cette épouvantable catastrophe.

En effet, s'ils n'avaient pas retrouvé le *Sloughi*, ces

vapeurs en avaient du moins recueilli les épaves. C'étaient les débris du couronnement, tombés à la mer, après cette collision avec le steamer péruvien *Quito* — collision dont ce navire n'avait pas même eu connaissance.

Sur ces débris se lisaient encore trois ou quatre lettres du nom de *Sloughi*. Il parut donc certain que le yacht avait dû être démoli par quelque coup de mer, et que, par suite de cet accident, il s'était perdu corps et biens à une douzaine de milles au large de la Nouvelle-Zélande.

IV

PREMIERE EXPLORATION DU LITTORAL. — BRIANT ET GORDON A TRAVERS LE BOIS. — VAINE TENTATIVE POUR DECOUVRIR UNE GROTTE. — INVENTAIRE DU MATERIEL. — PROVISIONS, ARMES, VETEMENTS, LITERIE, USTENSILES, OUTILS, INSTRUMENTS. — PREMIER DEJEUNER. — PREMIERE NUIT.

LA côte était déserte, ainsi que l'avait reconnu Briant lorsqu'il était en observation sur les barres du mât de misaine. Depuis une heure, le schooner gisait sur la grève dans sa souille de sable, et aucun indigène n'avait encore été signalé. Ni sous les arbres qui se massaient en avant de la falaise, ni près des bords du rio, empli par les eaux de la marée montante, on ne voyait une maison, une cabane, une hutte. Pas même d'empreinte de pied humain à la surface de la grève, que les relais de mer bordaient d'un long cordon de varechs. A l'embouchure de la petite rivière, aucune embarcation de pêche. Enfin, nulle fumée se contour-

Quelle est cette terre qui semble inhabitée ? (Page 54.)

nant dans l'air sur tout le périmètre de la baie compris
entre les deux promontoires du sud et du nord.

En premier lieu, Briant et Gordon eurent la pensée
de s'enfoncer à travers les groupes d'arbres, afin d'atteindre la falaise pour la gravir, si c'était possible.

« Nous voilà à terre, c'est déjà quelque chose ! dit
Gordon. Mais quelle est cette terre, qui semble inhabitée...

— L'important est qu'elle ne soit pas inhabitable,
répondit Briant. Nous avons des provisions et des munitions pour quelque temps !... Il ne nous manque qu'un
abri, et il faut en trouver un... au moins pour les petits...
Eux avant tout !

— Oui !... tu as raison !... répondit Gordon.

— Quant à savoir où nous sommes, reprit Briant,
il sera temps de s'en occuper lorsque nous aurons
pourvu au plus pressé ! Si c'est un continent, peut-être
y aurait-il quelque chance que nous fussions secourus !
Si c'est une île !... une île inhabitée... eh bien, nous
verrons !... Viens, Gordon, viens à la découverte ! »

Tous deux atteignirent rapidement la limite des arbres
qui se développait obliquement entre la falaise et la
rive droite du rio, trois ou quatre cents pas en amont
de l'embouchure.

Dans ce bois, il n'y avait aucune trace du passage de
l'homme, pas une percée, pas une sente. De vieux troncs,
abattus par l'âge, gisaient sur le sol, et Briant et Gordon
enfonçaient jusqu'au genou dans le tapis des feuilles
mortes. Toutefois, les oiseaux s'enfuyaient craintive-
ment, comme s'ils eussent appris déjà à se défier des
êtres humains. Ainsi il était probable que cette côte,
si elle n'était pas habitée, recevait accidentellement la
visite des indigènes d'un territoire voisin.

En dix minutes, les deux garçons eurent traversé
ce bois, dont l'épaisseur s'accroissait dans le voisinage

Ils s'amusaient à ramasser des coquillages. (Page 56.)

du revers rocheux qui se dressait comme une muraille
à pic sur une hauteur moyenne de cent quatre-vingts
pieds. Le soubassement de ce revers présenterait-il
quelque anfractuosité dans laquelle il serait possible
de trouver un abri. C'eût été fort désirable. Là, en effet,
une caverne, protégée contre les vents du large par le
rideau d'arbres et hors des atteintes de la mer, même
par les gros temps, eût offert un excellent refuge.
Là, les jeunes naufragés auraient pu s'installer provisoirement, en attendant qu'une plus sérieuse exploration de la côte leur permît de s'aventurer avec sécurité
vers l'intérieur du pays.

Malheureusement, dans ce revers, aussi abrupt
qu'une courtine de fortification, Gordon et Briant ne
découvrirent aucune grotte, pas même une coupure
par laquelle on eût pu s'élever jusqu'à sa crête. Pour
gagner l'intérieur du territoire, il faudrait, probablement, contourner cette falaise, dont Briant avait reconnu
la disposition lorsqu'il l'observait des barres du *Sloughi*.

Pendant une demi-heure environ, tous deux redescendirent vers le sud en longeant la base de la falaise.
Ils atteignirent alors la rive droite du rio, qui remontait
sinueusement dans la direction de l'est. Si cette rive
était ombragée de beaux arbres, l'autre bordait une
contrée d'un aspect très différent, sans verdure, sans
accidents de terrain. On eût dit un vaste marécage qui
se développait jusqu'à l'horizon du sud.

Déçus dans leur espoir, n'ayant pu s'élever au sommet
de la falaise, d'où, sans doute, il leur eût été permis
d'observer le pays sur un rayon de plusieurs milles,
Briant et Gordon revinrent vers le *Sloughi*.

Doniphan et quelques autres allaient et venaient sur
les roches, tandis que Jenkins, Iverson, Dole et Costar
s'amusaient à ramasser des coquillages.

Dans un entretien qu'ils eurent avec les grands, Briant et Gordon firent connaître le résultat de leur exploration. En attendant que les investigations pussent être portées plus loin, il parut convenable de ne point abandonner le schooner. Bien qu'il fût fracassé dans ses fonds et qu'il donnât une forte bande à bâbord, il pourrait servir de demeure provisoire, à cette place même où il s'était échoué. Si le pont s'était entrouvert à l'avant, au-dessus du poste de l'équipage, le salon et les chambres de l'arrière offraient, du moins, un abri suffisant contre les rafales. Quant à la cuisine, elle n'avait point souffert du talonnement sur les récifs — à la grande satisfaction des petits, que la question des repas intéressait tout particulièrement.

En vérité, c'était une chance que ces jeunes garçons n'eussent point été réduits à transporter sur la grève les objets indispensables à leur installation. En admettant qu'ils y eussent réussi, à quelles difficultés, à quelles fatigues, n'auraient-ils point été exposés ? Si le *Sloughi* fût resté à l'accore des premiers brisants, comment auraient-ils pu opérer le sauvetage du matériel ? La mer n'eût-elle pas rapidement démoli le yacht, et, des quelques épaves éparses sur le sable, conserves, armes, munitions, vêtements, literie, ustensiles de toutes sortes, si utiles à l'existence de ce petit monde, qu'aurait-on pu sauver ? Heureusement, le raz de marée avait jeté le *Sloughi* au-delà du banc de récifs. S'il se trouvait hors d'état de jamais naviguer, du moins était-il habitable, puisque ses hauts avaient résisté à la bourrasque d'abord, au choc ensuite, et que rien ne pourrait l'arracher de cette souille sablonneuse, où sa quille s'était enfoncée. Sans doute, sous les atteintes successives du soleil et de la pluie, il finirait par se disloquer, son bordé céderait, son pont achèverait de s'entrouvrir, et l'abri qu'il offrait à cette heure finirait par devenir insuffisant. Mais, d'ici là, ou les jeunes naufragés auraient pu gagner quelque ville, quelque village, ou, si la tempête les avait relégués sur une île déserte, ils auraient découvert une grotte dans les rochers du littoral.

Le mieux était donc de demeurer provisoirement à bord du *Sloughi*. C'est ce qui fut fait le jour même. Une échelle de corde, établie sur tribord, du côté où le yacht donnait la bande, permit aux grands comme aux petits d'atteindre les capots du pont. Moko, qui savait un peu de cuisine, en sa qualité de mousse et aidé de Service, qui se plaisait à fricoter, s'occupa de préparer un repas. Tous mangèrent de bon appétit, et même Jenkins, Iverson, Dole et Costar s'abandonnèrent à quelque gaieté. Seul, Jacques Briant, autrefois le boute-en-train du pensionnat, continua de se tenir à l'écart. Un tel changement dans son caractère, dans ses habitudes, était bien fait pour surprendre ; mais Jacques, devenu très taciturne, s'était toujours dérobé aux questions que ses camarades lui avaient faites à ce sujet.

Enfin, très fatigués, après tant de jours, tant de nuits, passés au milieu des milles dangers de la tempête, tous ne songèrent plus qu'à dormir. Les petits se répartirent dans les chambres du yacht, où les grands ne tardèrent pas à les rejoindre. Toutefois, Briant, Gordon et Doniphan voulurent veiller à tour de rôle. Ne pouvaient-ils craindre l'apparition d'une bande de fauves, ou même d'une troupe d'indigènes qui n'eussent pas été moins redoutables ? Il n'en fut rien. La nuit s'écoula sans alertes, et, lorsque le soleil reparut, après une prière de reconnaissance envers Dieu, on s'occupa des travaux exigés par les circonstances.

Premièrement, il fallut inventorier les provisions du yacht, puis le matériel, comprenant armes, instruments, ustensiles, vêtements, outils, etc. La question de la nourriture était la plus grave, puisque cette côte semblait déserte. Les ressources y seraient bornées aux produits de la pêche et de la chasse, si, toutefois, le gibier ne faisait pas défaut. Jusqu'alors, Doniphan, qui était un très adroit chasseur, n'avait aperçu que de nombreuses bandes de volatiles à la surface des récifs et des rochers de la grève. Mais, d'être réduits à se nourrir d'oiseaux de mer, cela eût été regrettable. Il fallait dès lors savoir combien de temps les provisions du schooner pourraient durer en les ménageant avec soin.

Or, constatation faite, sauf le biscuit dont il y avait un approvisionnement considérable, conserves, jambon, biscuits de viande — composés de farine de première qualité, de porc haché et d'épices — corn-beef, salaisons, boîtes d'endaubages, cela n'irait pas plus de deux mois, même en n'y recourant qu'avec une extrême parcimonie. Aussi, dès le début, conviendrait-il de recourir aux productions du pays, afin de ménager les provisions dans le cas où il serait nécessaire de franchir quelques centaines de milles pour atteindre les ports du littoral ou les villes de l'intérieur.

« Pourvu qu'une partie de ces conserves ne soient pas endommagées ! fit observer Baxter. Si l'eau de mer a pénétré dans la cale, après notre échouage...

— C'est ce que nous verrons en ouvrant les boîtes qui nous paraîtront avariées... répondit Gordon. Peut-être, si l'on faisait recuire leur contenu, pourrait-on s'en servir ?...

— Je m'en charge, répondit Moko.

— Et ne tarde pas à te mettre à la besogne, reprit Briant, car, pendant les premiers jours, nous serons forcés de vivre sur les provisions du *Sloughi*.

— Et pourquoi, dès aujourd'hui, dit Wilcox, ne pas

visiter les roches qui s'élèvent dans le nord de la baie
et y recueillir des œufs bons à manger ?...

— Oui !... oui !... s'écrièrent Dole et Costar.

— Et pourquoi ne pas pêcher ? ajouta Webb. Est-ce
qu'il n'y a pas des lignes à bord et du poisson dans
la mer ? — Qui veut aller à la pêche ?

— Moi !... Moi !... s'écrièrent les petits.

— Bien !... Bien !... répondit Briant. Mais il ne s'agit
pas de jouer, et nous ne donnerons des lignes qu'aux
pêcheurs sérieux !...

— Sois tranquille, Briant ! répondit Iverson. Nous
ferons cela comme un devoir...

— Bien, mais commençons par inventorier ce que
contient notre yacht, dit Gordon. Il ne faut pas songer
seulement à la nourriture...

— On pourrait toujours récolter des mollusques
pour le déjeuner ! fit observer Service.

— Soit ! répondit Gordon. Allez, les petits, à trois ou
quatre ! — Moko, tu les accompagneras.

— Oui, monsieur Gordon.

— Et tu veilleras bien sur eux ! ajouta Briant.

— N'ayez crainte ! »

Le mousse, sur lequel on pouvait compter, garçon très
serviable, très adroit, très courageux, devait rendre de
grands services aux jeunes naufragés. Il était particulièrement dévoué à Briant, qui, de son côté, ne cachait
point la sympathie que lui inspirait Moko — sympathie
dont ses camarades anglo-saxons auraient eu honte
sans doute.

« Partons ! s'écria Jenkins.

— Tu ne les accompagnes pas, Jacques ? » demanda
Briant en s'adressant à son frère.

Jacques répondit négativement.

Jenkins, Dole, Costar, Iverson partirent donc sous

la conduite de Moko, et remontèrent le long des récifs que la mer venait de laisser à sec. Peut-être, dans les interstices des roches, pourraient-ils récolter une bonne provision de mollusques, moules, clovisses, huîtres même, et, crus ou cuits, ces coquillages apporteraient un appoint sérieux au déjeuner du matin. Ils s'en allaient en gambadant, voyant dans cette excursion moins l'utilité que le plaisir. C'était bien de leur âge, et c'est à peine s'il leur restait le souvenir des épreuves par lesquelles ils venaient de passer, ni le souci des dangers dont les menaçait l'avenir.

Dès que la petite troupe se fut éloignée, les grands entreprirent des recherches à bord du yacht. D'une part, Doniphan, Cross, Wilcox et Webb firent le recensement des armes, des munitions, des vêtements, des objets de literie, des outils et ustensiles du bord. De l'autre, Briant, Garnett, Baxter et Service établirent le compte des boissons, vins, ale, brandy, wisky, gin, renfermées à fond de cale dans les barils d'une contenance de dix à quarante gallons chacun. A mesure que chaque objet était inventorié, Gordon l'inscrivait sur son carnet de poche. Ce carnet, d'ailleurs, était rempli de notes relatives à l'aménagement comme à la cargaison du schooner. Le méthodique Américain — comptable de naissance, on peut le dire — possédait déjà un état général du matériel, et il semblait qu'il n'eût plus qu'à le vérifier.

Et d'abord, il fut constaté qu'il y avait un jeu complet de voiles de rechange et d'agrès de toutes sortes, filin, câbles, aussières, etc. Si le yacht eût encore été en mesure de naviguer, rien n'aurait manqué pour le regréer entièrement. Mais, si ces toiles de première qualité, ces cordages neufs, ne devaient plus servir à un gréement, on saurait les utiliser, lorsqu'il s'agirait de s'installer. Quelques ustensiles de pêche, filets à main et lignes de fond ou de traîne, figurèrent aussi dans l'inventaire,

et c'était là de précieux engins, pour peu que le poisson
fût abondant en ces parages.

En fait d'armes, voici ce qui fut inscrit sur le carnet de
Gordon : huit fusils de chasse à percussion centrale,
une canardière à longue portée et une douzaine de revolvers ; en fait de munitions, trois cents cartouches à
douilles pour les armes se chargeant par la culasse, deux
tonneaux de poudre de vingt-cinq livres chacun, et une
assez grande quantité de plomb, grenaille et balles.
Ces munitions, destinées aux chasses pendant les relâches
du *Sloughi* sur les côtes de la Nouvelle-Zélande, s'em-
ploieraient plus utilement ici pour assurer la vie commune — et plût au Ciel que ce ne fût pas pour la défendre ! La soute contenait aussi une certaine quantité de
fusées, destinées aux communications de nuit, une trentaine de gargousses et de projectiles pour l'approvisionnement des deux petits canons du yacht, dont, il fallait
l'espérer, on n'aurait point à faire usage pour repousser
une attaque d'indigènes.

Quant aux objets de toilette, aux ustensiles de cuisine,
ils étaient suffisants pour les besoins des jeunes naufragés — même dans le cas où leur séjour se prolongerait.
Si une partie de la vaisselle avait été brisée au choc du
Sloughi contre les récifs, il en restait assez pour le service
de l'office et de la table. Ce n'étaient point là, d'ailleurs,
des objets d'une absolue nécessité. Mieux valait que les
vêtements de flanelle, de drap, de coton ou de toile
fussent en quantité telle que l'on pût en changer suivant
les exigences de la température. En effet, si cette terre
se trouvait à la même latitude que la Nouvelle-Zélande
— chose probable, puisque, depuis son départ
d'Auckland, le schooner avait toujours été poussé par
des vents d'ouest — on devait s'attendre à de fortes
chaleurs pendant l'été, à de grands froids pendant

l'hiver. Heureusement, il y avait à bord quantité de ces vêtements qui sont indispensables à une excursion de plusieurs semaines, car on ne saurait trop se couvrir à la mer. En outre, les coffres de l'équipage fournirent des pantalons, des vareuses de laine, des capotes cirées, des tricots épais, qu'il serait facile d'adapter à la taille des grands et des petits — ce qui permettrait d'affronter les rigueurs de la saison hivernale. Il va sans dire que, si les circonstances obligeaient à abandonner le schooner pour une demeure plus sûre, chacun emporterait sa literie complète, les cadres étant bien garnis de matelas, de draps, d'oreillers, de couvertures, et, avec des soins, ces divers objets pourraient durer longtemps...

Longtemps !... Un mot qui peut-être signifiait toujours !

Voici maintenant ce que Gordon nota sur son carnet à l'article des instruments de bord : deux baromètres anéroïdes, un thermomètre centigrade à esprit-de-vin, deux montres marines, plusieurs de ces trompes ou cornets de cuivre dont on se sert pendant les brumes et qui se font entendre à de longues distances, trois lunettes à petite et longue portée, une boussole d'habitacle et deux autres d'un modèle réduit, un storm-glass indiquant l'approche des tempêtes, enfin plusieurs pavillons du Royaume-Uni, sans compter toute la série des pavillons qui permettent de communiquer en mer d'un navire à l'autre. Enfin, il y avait aussi un de ces halketts-boats, petits canots en caoutchouc, qui se replient comme une valise et suffisent à la traversée d'une rivière ou d'un lac.

Quant aux outils, le coffre du menuisier en renfermait un assortiment assez complet sans compter des sacs de clous, de tire-fond et de vis, des ferrures de toutes sortes pour les petites réparations du yacht. De même, boutons,

fil et aiguilles ne manquaient point, car, en prévision
de fréquents raccommodages, les mères de ces enfants
avaient pris leurs précautions. Ils ne risqueraient pas,
non plus, d'être privés de feu ; avec une ample provision
d'allumettes, les mèches d'amadou, et les briquets
leur suffiraient pour un long temps, et ils pouvaient
être rassurés à cet égard.

A bord, se trouvaient aussi des cartes à grands points ;
mais elles étaient spéciales aux côtes de l'archipel
Néo-Zélandais — inutiles, par conséquent, pour ces
parages inconnus. Par bonheur, Gordon avait emporté
un de ces Atlas généraux qui comprennent la géographie
de l'Ancien et du Nouveau Monde, et précisément
l'Atlas de Stieler, qui paraît être ce que la géographie
moderne compte de plus parfait en ce genre. Puis,
la bibliothèque du yacht possédait un certain nombre
de bons ouvrages anglais et français, surtout des récits
de voyage et quelques bouquins de science, sans parler
des deux fameux Robinsons que Service eût sauvés,
comme autrefois Camoëns sauva ses *Lusiades* — ce que
Garnett avait fait de son côté pour son fameux accordéon, sorti sain et sauf des chocs de l'échouage. Enfin,
après tout ce qu'il fallait pour lire, il y avait tout ce qu'il
fallait pour écrire, plumes, crayons, encre, papier, et
aussi un calendrier de l'année 1860, sur lequel Baxter
fut chargé d'effacer successivement chaque jour écoulé.

« C'est le 10 mars, dit-il, que notre pauvre *Sloughi*
a été jeté à la côte !... J'efface donc ce 10 mars, ainsi,
que tous les jours de 1860 qui l'ont précédé. »

A mentionner aussi une somme de cinq cents livres
en or qui fut trouvée dans le coffre-fort du yacht. Peut-
être cet argent aurait-il son emploi, si les jeunes naufragés parvenaient à atteindre quelque port d'où ils pourraient se faire rapatrier.

MOKO, GARNETT et SERVICE.

Gordon s'occupa alors de relever minutieusement le compte des divers barils arrimés dans la cale. Plusieurs de ces barils, remplis de gin, d'ale ou de vin, s'étaient défoncés pendant le talonnement contre les récifs, et leur contenu avait fui par les bordages disjoints. C'était là une perte irréparable, et il faudrait le plus possible ménager ce qui en restait.

En somme, dans la cale du schooner il y avait encore cent gallons de claret et de sherry, cinquante gallons de gin, de brandy et de wisky, et quarante tonneaux d'ale, d'une contenance de vingt-cinq gallons[1] chacun, — plus une trentaine de flacons de liqueurs variées, qui, bien enveloppés de leur chemise de paille, avaient pu résister au choc des brisants.

On voit que les quinze survivants du *Sloughi* pouvaient se dire que la vie matérielle leur serait assurée du moins pendant un certain temps. Resterait à examiner si le pays fournirait quelques ressources qui leur permettraient d'économiser les réserves. En effet, si c'était sur une île que les avait jetés la tempête, ils ne pouvaient guère espérer d'en jamais sortir, à moins qu'un navire vînt en ces parages et qu'ils pussent lui signaler leur présence. Réparer le yacht, rétablir sa membrure craquée dans ses fonds, refaire son bordage, cela eût exigé un travail au-dessus de leurs forces et l'emploi d'outils qu'ils n'avaient point à leur disposition. Quant à construire un nouveau bâtiment avec les débris de l'ancien, ils n'y pouvaient songer, et, d'ailleurs, n'étant point initiés aux choses de la navigation, comment auraient-ils pu traverser le Pacifique pour regagner la Nouvelle-Zélande ? Toutefois, avec les embarcations du schooner, il n'eût pas été impossible de rallier

---

Le gallon anglais vaut environ quatre litres et demi.

JENKINS et IVERSON.

quelque autre continent, quelque autre île, s'il s'en trouvait à proximité dans cette partie du Pacifique. Mais les deux canots avaient été enlevés par les coups de mer, et il n'y avait plus à bord que la yole, propre tout au plus à naviguer le long de la côte.

Vers midi, les petits, guidés par Moko, revinrent au *Sloughi*. Ils avaient fini par se rendre utiles en se mettant sérieusement à la besogne. Aussi rapportaient-ils une bonne provision de coquillages que le mousse se mit en devoir d'accommoder. Quant aux œufs, il devait y en avoir en grande quantité, car Moko avait constaté la présence d'innombrables pigeons de roches de l'espèce comestible, qui nichaient dans les hautes anfractuosités de la falaise.

« C'est bien ! dit Briant. Un de ces matins, nous organiserons une chasse qui pourra être très fructueuse !

— A coup sûr, répondit Moko, et trois ou quatre coups de fusil nous donneront de ces pigeons par douzaines. Quant aux nids, en s'affalant au bout d'une corde, il ne sera peut-être pas très difficile de s'en emparer.

— C'est convenu, dit Gordon. En attendant, si, demain, Doniphan veut se mettre en chasse ?...

— Nous ne demandons pas mieux ! répliqua Doniphan. Webb, Cross et Wilcox viendront avec moi ?...

— Très volontiers, répondirent les trois jeunes garçons, enchantés de pouvoir faire le coup de feu contre ces milliers de volatiles.

— Cependant, fit observer Briant, je vous recommande de ne pas tuer trop de pigeons ! Nous saurons bien les retrouver lorsque nous en aurons besoin. Il importe avant tout de ne pas gaspiller inutilement le plomb et la poudre...

— Bon !... bon !... répondit Doniphan, qui ne supportait guère les observations, surtout quand elles venaient de Briant. Nous n'en sommes pas à notre premier coup de fusil, et nous n'avons que faire de conseils ! »

Une heure après, Moko vint annoncer que le déjeuner était prêt. Tous remontèrent en hâte à bord du schooner et prirent place dans la salle à manger. Par suite de la gîte que donnait le yacht, la table penchait sensiblement sur bâbord. Mais cela n'était pas pour gêner des enfants habitués aux coups de roulis. Les coquillages, plus particulièrement les moules, furent déclarés excellents, bien que leur assaisonnement laissât à désirer. Mais, à cet âge, l'appétit n'est-il pas toujours le meilleur condiment ? Du biscuit, un bon morceau de corn-beef, de l'eau fraîche, prise à l'embouchure du rio au moment de la basse mer pour qu'elle n'eût point un goût saumâtre, et qui fut additionnée de quelques gouttes de brandy, cela fit un repas très acceptable.

L'après-midi fut employé à divers travaux d'aménagement de la cale et au tri des objets qui avaient été inventoriés. Pendant ce temps Jenkins et ses petits camarades s'occupaient à pêcher dans la rivière, où fourmillaient des poissons de diverses espèces. Puis, après souper, tous allèrent prendre du repos, sauf Baxter et Wilcox, qui devaient rester de garde jusqu'au jour.

Ainsi se passa la première nuit sur cette terre de l'océan Pacifique.

En somme, ces jeunes garçons n'étaient point dépourvus des ressources qui ne font que trop souvent défaut aux naufragés sur les parages déserts ! En l'état où ils se trouvaient, des hommes valides et industrieux auraient eu bien des chances de se tirer d'affaire. Mais, eux, dont le plus âgé avait quatorze ans à peine, s'ils étaient condamnés à demeurer de longues années dans ces conditions, parviendraient-ils à subvenir aux besoins de leur existence ?... Il était permis d'en douter !

V

ILE ou continent? C'était toujours la grave question
dont se préoccupaient Briant, Gordon, Doniphan,
que leur caractère et leur intelligence faisaient véritablement les chefs de ce petit monde. Songeant à l'avenir,
quand les plus jeunes ne s'attachaient qu'au présent,
ils s'entretenaient souvent à ce sujet. En tout cas, que
cette terre fût insulaire ou continentale, il était manifeste
qu'elle n'appartenait point à la zone des tropiques. Cela
se voyait à sa végétation, chênes, hêtres, bouleaux. aunes,
pins et sapins de diverses sortes, nombreuses myrtacées
ou saxifragées, qui ne sont point les arbres ou arbustes
répandus dans les régions centrales du Pacifique. Il
semblait même que ce territoire devait être un peu plus
haut en latitude que la Nouvelle-Zélande, plus rapproché
du pôle austral par conséquent. On pouvait donc craindre que les hivers y fussent très rigoureux. Déjà un épais
tapis de feuilles mortes couvrait le sol dans le bois qui
s'étendait au pied de la falaise. Seuls, les pins et sapins
avaient conservé leur ramure qui se renouvelle de saison
en saison sans se dépouiller jamais.

« C'est pourquoi, fit observer Gordon, le lendemain
du jour où le *Sloughi* avait été transformé en demeure
sédentaire, il me paraît sage de ne pas s'installer définitivement sur cette partie de la côte !

— C'est mon avis, répondit Doniphan. Si nous

WEBB, CROSS et WILCOX.

attendons la mauvaise saison, il sera trop tard pour gagner quelque endroit habité, pour peu que nous ayons à faire des centaines de milles !

— Patience ! répliqua Briant. Nous ne sommes encore qu'à la moitié du mois de mars !

— Eh bien, reprit Doniphan, le beau temps peut durer jusqu'à la fin d'avril, et, en six semaines, on fait bien du chemin...

— Quand il y a un chemin, répliqua Briant.

— Et pourquoi n'y en aurait-il pas ?

— Sans doute ! répondit Gordon. Mais, s'il y en a un, savons-nous où il nous conduira ?

— Je ne sais qu'une chose, répondit Doniphan, c'est qu'il serait absurde de ne pas avoir quitté le schooner avant la saison des froids et des pluies, et, pour cela, il faut ne pas voir des difficultés à chaque pas !

— Mieux vaut les voir, répliqua Briant, que de s'aventurer comme des fous à travers un pays qu'on ne connaît pas !

— C'est vite fait, répondit Doniphan avec aigreur, d'appeler fous ceux qui ne sont pas de votre avis ! »

Peut-être la réponse de Doniphan allait-elle amener de nouvelles ripostes de son camarade et faire dégénérer la conversation en querelle, lorsque Gordon intervint.

« Il ne sert à rien de se disputer, dit-il, et, pour nous tirer d'affaire, commençons par nous entendre. Doniphan a raison de dire que si nous sommes voisins d'un pays habité il faut l'atteindre sans retard. Mais, est-ce possible ? répond Briant, et il n'a pas tort de répondre ainsi !

— Que diable ! Gordon, répliqua Doniphan, en remontant vers le nord, en redescendant vers le sud, en nous dirigeant vers l'est, nous finirions bien par arriver...

— Oui, si nous sommes sur un continent, dit Briant ; non, si nous sommes sur une île et que cette île soit déserte !

— C'est pourquoi, répondit Gordon, il convient de reconnaître ce qui est. Quant à abandonner le *Sloughi*, sans nous être assurés s'il y a ou non une mer dans l'est...

— Eh ! c'est lui qui nous abandonnera ! s'écria Doniphan, toujours enclin à s'entêter dans ses idées. Il ne pourra résister aux bourrasques de la mauvaise saison sur cette grève !

— J'en conviens, répliqua Gordon, et cependant, avant de s'aventurer à l'intérieur, il est indispensable de savoir où l'on va ! »

Gordon avait si manifestement raison que Doniphan dut se rendre bon gré mal gré.

« Je suis prêt à aller en reconnaissance, dit Briant.

— Moi aussi, répondit Doniphan.

— Nous le sommes tous, ajouta Gordon ; mais, comme il serait imprudent d'entraîner les petits dans une exploration qui peut être longue et fatigante, deux ou trois de nous suffiront, je pense.

— Il est bien regrettable, fit alors observer Briant, qu'il n'y ait pas une haute colline du sommet de laquelle on pourrait observer le territoire. Par malheur, nous sommes sur une terre basse, et, du large, je n'y ai point aperçu une seule montagne, même à l'horizon. Il semble qu'il n'y ait d'autres hauteurs que cette falaise qui s'élève en arrière de la grève. Au-delà, sans doute, ce sont des forêts, des plaines, des marécages, au travers desquels coule ce rio dont nous avons exploré l'embouchure.

— Il serait pourtant utile de prendre une vue de cette contrée, répondit Gordon, avant de tenter de contourner

LA PENSION CHAIRMAN.

la falaise, où Briant et moi avons vainement cherché une caverne !

— Eh bien, pourquoi ne pas se rendre au nord de la baie ? dit Briant, il me semble qu'en gravissant le cap qui la ferme, on verrait au loin...

— C'est précisément à quoi je pensais, répondit Gordon. Oui ! ce cap, qui peut avoir deux cent cinquante à trois cents pieds, doit dominer la falaise.

— J'offre d'y aller... dit Briant.

— A quoi bon, répondit Doniphan, et que pourrait-on voir de là-haut ?

— Mais... ce qu'il y a ! » répliqua Briant.

En effet, à la pointe extrême de la baie, se dressait un amoncellement de roches, une sorte de morne, coupé à pic du côté de la mer, et qui, de l'autre côté, paraissait se raccorder à la falaise. Du *Sloughi* jusqu'à ce promontoire, la distance ne dépassait pas sept à huit milles, en suivant la courbure de la grève, et cinq au plus, à vol d'abeille, comme disent les Américains. Or, Gordon ne devait pas se tromper de beaucoup en estimant à trois cents pieds l'altitude du promontoire au-dessus du niveau de la mer.

Cette altitude serait-elle suffisante pour que la vue pût s'étendre largement sur le pays ? Le regard ne serait-il pas arrêté vers l'est par quelque obstacle ? En tout cas, on reconnaîtrait toujours ce qu'il y avait au-delà du cap, c'est-à-dire si la côte se prolongeait indéfiniment au nord, ou si l'océan se développait au-delà. Il convenait donc de se rendre à l'extrémité de la baie et de faire cette ascension. Pour peu que le territoire fût découvert dans l'est, la vue l'embrasserait sur une étendue de plusieurs milles.

Il fut décidé que ce projet serait mis à exécution. Si Doniphan n'y voyait pas grande utilité — sans doute parce que l'idée en était venue à Briant, non à lui — il n'en était pas moins de nature à donner d'excellents résultats.

En même temps, la résolution fut prise et bien prise de ne point quitter le *Sloughi*, tant qu'on ne saurait pas avec certitude s'il s'était ou non échoué sur le littoral d'un continent — lequel ne pouvait appartenir qu'au continent américain.

Néanmoins l'excursion ne put être entreprise pendant les cinq jours qui suivirent. Le temps était redevenu brumeux, et il tombait parfois une petite pluie fine. Si le vent ne montrait pas de tendance à fraîchir, les vapeurs qui embrumaient l'horizon eussent rendu inutile la reconnaissance projetée.

Ces quelques jours ne furent point perdus. On les employa à divers travaux. Briant s'occupait des jeunes enfants sur lesquels il veillait sans cesse, comme si c'eût été un besoin de sa nature de se dépenser en affection paternelle. Sa préoccupation constante était qu'ils fussent aussi bien soignés que le permettaient les circonstances. C'est pourquoi, la température tendant à baisser, il les obligea à mettre des vêtements plus chauds en leur ajustant ceux qui se trouvaient dans les coffres des matelots. Il y eut là un ouvrage de tailleur où les ciseaux travaillèrent plus que l'aiguille, et pour lequel Moko, qui savait coudre, en sa qualité de mousse à tout faire, se montra très ingénieux. Dire que Costar, Dole, Jenkins, Iverson, furent élégamment vêtus avec ces pantalons et ces vareuses trop larges, mais rognés à bonne longueur de bras et de jambes, non, en vérité. Peu importait ! Ils seraient à même de se changer, et ils furent promptement faits à leur accoutrement.

D'ailleurs, on ne les laissait point oisifs. Sous la

conduite de Garnett ou de Baxter, ils allaient le plus
souvent récolter des coquillages à mer basse, ou pêcher
avec des filets ou des lignes dans le lit du rio. Amusement
pour eux, et profit pour tout le monde. Ainsi occupés
d'un travail qui leur plaisait, ils ne songeaient guère à
cette situation dont ils n'auraient pu comprendre
la gravité. Sans doute, le souvenir de leurs parents les
attristait, comme il attristait leurs camarades. Mais
la pensée qu'ils ne les reverraient jamais peut-être ne
pouvait leur venir !

Quant à Gordon et à Briant, ils ne quittaient guère
le *Sloughi* dont ils s'étaient attribué l'entretien. Service
y restait quelquefois avec eux, et, toujours jovial, se
montrait aussi très utile. Il aimait Briant et n'avait
jamais fait partie de ceux de ses camarades qui frayaient
plutôt avec Doniphan. Aussi Briant ressentait-il pour
lui beaucoup d'affection.

« Allons, ça va !... ça va !... répétait volontiers Service.
Vraiment, notre *Sloughi* a été déposé fort à propos sur
la grève par une lame complaisante qui ne l'a point
trop endommagé !... Voilà une chance que n'ont eue
ni Robinson Crusoé ni Robinson suisse dans leur île
imaginaire ! »

Et Jacques Briant ? Eh bien, si Jacques venait en aide
à son frère pour les divers détails du bord, à peine
répondait-il aux questions qui lui étaient adressées,
s'empressant de détourner les yeux lorsqu'on le regardait en face.

Briant ne laissait pas de s'inquiéter sérieusement
de cette attitude de Jacques. Etant son aîné de plus de
quatre ans, il avait toujours eu sur lui une réelle influence.
Or, depuis le départ du schooner, on l'a déjà fait observer, il semblait que Jacques fût comme un enfant pris
de remords. Avait-il quelque faute grave à se reprocher

— faute qu'il n'osait avouer même à son grand frère ? Ce qui était certain, c'est que, plus d'une fois, ses yeux rougis témoignaient qu'il venait de pleurer.

Briant en arrivait à se demander si la santé de Jacques n'était pas compromise. Que cet enfant tombât malade, quels soins pourrait-il lui donner ? Il avait là un grave souci qui le poussait à interroger son frère sur ce qu'il ressentait — à quoi celui-ci ne faisait que répondre :
« Non... Non !... Je n'ai rien... rien !... »

Et il était impossible d'en tirer autre chose.

Pendant le temps qui s'écoula du 11 au 15 mars, Doniphan, Wilcox, Webb et Cross s'occupèrent de faire la chasse aux oiseaux nichés dans les roches. Ils allaient toujours ensemble et, visiblement, cherchaient à faire bande à part. Gordon ne voyait pas cela sans inquiétude. Aussi, lorsque l'occasion s'en présentait, intervenait-il près des uns et des autres, essayant de leur faire comprendre combien l'union était nécessaire. Mais Doniphan, surtout, répondait avec tant de froideur à ses avances, qu'il jugeait prudent de ne pas insister. Cependant il ne désespérait pas de détruire ces germes de dissidence qui pouvaient devenir si funestes, et, d'ailleurs, peut-être les événements amèneraient-ils un rapprochement que ses conseils ne pouvaient obtenir.

Durant ces journées brumeuses, qui empêchèrent d'entreprendre l'excursion projetée au bord de la baie, les chasses furent assez fructueuses. Doniphan, passionné pour les exercices de sport, était vraiment très habile au maniement du fusil. Extrêmement fier de son habileté — beaucoup trop même — il n'avait que dédain pour les autres engins de chasse, tels que trappes, filets ou collets, auxquels Wilcox donnait la préférence. Dans les circonstances où se trouvaient ses camarades, il était probable que ce garçon leur rendrait de plus grands

services que lui. Pour Webb, il tirait bien, mais sans
pouvoir prétendre à égaler Doniphan. Quant à Cross,
il n'avait pas le feu sacré et se contentait d'applaudir
aux prouesses de son cousin. Il convient aussi de mentionner le chien Phann, qui se distinguait dans ces chasses, et n'hésitait pas à se lancer au milieu des lames pour
rapporter le gibier tombé au-delà des récifs.

Il faut l'avouer, dans le nombre des pièces abattues
par les jeunes chasseurs il se trouvait nombre d'oiseaux
marins dont Moko n'avait que faire, des cormorans,
des goélands, des mouettes, des grèbes. Il est vrai, les
pigeons de roches donnèrent abondamment, ainsi
que les oies et les canards, dont la chair fut très appré-
ciée. Ces oies étaient de l'espèce des bernicles, et, à la
direction qu'elles suivaient, lorsque les détonations les
faisaient envoler à tire-d'aile , on pouvait juger qu'elles
devaient habiter l'intérieur du pays.

Doniphan tua aussi quelques-uns de ces huîtriers,
qui vivent habituellement de mollusques dont ils se
montrent très friands, tels que patelles, vénus, moules,
etc. En somme, il y avait du choix ; mais généralement,
ce gibier exigeait une certaine préparation pour perdre
sa saveur huileuse, et, malgré son bon vouloir, Moko
ne se tirait pas toujours de cette difficulté à la satisfaction
de tous. Pourtant, on n'avait point le droit d'être exi-
geant, ainsi que le répétait souvent le prévoyant Gordon,
et il fallait économiser sur les conserves du yacht, sinon
sur la provision de biscuit, dont on était abondamment
pourvu.

Aussi, comme on avait hâte que l'ascension du cap
eût été faite — ascension qui résoudrait peut-être l'importante question de continent ou d'île ! De cette
question, en effet, dépendait l'avenir, et, par conséquent,
l'installation provisoire ou définitive sur cette terre.

Le 15 mars, le temps parut devenir favorable à la réalisation de ce projet. Pendant la nuit, le ciel s'était dégagé des épaisses vapeurs que l'accalmie des jours précédents y avait accumulées. Un vent de terre venait de le nettoyer en quelques heures. De vifs rayons de soleil dorèrent la crête de la falaise. On pouvait espérer que, lorsqu'il serait obliquement éclairé dans l'après-midi, l'horizon de l'est apparaîtrait avec une netteté suffisante, et c'était précisément cet horizon qu'il s'agissait d'observer. Si une ligne d'eau continue s'étendait de ce côté, c'est que cette terre était une île, et les secours ne pourraient plus venir que d'un navire qui apparaîtrait sur ces parages.

On ne l'a pas oublié, c'était à Briant que revenait l'idée de cette excursion au nord de la baie, et il avait résolu de la faire seul. Sans doute, il aurait volontiers consenti à être accompagné par Gordon. Mais, d'abandonner ses camarades sans que celui-ci fût là pour les surveiller, cela l'eût trop inquiété.

Le 15 au soir, après avoir constaté que le baromètre se tenait au beau fixe, Briant prévint Gordon qu'il partirait le lendemain, dès l'aube. Franchir une distance de dix à onze milles — aller et retour compris — n'était pas pour embarrasser un garçon vigoureux, qui ne regardait pas à la fatigue. La journée lui suffirait certainement pour mener à bien son exploration, et Gordon pouvait être assuré qu'il serait revenu avant la nuit.

Briant partit donc au petit jour, sans que les autres eussent connaissance de son départ. Il n'était armé que d'un bâton et d'un revolver, pour le cas où il rencontrerait quelque fauve, bien que les chasseurs n'en eussent point trouvé trace pendant leurs excursions précédentes.

A ces armes défensives, Briant avait joint un instrument qui devait faciliter sa tâche lorsqu'il serait à la

pointe du promontoire. C'était une des lunettes du
Sloughi — lunette d'une grande portée et d'une clarté
remarquable. En même temps, dans une musette
suspendue à sa ceinture, il emportait du biscuit, un
morceau de viande salée, une gourde contenant un peu
de brandy additionné d'eau, enfin de quoi faire un
déjeuner et au besoin un dîner, si quelque incident
retardait son retour au schooner.

Briant, marchant d'un bon pas, suivit d'abord le
contour de la côte, que marquait, à la limite intérieure
des récifs, un long cordon de varechs, encore humides
des dernières eaux de la mer descendante. Au bout d'une
heure, il dépassait le point extrême, atteint par Doniphan
et ses compagnons, lorsqu'ils allaient faire la chasse
aux pigeons de roches. Ces volatiles n'avaient rien
à craindre de lui en ce moment. Il ne voulait pas se
retarder afin d'arriver aussi vite que possible au pied
du cap. Le temps étant clair, le ciel entièrement dégagé
de brumes, il fallait en profiter. Que les vapeurs vins-
sent à s'accumuler vers l'est dans l'après-midi, le résultat
de l'exploration aurait été nul.

Pendant la première heure, Briant avait pu marcher
assez rapidement et franchir la moitié du parcours. Si
aucun obstacle ne se présentait, il comptait avoir atteint
le promontoire avant huit heures du matin. Mais, à
mesure que la falaise se rapprochait du banc de récifs,
la grève présentait un sol plus difficile. La bande de
sable était d'autant plus réduite que les brisants
gagnaient sur elle. Au lieu de ce terrain élastique et
ferme qui s'étendait entre le bois et la mer, dans le
voisinage du rio, Briant fut dès lors contraint de s'aventurer à travers un semis de roches glissantes, de goémons
visqueux, de flaques d'eau qu'il fallait contourner,
de pierres branlantes sur lesquelles il ne trouvait qu'un

Des phoques s'ébattaient à l'accore des brisants. (Page 83.)

insuffisant point d'appui. De là, une marche très fatigante, et — ce qui fut plus regrettable —, un retard de deux grandes heures.

« Il faut pourtant que j'arrive au cap avant la haute mer ! se disait Briant. Cette partie de la grève a été couverte par la dernière marée et le sera certainement à la marée prochaine jusqu'au pied de la falaise. Si je suis obligé, soit à rebrousser chemin, soit à me réfugier sur quelque roche, j'arriverai trop tard ! Il faut donc passer, à tout prix, avant que le flot ait envahi la plage ! »

Et le courageux garçon, ne voulant rien sentir de la fatigue qui commençait à lui raidir les membres, chercha à prendre au plus court. En maint endroit, il dut retirer bottes et chaussettes afin de franchir de larges flaques avec de l'eau jusqu'à mi-jambe ; puis, lorsqu'il se retrouvait à la surface des récifs, il s'y hasardait non sans redouter quelques chutes qu'il ne put éviter qu'à force d'adresse et d'agilité.

Ainsi qu'il le constata, c'était précisément en cette partie de la baie que le gibier aquatique se montrait avec plus d'abondance. On peut dire que les pigeons, les huîtriers, les canards y fourmillaient. Là aussi deux ou trois couples de phoques à fourrure s'ébattaient à l'accore des brisants, ne manifestant aucun effroi d'ailleurs, et sans chercher à s'enfuir sous les eaux. On pouvait en inférer que si ces amphibies ne se défiaient pas de l'homme, c'est qu'ils ne croyaient pas en avoir rien à craindre, et que, depuis bien des années, à tout le moins, aucun pêcheur n'était venu leur donner la chasse.

Toutefois, en y réfléchissant bien, Briant conclut aussi de la présence de ces phoques que cette côte devait être plus élevée en latitude qu'il ne l'avait cru, plus méridionale par conséquent que l'archipel Néo-

Zélandais. Donc, le schooner avait dû notablement
dériver vers le sud-est pendant sa traversée du Pacifique.

Et cela parut encore mieux confirmé, lorsque Briant,
arrivé enfin au pied du promontoire, aperçut une bande
de ces manchots, qui fréquentent les parages antarctiques. Ils se dandinaient par centaines, en agitant gau-
chement leurs ailerons, qui leur servent plutôt à nager
qu'à voleter. Du reste, il n'y a rien à faire de leur chair
rance et huileuse.

Il était alors dix heures du matin. On voit combien
de temps Briant avait mis à franchir les derniers milles.
Exténué, affamé, il lui parut sage de se refaire, avant
de tenter l'ascension du promontoire, dont la crête
s'élevait à trois cents pieds au-dessus du niveau de
la mer.

Briant s'assit donc sur une roche, à l'abri de la marée
montante, qui gagnait déjà le banc de récifs. Très
certainement, une heure plus tard, il n'aurait pu passer
entre les brisants et le soubassement de la falaise, sans
risquer d'être cerné par le flux. Mais cela n'était plus
pour l'inquiéter maintenant, et, dans l'après-midi,
lorsque le jusant aurait ramené toutes ces eaux vers la
mer, il retrouverait le passage libre en cet endroit.

Un bon morceau de viande, quelques gorgées puisées
à la gourde, il n'en fallut pas davantage pour apaiser
sa faim et sa soif, tandis que la halte donnait du repos
à ses membres. En même temps, il se prenait à réfléchir.
Seul, alors, loin de ses camarades, il cherchait à envisager
froidement la situation, bien décidé à poursuivre jusqu'au bout l'œuvre du salut commun en y prenant la
plus grande part. Si l'attitude de Doniphan et de quelques
autres à son égard ne laissait pas de le préoccuper, c'est
qu'il y voyait une cause de division très fâcheuse. Il était
résolu, cependant, à opposer une résistance absolue

à tout acte qui lui paraîtrait compromettant pour ses compagnons. Puis, il songeait à son frère Jacques, dont le moral lui donnait beaucoup de souci. Il lui semblait que cet enfant cachait quelque faute qu'il aurait commise — probablement avant son départ — et il se promettait de le presser si fort à ce sujet, que Jacques fût contraint de lui répondre.

Pendant une heure, Briant prolongea cette halte, afin de recouvrer toutes ses forces. Il ramassa alors sa musette, la rejeta sur son dos, et commença à gravir les premières roches.

Situé à l'extrémité même de la baie, le promontoire, que terminait une pointe aiguë, présentait une formation géologique assez bizarre. On eût dit une cristallisation d'origine ignée, qui s'était faite sous l'action des forces plutoniques.

Ce morne, contrairement à ce qu'il paraissait être de loin, ne se rattachait point à la falaise. Par sa nature, d'ailleurs, il en différait absolument, étant composé de roches granitiques, au lieu de ces stratifications calcaires, semblables à celles qui encadrent la Manche dans l'ouest de l'Europe.

C'est là ce que put observer Briant ; il remarqua aussi qu'une étroite passe séparait le promontoire de la falaise. Au-delà, vers le nord, la grève s'étendait à perte de vue. Mais, en somme, puisque ce morne dominait les hauteurs avoisinantes d'une centaine de pieds, le regard pourrait embrasser une large étendue de territoire. C'était l'important.

L'ascension fut assez pénible. Il fallait se hisser d'une roche à l'autre — roches si haute, parfois, que Briant n'atteignait que très difficilement leur rebord supérieur. Cependant, comme il appartenait à cette catégorie d'enfants que l'on pourrait classer dans l'ordre des grim-

peurs, comme il avait toujours montré un goût prononcé
pour l'escalade dès son jeune âge, comme il y avait
gagné une audace, une souplesse, une agilité peu
ordinaires, il mit enfin le pied sur la pointe, après avoir
évité plus d'une chute qui aurait pu être mortelle.

Tout d'abord, sa lunette aux yeux, Briant porta ses
regards dans la direction de l'est.

Cette région était plate jusqu'à l'extrême portée de
sa vue. La falaise en formait la principale hauteur et
son plateau s'abaissait légèrement vers l'intérieur.
Au-delà, quelques tumescences bossuaient encore le sol,
sans modifier sensiblement l'aspect du pays. De vertes
forêts le couvraient dans cette direction, cachant sous
leurs massifs, jaunis par l'automne, le lit des rios qui
devaient s'épancher vers le littoral. Ce n'était qu'une
surface plane jusqu'à l'horizon, dont la distance pouvait
être évaluée à une dizaine de milles. Il ne semblait donc
pas que la mer bordât le territoire de ce côté, et, pour
constater si c'était celui d'un continent ou d'une île,
il faudrait organiser une plus longue excursion dans
la direction de l'ouest.

En effet, vers le nord, Briant n'apercevait point l'extrémité du littoral, développé sur une ligne droite de sept
à huit milles. Puis, au-delà d'un nouveau cap très allongé,
il se concavait en formant une immense grève sablonneuse, qui donnait l'idée d'un vaste désert.

Vers le sud, en arrière de l'autre cap, effilé à l'extrémité de la baie, la côte courait du nord-est au sud-
ouest, délimitant un vaste marécage qui contrastait avec
les grèves désertes du nord.

Briant avait attentivement promené l'objectif de
sa lunette sur tous les points de ce large périmètre.
Etait-il dans une île ? était-il sur un continent ?... il
n'aurait pu le dire. En tout cas, si c'était une île, elle

avait une grande étendue : voilà tout ce qu'il pouvait affirmer.

Il se retourna ensuite du côté de l'ouest. La mer resplendissait sous les rayons obliques du soleil qui déclinait lentement vers l'horizon.

Tout à coup, Briant, portant vivement la lunette à son œil, la dirigea vers l'extrême ligne du large.

« Des navires... s'écria-t-il, des navires qui passent ! »

En effet, trois points noirs apparaissaient sur la périphérie des eaux étincelantes, à une distance qui ne pouvait être inférieure à quinze milles.

De quel trouble fut saisi Briant ! Etait-il le jouet d'une illusion ? Y avait-il là trois bâtiments en vue ?

Briant abaissa sa lunette, il en essuya l'oculaire qui se troublait sous son haleine, il regarda de nouveau...

En vérité, ces trois points semblaient bien être des navires, dont la coque eût seule été visible. Quant à leur mâture, on n'en voyait rien, et, en tout cas, aucune fumée n'indiquait que ce fussent des steamers en marche.

Aussitôt la pensée vint à Briant que si c'étaient des navires, ils se trouvaient à une trop grande distance pour que ses signaux pussent être aperçus. Or, comme il était très admissible que ses camarades n'eussent point vu ces bâtiments, le mieux serait de regagner rapidement le *Sloughi,* afin d'allumer un grand feu sur la grève. Et alors... après le soleil couché...

En réfléchissant ainsi, Briant ne cessait d'observer les trois points noirs. Quelle fut sa déconvenue, lorsqu'il eut constaté qu'ils ne se déplaçaient pas.

Sa lunette fut braquée de nouveau, et, pendant quelques minutes, il les tint dans le champ de l'objectif... Il ne tarda pas à le reconnaître, ce n'étaient que trois petits îlots, situés dans l'ouest du littoral, à proximité desquels le schooner avait dû passer, lorsque la tempête l'entraînait vers la côte, mais qui étaient restés invisibles au milieu des brumes.

La déception fut grande.

Il était deux heures. La mer commençait à se retirer, laissant à sec le cordon des récifs du côté de la falaise. Briant, songeant qu'il était temps de revenir au *Sloughi*, se prépara à redescendre au pied du morne.

Cependant, il voulut encore une fois parcourir l'horizon de l'est. Par suite de la position plus oblique du soleil, peut-être apercevrait-il quelque autre point du territoire qu'il ne lui avait pas été donné de voir jusqu'à ce moment.

Une dernière observation fut donc faite dans cette direction avec une minutieuse attention, et Briant n'eut pas à regretter d'avoir pris ce soin.

En effet, à la plus lointaine portée de sa vue, au-delà du dernier rideau de verdure, il distingua très nettement une ligne bleuâtre, qui se prolongeait du nord au sud, sur une étendue de plusieurs milles, et dont les deux extrémités se perdaient derrière la masse confuse des arbres.

« Qu'est-ce donc ? » se demanda-t-il.

Il regarda avec plus d'attention encore.

« La mer !... Oui !... C'est la mer ! »

Et la lunette faillit lui échapper des mains.

Puisque la mer s'étendait à l'est, plus de doute ! Ce n'était pas un continent sur lequel le *Sloughi* avait fait côte, c'était une île, une île isolée sur cette immensité du Pacifique, une île dont il serait impossible de sortir !...

Et alors, tous les dangers se présentèrent comme en une vision rapide à la pensée du jeune garçon. Son cœur se serra au point qu'il ne le sentit plus battre !... Mais,

se raidissant contre cette involontaire défaillance,
il comprit qu'il ne devait pas se laisser abattre, si inquié-
tant que fût l'avenir !

Un quart d'heure après, Briant était descendu sur la
grève, et, reprenant le chemin qu'il avait suivi dans la
matinée, avant cinq heures il arrivait au *Sloughi,* où ses
camarades attendaient impatiemment son retour.

VI

DISCUSSION. — EXCURSION PROJETEE ET REMISE. — MAUVAIS TEMPS. —
LA PECHE. — LES FUCUS GIGANTESQUES. — COSTAR ET DOLE A CHEVAL
SUR UN COURSIER PEU RAPIDE. — LES PREPARATIFS POUR LE DEPART. —
A GENOUX DEVANT LA CROIX DU SUD.

Le soir même, après souper, Briant fit connaître aux
grands le résultat de son exploration. Elle se résumait
à ceci : dans la direction de l'est, au-delà de la zone des
forêts, il avait très visiblement aperçu une ligne d'eau
qui se dessinait du nord au sud. Que ce fût un horizon
de mer, cela ne lui paraissait pas douteux. Ainsi, c'était
bien sur une île, non sur un continent, qu'était venu
si malencontreusement s'échouer le *Sloughi !*

Tout d'abord, Gordon et les autres accueillirent avec
une vive émotion l'affirmation de leur camarade. Quoi !
ils étaient sur une île, et tout moyen leur manquait
pour en sortir ! Ce projet qu'ils avaient formé d'aller
chercher vers l'est la route d'un continent, il y fallait
renoncer ! Ils en seraient réduits à attendre le passage
d'un navire en vue de cette côte ! Etait-il donc vrai que
là fût désormais leur unique chance de salut ?...

« Mais Briant ne s'est-il pas trompé dans son observation ? fit observer Doniphan.

— En effet, Briant, ajouta Cross, n'as-tu pas pu prendre pour la mer une barre de nuages ?...

— Non, répondit Briant, je suis certain de n'avoir point fait erreur ! Ce que j'ai vu à l'est était bien une ligne d'eau, qui s'arrondissait à l'horizon !

— A quelle distance ?... demanda Wilcox.

— Environ à six milles du cap.

— Et, au-delà, ajouta Webb, il n'y avait pas de montagnes, pas de terres élevées ?...

— Non !... rien que le ciel ! »

Briant se montrait si affirmatif qu'il n'eût pas été raisonnable de conserver le moindre doute à ce sujet.

Cependant, ainsi qu'il le faisait toujours quand il discutait avec lui, Doniphan s'obstina dans son idée.

« Et moi, je répète, reprit-il, que Briant a pu se tromper, et, tant que nous n'aurons pas vu de nos yeux...

— C'est ce que nous ferons, répondit Gordon, car il faut savoir à quoi s'en tenir.

— Et j'ajoute que nous n'avons pas un jour à perdre, dit Baxter, si nous voulons partir avant la mauvaise saison, dans le cas où nous serions sur un continent !

— Dès demain, à condition que le temps le permette, reprit Gordon, nous entreprendrons une excursion qui durera sans doute plusieurs jours. Je dis, s'il fait beau, car se risquer à travers ces épaisses forêts de l'intérieur, par mauvais temps, serait un acte de folie...

— Convenu, Gordon, répondit Briant, et, lorsque nous aurons atteint le littoral opposé de l'île...

— Si c'est une île !... s'écria Doniphan, qui ne se gêna pas pour hausser les épaules.

— C'en est une ! répliqua Briant avec un geste d'impatience. Je ne me suis pas trompé !... J'ai distinc-

tement aperçu la mer dans la direction de l'est !... Il
plaît à Doniphan de me contredire, suivant son habitude...

— Eh ! tu n'es pas infaillible, Briant !

— Non ! je ne le suis pas ! Mais, cette fois, on verra
si j'ai commis une erreur ! J'irai moi-même reconnaître
cette mer, et si Doniphan veut m'accompagner...

— Certainement, j'irai !...

— Et nous aussi ! s'écrièrent trois ou quatre des
grands.

— Bon !... bon !... repartit Gordon, modérons-nous,
mes camarades ! Si nous ne sommes encore que des
enfants, tâchons d'agir en hommes ! Notre situation
est grave, et une imprudence pourrait la rendre plus
grave encore. Non ! il ne faut pas nous aventurer tous
à travers ces forêts. D'abord, les petits ne pourraient
nous suivre, et comment les laisser seuls au *Sloughi* ?
Que Doniphan et Briant tentent cette excursion, que
deux de leurs camarades les accompagnent...

— Moi ! dit Wilcox.

— Et moi ! dit Service.

— Soit, répondit Gordon. Quatre, cela suffira. Si vous
tardiez à revenir, quelques-uns de nous pourraient
encore aller à votre rencontre, tandis que les autres
resteraient au schooner. N'oubliez pas que c'est ici notre
campement, notre maison, notre « home », et il ne faudra
l'abandonner que lorsque nous serons certains d'être
sur un continent.

— Nous sommes sur une île ! répondit Briant. Pour
la dernière fois, je l'affirme !...

— C'est ce que nous verrons ! » répliqua Doniphan.

Les sages conseils de Gordon avaient mis fin au
désaccord de ces jeunes têtes. Evidemment — et Briant
le reconnaissait lui-même —, il importait de pousser

une pointe à travers les forêts du centre afin d'atteindre cette ligne d'eau entrevue par lui. D'ailleurs, en admettant que ce fût bien une mer qui s'étendait à l'est, ne pouvait-il se faire que, dans cette direction, il y eût d'autres îles, séparées seulement par un canal qu'il ne serait pas impossible de franchir ? Or, si ces îles faisaient partie d'un archipel, si des hauteurs apparaissaient à l'horizon, n'était-ce pas ce qu'il fallait constater avant de prendre une détermination dont le salut pouvait dépendre ? Ce qui était indubitable, c'est qu'il n'y avait aucune terre à l'ouest, depuis cette partie du Pacifique jusqu'aux parages de la Nouvelle-Zélande. Donc les jeunes naufragés ne pouvaient avoir quelque chance de rallier un pays habité que s'ils le cherchaient du côté où se levait le soleil.

Toutefois, il ne serait prudent de tenter cette exploration que par beau temps. Ainsi que Gordon venait de le dire, il ne fallait plus raisonner ni agir en enfants, mais en hommes. Dans les circonstances où ils se trouvaient, devant les éventualités menaçantes de l'avenir, si l'intelligence de ces jeunes garçons ne se développait pas prématurément, si la légèreté, l'inconséquence naturelle à leur âge, l'emportait ; si, en outre, la désunion se mettait entre eux, ce serait compromettre absolument une situation déjà bien critique. C'est pourquoi Gordon était résolu à tout faire pour maintenir l'ordre parmi ses camarades.

Pourtant, si pressés de partir que fussent Doniphan et Briant, un changement de temps les obligea à remettre leur départ. Dès le lendemain, une pluie froide se mit à tomber par intervalles. La baisse continue du baromètre indiquait une période de bourrasques dont on ne pouvait prévoir l'issue. Il eût été par trop téméraire de s'aventurer dans ces conditions désavantageuses.

En somme, y avait-il lieu de le regretter ? Non, assurément. Que tous — et encore ne s'agissait-il point des petits — eussent hâte de savoir si la mer les entourait de toutes parts, cela se conçoit. Mais, quand même ils auraient eu la certitude d'être sur un continent, est-ce qu'ils pouvaient songer à se lancer au milieu d'un pays qu'ils ne connaissaient pas, et cela, lorsque la mauvaise saison allait prochainement venir ? Si le parcours se chiffrait par des centaines de milles, est-ce qu'ils pourraient en supporter les fatigues ? Est-ce que le plus vigoureux d'entre eux aurait la force d'arriver jusqu'au but ? Non ! Pour être conduite avec sagesse, une pareille entreprise devrait être reportée à l'époque des longs jours, lorsqu'il n'y aurait plus à redouter les intempéries de l'hiver. Donc, il faudrait se résigner à passer la saison des froids au campement du *Sloughi*.

Cependant, Gordon n'était point sans avoir cherché à reconnaître en quelle partie de l'Océan avait eu lieu le naufrage. L'atlas de Stieler, qui appartenait à la bibliothèque du yacht, contenait une série de cartes du Pacifique. Or, en cherchant à fixer la route suivie depuis Auckland jusqu'au littoral de l'Amérique, on ne relevait vers le nord, au-delà du groupe des Pomotou, que l'île de Pâques et cette île Juan Fernandez, dans laquelle Selkirck — un Robinson réel — avait passé une partie de son existence. Au sud, pas une terre jusqu'aux espaces sans bornes de l'océan Antarctique. Si l'on se reportait dans l'est, il n'y avait que ces archipels des îles Chiloë ou de Madre-de-Dios, semées sur la lisière du Chili, et plus bas, ceux du détroit de Magellan et de la Terre de Feu, contre lesquels viennent se briser les terribles mers du cap Horn.

Donc, si le schooner avait été jeté sur une de ces îles inhabitées qui confinent aux pampas, il y aurait des centaines de milles à faire pour atteindre les provinces habitées du Chili, de la Plata ou de la République Argentine ? Et quel secours attendre au milieu de ces immenses solitudes, où des dangers de toutes sortes menaçent le voyageur ?

Devant de telles éventualités, il convenait de n'opérer qu'avec une extrême prudence, et ne pas s'exposer à périr misérablement en se hasardant à travers l'inconnu.

C'est bien ce que pensait Gordon ; Briant et Baxter partageaient sa manière de voir. Sans doute, Doniphan et ses adhérents finiraient par l'admettre.

Néanmoins, le projet tenait toujours d'aller reconnaître la mer entrevue dans l'est. Mais, pendant les quinze jours qui suivirent, il fut impossible de le mettre à exécution. Le temps devint abominable, journées pluvieuses du matin au soir, bourrasques qui se déchaînaient avec une extrême violence. Le passage à travers les forêts eût été impraticable. Il y eut donc nécessité de retarder l'exploration, quelque désir que l'on éprouvât d'être fixé sur cette grave question de continent.

Durant ces longues journées de rafales, Gordon et ses camarades restèrent confinés à bord ; mais ils n'y furent point inoccupés. Sans parler des soins qu'exigeait le matériel, il y avait à réparer incessamment les avaries du yacht qui souffrait gravement de ces intempéries. Le bordé commençait à s'ouvrir dans les hauts, et le pont n'était plus imperméable. En de certains endroits, la pluie passait à travers les coutures, dont l'étoupe s'effilochait peu à peu, et il était nécessaire de les étancher sans relâche.

Aussi, ce qu'il y avait de plus pressant, était-il de chercher un abri moins critique. En admettant que l'on pût remonter vers l'est, cela ne se ferait point avant cinq ou six mois, et, certainement, le *Sloughi* ne tiendrait

On fut réduit à étendre des prélarts goudronnés. (Page 96.)

pas jusque-là. Or, s'il fallait l'abandonner au milieu
de la mauvaise saison, où trouverait-on un refuge, puisque
le revers de la falaise, exposé à l'ouest, n'offrait pas
même une anfractuosité qui aurait pu être utilisée ?
C'était donc sur le revers opposé, à l'abri des vents du
large, qu'il convenait d'entreprendre de nouvelles
recherches, et, au besoin, bâtir une demeure assez
grande pour tout ce petit monde.

En attendant, des réparations urgentes durent être
faites afin de boucher, non plus les voies d'eau mais
les voies d'air ouvertes dans la carène, et d'assujettir
le vaigrage intérieur qui se disjoignait. Gordon aurait
même employé les voiles de rechange à recouvrir la
coque, n'eût été le regret de sacrifier ces épaisses toiles
qui pourraient servir à établir une tente, si l'on était
contraint de camper en plein air. On en fut réduit à
étendre sur le pont des prélarts goudronnés.

Entre-temps, la cargaison était divisée en ballots,
inscrits sur le carnet de Gordon avec un numéro d'ordre,
et qui, en un cas pressant, seraient plus rapidement
transportés à l'abri des arbres.

Lorsque le temps laissait des accalmies de quelques
heures, Doniphan, Webb et Wilcox allaient chasser les
pigeons de roches que Moko essayait, avec plus ou
moins de succès, d'accommoder de diverses manières.
D'autre part, Garnett, Service, Cross, auxquels se
joignaient les petits, et quelquefois Jacques, lorsque
son frère l'exigeait absolument, s'occupaient de pêches.
Dans ces parages poissonneux, ce que la baie donnait
en abondance, au milieu des algues accrochées aux
premiers récifs, c'étaient des échantillons du genre
« notothenia » ainsi que des merluches de grande
taille. Entre les filaments de ces fucus gigantesques,
ces « kelps », qui mesurent jusqu'à quatre cents pieds

« Je ne peux pas ! » répétait Costar. (Page 98.)

de longueur, fourmillait un nombre prodigieux de petits poissons que l'on pouvait prendre à la main.

Il fallait entendre les mille exclamations de ces jeunes pêcheurs, lorsqu'ils halaient leurs filets ou leurs lignes sur la lisière du banc de récifs !

« J'en ai !... J'en ai de magnifiques ! s'écriait Jenkins. Oh ! qu'ils sont gros !

— Et les miens... plus gros que les tiens ! s'écriait Iverson, qui appelait Dole à son secours.

— Ils vont nous échapper ! » s'écriait Costar.

Et alors on venait à leur aide.

« Tenez bon !... Tenez bon !... répétaient Garnett ou Service, en allant de l'un à l'autre, et surtout, relevez vite vos filets !

— Mais, je ne peux pas !... Je ne peux pas !... » répétait Costar que la charge entraînait malgré lui.

Et tous, réunissant leurs efforts, parvenaient à ramener les filets sur le sable. Il n'était que temps, car, au milieu des eaux claires, il y avait nombre de ces hyxines, féroces lamproies qui ont vite fait de dévorer le poisson pris dans les mailles. Bien que l'on en perdît beaucoup de cette façon, le reste suffisait amplement aux besoins de la table. Les merluches, principalement, fournissaient une chair excellente, soit qu'on les mangeât fraîches, soit qu'elles fussent conservées dans le sel.

Quant à la pêche à l'embouchure du rio, elle ne donnait guère que de médiocres spécimens de « galaxias », sortes de goujons, dont Moko était réduit à faire des fritures.

Le 27 mars, une capture plus importante donna lieu à un incident assez comique.

Pendant l'après-midi, la pluie ayant cessé, les petits étaient allés du côté du rio avec leur attirail de pêche.

Soudain leurs cris retentirent — des cris de joie, il

« Hue !... Hue ! » criait Dole. (Page 100.)

est vrai — et pourtant, ils appelaient à leur secours.

Gordon, Briant, Service et Moko, occupés à bord du schooner, cessèrent leur travail et, s'élançant dans la direction d'où venaient ces cris, eurent bientôt franchi les cinq ou six cents pas qui les séparaient du rio.

« Arrivez... arrivez !... criait Jenkins.

— Venez voir Costar et son coursier ! disait Iverson.

— Plus vite, Briant, plus vite, ou bien elle va nous echapper ! répétait Jenkins.

— Assez !... Assez !... Descendez-moi !... J'ai peur !... criait Costar en faisant des gestes de désespoir.

— Hue !... Hue !... » criait Dole, qui avait pris place en croupe de Costar sur une masse en mouvement.

Cette masse n'était autre qu'une tortue de grande dimension, un de ces énormes chéloniens que l'on rencontre le plus souvent endormis à la surface de la mer.

Cette fois, surprise sur la grève, elle cherchait à regagner son élément naturel.

En vain les enfants, après lui avoir passé une corde autour de son cou qui était allongé hors de la carapace, essayaient-ils de retenir le vigoureux animal. Celui-ci continuait à se déplacer, et s'il n'avançait pas vite, du moins « tirait-il » avec une force irrésistible, entraînant toute la bande à sa suite. Par espièglerie, Jenkins avait juché Costar sur la carapace, et Dole, à califourchon derrière lui, maintenait le petit garçon qui ne cessait de pousser des cris de terreur d'autant plus perçants que la tortue se rapprochait de la mer.

« Tiens bon !... tiens bon... Costar ! dit Gordon.

— Et prends garde que ton cheval ne prenne le mors aux dents ! » s'écria Service.

Briant ne put s'empêcher de rire, car il n'y avait aucun danger. Dès que Dole lâcherait Costar, l'enfant n'avait qu'à se laisser glisser ; il en serait quitte pour la peur.

Mais, ce qui était urgent, c'était de capturer l'animal. Evidemment, lors même que Briant et les autres joindraient leurs efforts à ceux des petits, ils ne parviendraient point à l'arrêter. Il y avait donc lieu d'aviser au moyen d'enrayer sa marche, avant qu'il n'eût disparu sous les eaux, où il serait en sûreté.

Les revolvers, dont Gordon et Briant s'étaient munis en quittant le schooner, ne pouvaient leur servir, puisque la carapace d'une tortue est à l'épreuve de la balle, et si on l'eût attaquée à coups de hache, elle aurait rentré sa tête et ses pattes pour se mettre hors d'atteinte.

« Il n'y a qu'un seul moyen, dit Gordon, c'est de la renverser sur le dos !

— Et comment ? répliqua Service. Cette bête-là pèse au moins trois cents, et nous ne pourrons jamais... Des espars !... des espars !... » répondit Briant.

Et, suivi de Moko, il revint à toutes jambes vers le *Sloughi*.

En ce moment, la tortue ne se trouvait plus qu'à une trentaine de pas de la mer. Aussi, Gordon se hâta-t-il d'enlever Costar et Dole cramponnés à la carapace. Alors, saisissant la corde, tous halèrent dessus autant qu'ils purent, sans parvenir à retarder la marche de l'animal, qui aurait été de force à remorquer tout le pensionnat Chairman.

Heureusement, Briant et Moko revinrent avant que la tortue eût atteint la mer.

Deux espars furent alors engagés sous son plastron, et, au moyen de ces leviers, on parvint, non sans de grands efforts, à la retourner sur le dos. Cela fait, elle était définitivement prisonnière, car il lui était impossible de se remettre sur ses pattes.

D'ailleurs, au moment où elle rentrait sa tête, Briant

la frappa d'un coup de hache si bien ajusté qu'elle perdit la vie presque aussitôt.

« Eh bien, Costar, as-tu encore peur de cette grosse bête ? demanda-t-il au petit garçon.

— Non... non !... Briant, puisqu'elle est morte.

— Bon !... s'écria Service, je parie pourtant que tu n'oseras pas en manger ?

— Ça se mange donc ?...

— Certainement !

— Alors j'en mangerai, si c'est bon ! répliqua Costar, se pourléchant déjà.

— C'est excellent, » répondit Moko, qui ne s'avançait pas trop en affirmant que la chair de tortue est fort délicate.

Comme on ne pouvait songer à transporter cette masse jusqu'au yacht, il fallut la dépecer sur place. C'était assez répugnant, mais les jeunes naufragés commençaient à se faire aux nécessités parfois très désagréables de cette vie de Robinsons. Le plus difficile fut de briser le plastron dont la dureté métallique eût émoussé le tranchant d'une hache. On y parvint en introduisant un ciseau à froid dans les interstices des plaques. Puis, la chair, découpée en morceaux, fut apportée au *Sloughi*. Et, ce jour-là, tous purent se convaincre que le bouillon de tortue était exquis, sans compter des grillades que l'on dévora, bien que Service les eût laissées se carboniser quelque peu sur des charbons trop ardents. Phann lui-même prouva à sa manière que les restes de l'animal n'étaient point à dédaigner pour la race canine.

Cette tortue avait fourni plus de cinquante livres de chair — ce qui allait permettre d'économiser les conserves du yacht.

Le mois de mars s'acheva dans ces conditions. Pendant

ces trois semaines, depuis le naufrage du *Sloughi*, chacun avait travaillé de son mieux, en vue d'une prolongation de séjour sur cette partie de la côte. Restait, maintenant, avant que l'hiver eût fait son apparition, à trancher définitivement l'importante question de continent ou d'île.

Le 1er avril, il fut visible que le temps ne tarderait pas à se modifier. Le baromètre remontait lentement, et le vent halait la terre avec une certaine tendance à mollir. On ne pouvait se tromper à ces symptômes d'une accalmie prochaine et de longue durée peut-être. Les circonstances se prêteraient donc à une exploration dans l'intérieur du pays.

Les grands en causèrent ce jour-là, et, après discussion, les préparatifs furent faits en vue d'une expédition dont l'importance n'échappait à personne.

« Je pense, dit Doniphan, que rien ne nous empêchera de partir demain matin ?...

— Rien, je l'espère, répondit Briant, et il faudra se tenir prêt pour la première heure.

— J'ai noté, dit Gordon, que cette ligne d'eau que tu as aperçue dans l'est, se trouvait à six ou sept milles du promontoire...

— Oui, répondit Briant, mais, comme la baie se creuse assez profondément, il est possible que cette distance soit moindre à partir de notre campement.

— Et alors, reprit Gordon, votre absence pourrait ne durer que vingt-quatre heures ?

— Oui, Gordon, si nous étions assurés de marcher directement vers l'est. Seulement, trouverons-nous un passage à travers ces forêts, quand nous aurons tourné la falaise ?

— Oh ! ce n'est pas cette difficulté qui nous arrêtera ! fit observer Doniphan.

— Soit, répondit Briant, mais d'autres obstacles peuvent barrer la route, un cours d'eau, un marais, que sais-je ? Il sera donc prudent de se pourvoir de vivres en prévision d'un voyage de quelques jours...

— Et de munitions, ajouta Wilcox.

— Cela va sans dire, reprit Briant, et convenons bien, Gordon, que si nous n'étions pas de retour dans quarante-huit heures, tu ne devrais pas t'inquiéter...

— Je serais inquiet lors même que votre absence ne durerait qu'une demi-journée, répondit Gordon. Au surplus, là n'est pas la question. Puisque cette expédition a été décidée, faites-la. D'ailleurs, elle ne doit pas avoir uniquement pour but d'atteindre cette mer entrevue à l'est. Il est nécessaire également de reconnaître le pays au-delà de la falaise. De ce côte-ci, nous n'avons trouvé aucune caverne, et, quand nous abandonnerons le *Sloughi,* ce sera pour transporter notre campement à l'abri des vents du large. Passer la mauvaise saison sur cette grève me paraît inacceptable...

— Tu as raison, Gordon, répondit Briant, et nous chercherons quelque endroit convenable où l'on puisse s'installer...

— A moins qu'il soit démontré que l'on peut quitter définitivement cette prétendue île ! fit observer Doniphan, qui en revenait toujours à son idée.

— C'est entendu, bien que la saison, très avancée déjà, ne s'y prête guère ! répondit Gordon. Enfin, nous ferons pour le mieux. Donc, à demain, le départ ! »

Les préparatifs ne tardèrent pas à être achevés. Quatre jours de vivres, disposés dans des sacs qui seraient portés en bandoulière, quatre fusils, quatre revolvers, deux petites haches de bord, une boussole de poche, une lunette assez puissante pour permettre d'observer le territoire sur un rayon de trois à quatre milles,

des couvertures de voyage ; puis, accompagnant les
ustensiles de poche, des mèches d'amadou, des briquets,
des allumettes, cela devait être suffisant, semblait-il,
aux besoins d'une expédition de peu de durée, mais
non sans danger. Aussi Briant et Doniphan, ainsi
que Service et Wilcox, qui allaient les accompagner,
auraient-ils soin de se tenir sur leurs gardes, de n'avancer
qu'avec une extrême circonspection, et de ne jamais
se séparer.

Gordon se disait bien que sa présence n'eût pas été
inutile entre Briant et Doniphan. Mais il lui parut plus
sage de rester au *Sloughi,* afin de veiller sur ses jeunes
camarades. Aussi, prenant Briant à part, obtint-il de
lui la promesse d'éviter tout sujet de désaccord ou de
querelle.

Les pronostics du baromètre s'étaient réalisés. Avant
la tombée du jour, les derniers nuages avaient disparu
vers l'occident. La ligne de mer s'arrondissait à l'ouest
sur un horizon très pur. Les magnifiques constellations
de l'hémisphère austral scintillaient au firmament, et,
parmi elles, cette splendide Croix du Sud, qui brille
au pôle antarctique de l'univers.

Gordon et ses camarades, à la veille de cette séparation,
se sentaient le cœur serré. Qu'allait-il arriver pendant
une expédition sujette à tant d'éventualités graves !
Tandis que leurs regards s'attachaient au ciel, ils revenaient par la pensée vers leurs parents, vers leurs
familles, vers leur pays, qu'il ne leur serait peut-être
jamais donné de revoir !...

Et alors, les petits s'agenouillèrent devant cette
Croix du Sud, comme ils l'eussent fait devant la croix
d'une chapelle ! Ne leur disait-elle pas de prier le
tout-puissant Créateur de ces merveilles célestes et de
mettre leur espoir en lui ?

VII

LE BOIS DE BOULEAUX. — DU HAUT DE LA FALAISE. — A TRAVERS LA
FORÊT. — UN BARRAGE SUR LE CREEK. — LE RIO CONDUCTEUR. —
CAMPEMENT POUR LA NUIT. — L'AJOUPA. — LA LIGNE BLEUATRE. —
PHANN SE DESALTÈRE.

Briant, Doniphan, Wilcox et Service avaient quitté
le campement du *Sloughi* à sept heures du matin. Le
soleil, montant sur un ciel sans nuages, annonçait une
de ces belles journées que le mois d'octobre réserve
parfois aux habitants des zones tempérées dans l'hémisphère boréal. La chaleur ni le froid n'étaient à craindre.
Si quelque obstacle devait retarder ou arrêter la marche,
il serait uniquement dû à la nature du sol.

Tout d'abord, les jeunes explorateurs prirent obliquement à travers la grève, de manière à gagner le pied
de la falaise. Gordon leur avait conseillé d'emmener
Phann, dont l'instinct pourrait leur être très utile, et
voilà pourquoi l'intelligent animal faisait partie de
l'expédition.

Un quart d'heure après le départ, les quatre jeunes
garçons avaient disparu sous le couvert du bois, qui fut
rapidement franchi. Quelque menu gibier voletait
sous les arbres. Mais, comme il ne s'agissait point de
perdre son temps à le poursuivre, Doniphan, résistant
à ses instincts, eut la sagesse de s'abstenir. Phann, lui-
même, finit par comprendre qu'il se dépensait en allées
et venues inutiles, et se tint près de ses maîtres, sans
s'écarter plus qu'il ne convenait à son rôle d'éclaireur.

Le plan consistait à longer le soubassement de la
falaise jusqu'au cap, situé au nord de la baie, si, avant

d'arriver à son extrémité, il avait été impossible de la franchir. On marcherait alors vers la nappe d'eau signalée par Briant. Cet itinéraire, bien qu'il ne fût pas le plus court, avait l'avantage d'être le plus sûr. Quant à s'allonger d'un ou deux milles, ce n'était pas pour gêner des garçons vigoureux et bons marcheurs.

Dès qu'il eut atteint la falaise, Briant reconnut l'endroit où Gordon et lui s'étaient arrêtés lors de leur première exploration. Comme dans cette portion de la muraille calcaire il ne se trouvait aucune passe en redescendant vers le sud, c'était vers le nord qu'il fallait chercher un col praticable, dût-on remonter jusqu'au cap. Cela demanderait, sans doute, toute une journée ; mais on ne pourrait procéder autrement, dans le cas où la falaise serait infranchissable sur son revers occidental.

C'est ce que Briant expliqua à ses camarades, et Doniphan, après avoir inutilement essayé de gravir une des pentes du talus, ne fit plus d'objection. Tous quatre suivirent alors le soubassement que bordait le dernier rang des arbres.

On marcha pendant une heure environ, et, comme il faudrait sans doute aller jusqu'au promontoire, Briant s'inquiétait de savoir si le passage serait libre. Avec l'heure qui s'avançait, la marée n'avait-elle pas déjà recouvert la grève ? Ce serait près d'une demi-journée à perdre, en attendant que le jusant eût laissé à sec le banc de récifs.

« Hâtons-nous, dit-il, après avoir expliqué quel intérêt il y avait à devancer l'arrivée du flux.

— Bah ! répondit Wilcox, nous en serons quittes pour nous mouiller les chevilles !

— Les chevilles et puis la poitrine et puis les oreilles ! répliqua Briant. La mer monte de cinq à six pieds, au

moins. Vraiment, je crois que nous aurions mieux fait
de gagner directement le promontoire.

— Il fallait le proposer, répondit Doniphan. C'est
toi, Briant, qui nous sers de guide, et si nous sommes
retardés, c'est à toi seul qu'on devra s'en prendre !

— Soit, Doniphan ! En tout cas, ne perdons pas un
instant. — Où donc est Service ? »

Et il appela :

« Service ?... Service ? »

Le jeune garçon n'était plus là. Après s'être éloigné
avec son ami Phann, il venait de disparaître derrière
un saillant de la falaise, à une centaine de pas sur la
droite.

Mais, presque aussitôt, des cris se firent entendre
en même temps que les aboiements du chien. Service
se trouvait-il donc en face de quelque danger ?

En un instant, Briant, Doniphan et Wilcox eurent
rejoint leur camarade, qui s'était arrêté devant un éboulement partiel de la falaise — éboulement d'ancienne
date. Par suite d'infiltrations, ou, simplement, sous
l'action des intempéries qui avaient désagrégé la masse
calcaire, une sorte de demi-entonnoir, la pointe en bas,
s'était formé depuis à la crête de la muraille jusqu'au
ras du sol. Dans le mur à pic s'ouvrait une gorge tron-
conique, dont les parois intérieures n'offraient pas des
pentes de plus de quarante à cinquante degrés. En
outre, leurs irrégularités présentaient une suite de
points d'appui sur lesquels il serait facile de prendre
pied. Des garçons, agiles et souples, devaient pouvoir,
sans trop de peine, en atteindre l'arête supérieure,
s'ils ne provoquaient pas quelque nouvel éboulement.

Bien que ce fût un risque, ils n'hésitèrent pas.

Doniphan s'élança le premier sur l'amoncellement
des pierres entassées à la base.

Déjà Doniphan promenait sa lunette... (Page 110.)

« Attends !... Attends !... lui cria Briant. Il est inutile de faire une imprudence ! »

Mais Doniphan ne l'écouta pas, et, comme il mettait son amour-propre à devancer ses camarades — Briant surtout — il fut bientôt arrivé à mi-hauteur de l'entonnoir.

Ses camarades l'avaient imité en évitant de se placer directement au-dessous de lui, afin de ne point être atteints par les débris qui se détachaient du massif et rebondissaient jusqu'au sol.

Tout se passa bien, et Doniphan eut la satisfaction de mettre le pied sur la crête de la falaise avant les autres qui arrivèrent un peu après lui.

Déjà Doniphan avait tiré sa lunette de l'étui, et il la promenait à la surface des forêts qui s'étendaient à perte de vue dans la direction de l'est.

Là apparaissait le même panorama de verdure et de ciel que Briant avait observé du haut du cap — un peu moins profond toutefois, car ce cap dominait la falaise d'une centaine de pieds.

« Eh bien ? demanda Wilcox, tu ne vois rien ?...

— Absolument rien ! répliqua Doniphan.

— A mon tour de regarder », dit Wilcox.

Doniphan remit la lunette à son camarade, non sans qu'une visible satisfaction se fût peinte sur son visage.

« Je n'aperçois pas la moindre ligne d'eau ! dit Wilcox, après avoir abaissé sa lunette.

— Cela tient probablement, répondit Doniphan, à ce qu'il n'y en a point de ce côté. Tu peux regarder, Briant, et je pense que tu reconnaîtras ton erreur...

— C'est inutile ! répondit Briant. Je suis certain de ne pas m'être trompé !

— Voilà qui est fort !... Nous ne voyons rien...

— C'est tout naturel, puisque la falaise est moins

élevée que le promontoire, — ce qui diminue la portée
du regard. Si nous étions à la hauteur où j'étais placé,
la ligne bleue apparaîtrait à une distance de six ou sept
milles. Vous verriez alors qu'elle est bien là où je l'ai
signalée, et qu'il est impossible de la confondre avec
une bande de nuages !

— C'est aisé à dire !... fit observer Wilcox.

— Et non moins à constater, répondit Briant. Fran-
chissons le plateau de la falaise, traversons les forêts,
et marchons devant nous jusqu'à ce que nous soyons
arrivés...

— Bon ! répondit Doniphan, cela pourrait nous
mener loin, et je ne sais vraiment pas si c'est la peine...

— Reste, Doniphan, répondit Briant, qui, fidèle
aux conseils de Gordon, se contenait malgré le mauvais
vouloir de son camarade. Reste !... Service et moi, nous
irons seuls...

— Nous irons aussi ! répliqua Wilcox. — En route,
Doniphan, en route !

— Quand nous aurons déjeuné ! » répondit Service.

En effet, il convenait de prendre un bon acompte
avant de partir. C'est ce qui fut fait en une demi-heure ;
puis on se remit en marche.

Le premier mille fut rapidement enlevé. Le sol
herbeux ne présentait aucun obstacle. Çà et là, des
mousses et des lichens recouvraient de petites tumescences pierreuses. Quelques arbrisseaux se groupaient
de loin en loin, suivant leurs espèces : ici des fougères
arborescentes ou des lycopodes ; là, des bruyères, des
épines-vinettes, des bouquets de houx aux feuilles
acérées, ou des touffes de ces « berberis » à feuilles
coriaces qui se multiplient même sous de plus hautes
latitudes.

Lorsque Briant et ses camarades eurent franchi le

plateau supérieur, ce ne fut pas sans peine qu'ils parvinrent à redescendre le revers opposé de la falaise,
presque aussi élevé et aussi droit que du côté de la baie.
Sans le lit à demi desséché d'un torrent, dont les sinuo-
sités rachetaient la raideur des pentes, ils auraient été
contraints de revenir jusqu'au promontoire.

La forêt une fois atteinte, la marche devint plus
pénible sur un sol embarrassé de plantes vigoureuses,
hérissé de hautes herbes. Fréquemment, des arbres
abattus l'obstruaient, et le fourré était si épais qu'il
fallait s'y frayer un chemin. Les jeunes garçons jouaient
alors de la hache, comme ces pionniers qui s'aventurent
à travers les forêts du Nouveau Monde. C'étaient, à
chaque instant, des arrêts, pendant lesquels les bras
se fatiguaient plus que les jambes. De là, bien des retards,
et le chemin, parcouru depuis le matin jusqu'au soir, ne
se chiffrerait certainement pas par plus de trois à quatre
milles.

En vérité, il semblait que jamais êtres humains n'eussent pénétré sous le couvert de ces bois. Du moins, on
n'en relevait nulle trace. Le plus étroit sentier eût suffi
à témoigner de leur passage, et il n'en existait aucun.
L'âge ou quelque bourrasque avaient seuls renversé
ces arbres, non la main de l'homme. Les herbes, foulées
à de certaines places, n'indiquaient qu'une passée récente
d'animaux de moyenne taille, dont on vit quelques-uns
s'enfuir, sans pouvoir reconnaître à quelle espèce ils
appartenaient. En tout cas, ils devaient être peu redoutables, puisqu'ils se mettaient si rapidement hors de
portée.

Certes la main lui démangeait, à cet impatient Doniphan, de saisir son fusil et de le décharger sur ces
craintifs quadrupèdes ! Mais la raison aidant, Briant
n'eut point à intervenir pour empêcher son camarade

de commettre une imprudence en révélant leur présence par un coup de feu.

Cependant, si Doniphan avait compris qu'il devait imposer silence à son arme favorite, les occasions de la faire parler auraient été fréquentes. A chaque pas s'envolaient de ces perdrix de l'espèce des tinamous, d'un goût très délicat, ou d'autres de l'espèce des endromies, plus connues sous le nom de martinettes ; puis aussi, des grives, des oies sauvages, des grouses, sans compter nombre de volatiles qu'il eût été facile d'abattre par centaines.

En somme, pour le cas où l'on séjournerait dans cette région, la chasse pourrait fournir une abondante nourriture. C'est ce que Doniphan se borna à constater dès le début de l'exploration, quitte à se dédommager plus tard de la réserve que lui imposaient les circonstances.

Les essences de ces forêts appartenaient plus particulièrement aux diverses variétés des bouleaux et des hêtres qui développaient leur ramure d'un vert tendre jusqu'à cent pieds au-dessus du sol. Parmi les autres arbres figuraient des cyprès de belle venue, des myrtacées à bois rougeâtre et très dense, et des groupes magnifiques de ces végétaux, nommés « winters », dont l'écorce répand un arôme qui se rapproche de celui de la cannelle.

Il était deux heures, lorsqu'une seconde halte fut faite au milieu d'une étroite clairière traversée par un rio peu profond — ce qu'on appelle un « creek » dans l'Amérique du Nord. Les eaux de ce creek, d'une limpidité parfaite, coulaient doucement sur un lit de roches noirâtres. A voir son cours paisible et peu profond, que n'embarrassaient encore ni bois mort ni herbes en dérive, on pouvait croire que ses sources ne devaient pas être éloignées. Quant à le franchir, rien de plus

facile en passant sur les pierres dont il était semé. Et
même, en un certain endroit, des pierres plates étaient
juxtaposées avec assez de symétrie pour attirer l'attention.

« Voilà qui est singulier ! » dit Doniphan.

En effet, il y avait là comme une sorte de chaussée,
établie d'un bord à l'autre.

« On dirait un barrage ! s'écria Service, qui se dispo-
sait à le traverser.

— Attends !... Attends ! lui répondit Briant. Il faut
nous rendre compte de l'arrangement de ces pierres !

— Il n'est pas admissible, ajouta Wilcox qu'elles se
soient ainsi placées toutes seules !

— Non, dit Briant, et il semble qu'on ait voulu
établir un passage en cet endroit du rio... Voyons de
plus près. »

On examina alors avec soin chacun des éléments
de cette étroite chaussée, qui n'émergeait que de quelques pouces seulement et devait être inondée pendant
la saison des pluies.

En somme, pouvait-on dire si c'était la main de
l'homme qui avait disposé ces dalles en travers du creek
pour faciliter le passage du cours d'eau ? Non. Ne valait-il
pas mieux croire qu'entraînées par la violence du courant à l'époque des crues, elles s'étaient peu à peu
amoncelées en formant un barrage naturel ? Telle fut
même la manière la plus simple d'expliquer l'existence
de cette chaussée, et que Briant et ses camarades adoptè-
rent, après un minutieux examen.

Il faut ajouter que ni la rive gauche ni la rive droite
ne portaient d'autres indices et rien ne prouvait que
le pied d'un homme eût jamais foulé le sol de cette
clairière.

Quant au creek, son cours se dirigeait vers le nord-est,

à l'opposé de la baie. Se jetait-il donc dans cette mer que Briant affirmait avoir aperçue du haut du cap ?

« A moins, dit Doniphan, que ce rio ne soit tributaire d'une rivière plus importante qui reviendrait vers le couchant ?

— Nous le verrons bien, répondit Briant, qui trouva inutile de recommencer une discussion à ce sujet. Cependant, tant qu'il coulera vers l'est, je pense que nous ferons bien de le suivre, s'il ne fait pas trop de détours. »

Les quatre jeunes garçons se mirent en marche, après avoir eu soin de franchir le creek sur la chaussée, — afin de ne point avoir à le traverser en aval et peut-être dans des conditions moins favorables.

Il fut assez facile de suivre la berge, sauf en quelques endroits, où certains groupes d'arbres trempaient leurs racines dans l'eau vive, tandis que leurs branches se rejoignaient d'une rive à l'autre. Si le creek faisait parfois un coude brusque, sa direction générale, relevée à la boussole, était toujours vers l'est. Quant à son embouchure, elle devait être encore éloignée, puisque le courant ne gagnait pas en vitesse, ni le lit en largeur.

Vers cinq heures et demie, Briant et Doniphan durent constater, non sans regret, que le cours du creek prenait franchement vers le nord. Cela pouvait les entraîner loin, s'ils continuaient à le suivre comme un fil conducteur, et dans une direction qui les éloignait manifestement de leur but. Ils furent donc d'accord pour abandonner la berge et reprendre route, vers l'est, au plus épais des bouleaux et des hêtres.

Cheminement très pénible ! Au milieu des hautes herbes qui dépassaient parfois leur tête, ils étaient forcés de s'appeler pour ne point se perdre de vue.

Comme, après toute une journée de marche, rien

n'indiquait encore le voisinage d'une nappe d'eau,
Briant ne laissait pas d'être inquiet. Aurait-il donc été
le jouet d'une illusion, quand il observait l'horizon
du haut du cap ?...

« Non !... Non !... se répétait-il. Je ne me suis pas
trompé !... Cela ne peut être !... Cela n'est pas ! »

Quoi qu'il en fût, vers sept heures du soir, la limite
de la forêt n'avait pas même été atteinte, et l'obscurité
était déjà trop grande pour permettre de se diriger.

Briant et Doniphan résolurent de faire halte et de
passer la nuit à l'abri des arbres. Avec un bon morceau
de corn-beef, on ne souffrirait pas de la faim. Avec de
bonnes couvertures, on ne souffrirait pas du froid.
D'ailleurs, rien n'aurait empêché d'allumer un feu
de branches mortes, si cette précaution, excellente
contre les animaux, n'eût été compromettante pour
le cas où quelque indigène se fût approché pendant
la nuit.

« Mieux vaut ne point courir le risque d'être découverts », fit observer Doniphan.

Tous furent de son avis, et l'on ne s'occupa plus que
du souper. Ce n'était pas l'appétit qui leur manquait.
Après avoir fait un fort emprunt aux provisions de
voyage, ils se disposaient à s'étendre au pied d'un
énorme bouleau, lorsque Service montra, à quelques
pas, un épais fourré. De ce fourré — autant qu'on en
pouvait juger dans l'ombre — sortait un arbre de médiocre hauteur, dont les basses branches retombaient
jusqu'à terre. Ce fut là, sur un amas de feuilles sèches,
que tous quatre se couchèrent, après s'être enveloppés
de leurs couvertures. A leur âge, le sommeil ne fait
jamais défaut. Aussi dormirent-ils d'une seule traite,
tandis que Phann, bien qu'il fût chargé de veiller sur
eux, imitait ses jeunes maîtres.

Une ou deux fois, cependant, le chien fit entendre un grognement prolongé. Evidemment, quelques animaux, fauves ou autres, rôdaient dans la forêt ; mais il ne vinrent point à proximité du campement.

Il était près de sept heures, lorsque Briant et ses compagnons se réveillèrent. Les rayons obliques du soleil éclairaient vaguement encore l'endroit où ils avaient passé la nuit.

Service fut le premier à sortir du fourré, et, alors, ses cris de retentir, ou plutôt des exclamations de surprise.

« Briant !... Doniphan !... Wilcox !... Venez !... venez donc !

— Et qu'y a-t-il ? demanda Briant.

— Oui ! qu'y a-t-il ?... demanda Wilcox. Avec sa manie de toujours crier, Service nous fait des peurs !...

— C'est bon... c'est bon !... répondit Service. En attendant, voyez où nous avons couché ! »

Ce n'était point un fourré, c'était une cabane de feuillage, une de ces huttes que les Indiens appellent « ajoupas » et qui sont faites de branchages entrelacés. Cet ajoupa devait être de construction ancienne, car sa toiture et ses parois ne le soutenaient guère que grâce à l'arbre contre lequel il s'appuyait et dont la ramure habillait de neuf cette hutte, semblable à celles qui servent aux indigènes du Sud-Amérique.

« Il y a donc des habitants ?... dit Doniphan, en jetant de rapides regards autour de lui.

— Ou, du moins, il y en a eu, répondit Briant, car cette cabane ne s'est pas construite toute seule !

— Cela expliquerait l'existence de la chaussée jetée en travers du creek ! fit observer Wilcox.

— Eh ! tant mieux ! s'écria Service. S'il y a des habitants, ce sont de braves gens, puisqu'ils ont bâti cette

Ils durent se frayer un passage à la hache. (Page 119.)

hutte tout exprès pour que nous y passions la nuit ! »

En réalité, rien n'était moins certain que les indigènes de ce pays fussent de braves gens, comme le disait Service. Ce qui était manifeste, c'est que des indigènes fréquentaient ou avaient fréquenté cette partie de la forêt à une époque plus ou moins éloignée. Or, ces indigènes ne pouvaient être que des Indiens, si cette contrée se rattachait au Nouveau Continent, ou des Polynésiens et même des cannibales, si c'était une île appartenant à l'un des groupes de l'Océanie !... Cette dernière éventualité eût été grosse de périls, et, plus que jamais, il importait que la question fût résolue.

Aussi Briant allait-il repartir, lorsque Doniphan proposa de visiter minutieusement cette hutte, qui, d'ailleurs, semblait avoir été abandonnée depuis long-temps.

Peut-être s'y trouverait-il un objet quelconque, un ustensile, un instrument, un outil, dont on parviendrait à reconnaître l'origine ?

La litière de feuilles sèches, étendue sur le sol de l'ajoupa, fut retournée avec soin, et, dans un coin, Service ramassa un fragment de terre cuite, qui devait provenir d'une écuelle ou d'une gourde... Nouvel indice du travail de l'homme, mais qui n'apprenait rien de plus. Il n'y avait donc qu'à se remettre en route.

Dès sept heures et demie, les jeunes garçons, la boussole à la main, se dirigèrent franchement vers l'est, sur un sol dont la déclivité s'accusait légèrement. Ils allèrent ainsi pendant deux heures, lentement, bien lentement, au milieu d'inextricables fouillis d'herbes et d'arbrisseaux, et, à deux ou trois reprises, ils durent se frayer un passage à la hache.

Enfin, un peu avant dix heures, apparut un horizon autre que l'interminable rideau des arbres. Au-delà

de la forêt s'étendait une large plaine, semée de lentisques, de thyms, de bruyères. A un demi-mille dans l'est,
elle était circonscrite par une bande de sable que venait
doucement battre le ressac de cette mer, entrevue par
Briant, qui s'étendait jusqu'aux limites de l'horizon...

Doniphan se taisait. Il lui en coûtait, à ce vaniteux
garçon, de reconnaître que son camarade n'avait point
fait erreur.

Cependant, Briant, qui ne cherchait pas à triompher,
examinait ces parages, sa lunette aux yeux.

Au nord, la côte, vivement éclairée par les rayons du
soleil, se courbait un peu sur la gauche.

Au sud, même aspect, si ce n'est que le littoral s'arrondissait par une courbe plus prononcée.

Il n'y avait plus à douter maintenant ! Ce n'était pas
un continent, c'était bien une île sur laquelle la tempête
avait jeté le schooner, et il fallait renoncer à tout espoir
d'en sortir, s'il ne venait aucun secours du dehors.

D'ailleurs, au large, pas d'autre terre en vue. Il semblait que cette île fût isolée et comme perdue au milieu
des immensités du Pacifique !

Cependant, Briant, Doniphan, Wilcox et Service,
ayant traversé la plaine, qui s'étendait jusqu'à la grève,
avaient fait halte au pied d'un monticule de sable. Leur
intention était de déjeuner, puis de reprendre route à
travers la forêt. Peut-être, en se pressant, ne leur serait-il
pas impossible d'être de retour au *Sloughi* avant la
tombée de la nuit.

Pendant le repas qui fut assez triste, ils échangèrent
à peine quelques paroles.

Enfin, Doniphan, ramassant son sac et son fusil, se
releva et ne dit que ce mot :

« Partons. »

Et tous quatre, après avoir jeté un dernier regard

L'eau était douce ! (Page 122.)

sur cette mer, se disposaient à retraverser la plaine,
lorsque Phann partit en gambadant du côté de la
grève.

« Phann !... Ici, Phann ! » cria Service.

Mais le chien continua de courir en humant le sable
humide. Puis, s'élançant d'un bond au milieu des
petites lames du ressac, il se mit à boire avidement.

« Il boit !... Il boit !... » s'écria Doniphan.

En un instant, Doniphan eut traversé la bande de
sable et porté à ses lèvres un peu de cette eau à laquelle
se désaltérait Phann... Elle était douce !

C'était un lac qui s'étendait jusqu'à l'horizon dans
l'est... Ce n'était point une mer !

VIII

RECONNAISSANCE DANS L'OUEST DU LAC. — EN DESCENDANT LA RIVE.
— AUTRUCHES ENTREVUES. — UN RIO QUI SORT DU LAC. — NUIT
TRANQUILLE. — LE CONTREFORT DE LA FALAISE. — UNE DIGUE. —
DEBRIS DE CANOT. — L'INSCRIPTION. — LA CAVERNE.

Ainsi, l'importante question, de laquelle dépendait
le salut des jeunes naufragés, n'était pas définitivement
résolue. Que cette prétendue mer fût un lac, nul doute
à cet égard. Mais n'était-il pas possible que ce lac appar-
tînt à une île ? En prolongeant l'exploration au-delà,
ne serait-ce pas une véritable mer que l'on découvrirait
— une mer qu'il n'y aurait aucun moyen de franchir ?

Toutefois, ce lac présentait des dimensions assez
considérables, puisqu'un horizon de ciel — c'est ce que
fit observer Doniphan — se dessinait sur les trois quarts

de son périmètre. Il était très admissible, dès lors, qu'on devait être sur un continent non sur une île.

« Ce serait donc le continent américain sur lequel nous aurions fait naufrage, dit Briant.

— Je l'ai toujours cru, répondit Doniphan, et il paraît que je ne me trompais point !

— En tout cas, reprit Briant, c'était bien une ligne d'eau que j'avais aperçue dans l'est...

— Soit, mais ce n'est point une mer ! »

Et, cette réplique laissait paraître chez Doniphan une satisfaction qui prouvait plus de vanité que de cœur. Quant à Briant, il n'insista pas. D'ailleurs, dans l'intérêt commun, mieux valait qu'il se fût trompé. Sur un continent, on ne serait pas prisonnier comme on l'eût été dans une île. Cependant, il serait nécessaire d'attendre une époque plus favorable pour entreprendre un voyage vers l'est. Les difficultés éprouvées, rien que pour venir du campement au lac, durant un parcours de quelques milles seulement, seraient autrement grandes lorsqu'il s'agirait de cheminer longtemps avec la petite troupe au complet. On était déjà au commencement d'avril, et l'hiver austral est plus précoce que celui de la zone boréale. On ne pouvait songer à partir que la belle saison fût de retour.

Et pourtant, sur cette baie de l'ouest, incessamment battue par les vents du large, la situation ne serait pas longtemps tenable. Avant la fin du mois, il y aurait nécessité de quitter le schooner. Aussi, puisque Gordon et Briant n'avaient pu découvrir une caverne dans le soubassement occidental de la falaise, fallait-il reconnaître si l'on ne pouvait s'établir dans de meilleures conditions du côté du lac. Il convenait donc d'en visiter soigneusement les abords. Cette exploration s'imposait, dût-elle retarder le retour d'un jour ou deux. Sans doute,

ce serait causer à Gordon de vives inquiétudes ; mais
Briant et Doniphan n'hésitèrent pas. Leurs provisions
pouvaient durer quarante-huit heures encore, et, rien
ne faisant prévoir un changement de temps, il fut décidé
que l'on descendrait vers le sud en côtoyant le lac.

Et puis, autre motif, qui devait engager à pousser
plus loin les recherches.

Incontestablement, cette partie du territoire avait été
habitée, ou, tout au moins, fréquentée par les indigènes.
La chaussée, jetée en travers du creek, l'ajoupa, dont
la construction trahissait la présence de l'homme à une
époque plus ou moins récente, étaient autant de preuves
qui voulaient être complétées, avant de procéder à une
nouvelle installation en vue de l'hiver. Peut-être d'autres
indices viendraient-ils s'ajouter aux indices déjà rele-
vés ? A défaut d'indigènes, ne pouvait-il se faire qu'un
naufragé eût vécu là jusqu'au moment où il avait enfin
atteint une des villes de ce continent ? Cela valait assurément la peine de prolonger l'exploration de la contrée
riveraine du lac.

La seule question était celle-ci : Briant et Doniphan
devaient-ils se diriger vers le sud ou vers le nord ? Mais,
comme de descendre vers le sud les rapprochait du
Sloughi, ils résolurent de se porter dans cette direction.
On verrait, plus tard, s'il ne serait pas opportun de
remonter vers l'extrémité du lac.

Cela résolu, dès huit heures et demie, tous quatre
se mirent en marche, à travers les dunes herbeuses
qui mamelonnaient la plaine, limitée à l'ouest par
des masses de verdure.

Phann furetait en avant et faisait lever des bandes
de tinamous, qui allaient se remiser à l'abri des bouquets de lentisques ou de fougères. Là poussaient des
touffes d'une sorte de canneberge rouge et blanche

et des plants de céleri sauvage, dont on pourrait faire un emploi très hygiénique ; mais les fusils devaient se garder de donner l'éveil, vu qu'il était possible que les environs du lac fussent visités par des tribus indigènes.

En suivant la rive, tantôt au pied des dunes, tantôt sur la bande de sable, les jeunes garçons purent, sans trop de fatigues, enlever une dizaine de milles pendant cette journée. Ils n'avaient point trouvé trace d'indigènes. Aucune fumée ne se dégageait du massif des arbres. Aucune empreinte de pas ne marquait le sable que mouillaient les ondulations de cette nappe d'eau, dont on ne voyait pas la limite au large. Il semblait seulement que sa rive occidentale s'infléchissait vers le sud comme pour se refermer en cette direction. D'ailleurs, elle était absolument déserte. Ni une voile ne se montrait sur son horizon, ni une pirogue à sa surface. Si ce territoire avait été habité, il ne paraissait plus l'être actuellement.

Quant aux animaux fauves ou ruminants, on n'en vit aucun. A deux ou trois reprises, dans l'après-midi, quelques volatiles apparurent à la lisière de la forêt, sans qu'il fût possible de les approcher. Ce qui n'empêcha pas Service de s'écrier :

« Ce sont des autruches !

— De petites autruches, en ce cas, répondit Doniphan, car elles sont de médiocre taille !

— Si ce sont des autruches, répliqua Briant, et si nous sommes sur un continent...

— Est-ce que tu en douterais encore ? répliqua ironiquement Doniphan.

— Ce doit être le continent américain où ces animaux se rencontrent en grand nombre, répondit Briant. C'est là tout ce que je voulais dire ! »

Vers sept heures du soir, une halte fut organisée.

Le lendemain, à moins d'obstacles imprévus, la journée serait employée à regagner Sloughi-bay (baie Sloughi) — nom qui fut alors donné à cette partie du littoral où s'était perdu le schooner.

D'ailleurs, ce soir-là, il n'eût pas été possible d'aller plus loin dans la direction du sud. En cet endroit coulait un de ces rios par lesquels s'épanchaient les eaux du lac, et qu'il aurait fallu franchir à la nage. L'obscurité, d'ailleurs, ne permettait de voir qu'imparfaitement la disposition des lieux, et il semblait bien qu'une falaise venait border la rive droite de ce cours d'eau.

Briant, Doniphan, Wilcox et Service, après avoir soupé, ne songèrent plus qu'à prendre du repos, — à la belle étoile, cette fois, faute d'une hutte. Mais elles étaient si étincelantes, les étoiles qui brillaient au firmament, tandis que le croissant de la lune allait disparaître au couchant du Pacifique !

Tout était tranquille sur le lac et sur la grève. Les quatre garçons, nichés entre les énormes racines d'un hêtre, s'endormirent d'un sommeil si profond que les éclats de la foudre n'auraient pu l'interrompre. Pas plus que Phann, ils n'entendirent ni des aboiements assez rapprochés, qui devaient être des aboiements de chacal, ni des hurlements plus éloignés, qui devaient être des hurlements de fauves. En ces contrées, où les autruches vivaient à l'état sauvage, on pouvait redouter l'approche des jaguars ou des couguars, qui sont le tigre et le lion de l'Amérique méridionale. Mais la nuit se passa sans incidents. Toutefois, vers quatre heures du matin, l'aube n'ayant pas encore commencé à blanchir l'horizon au-dessus du lac, le chien donna des signes d'agitation, grondant sourdement, flairant le sol comme s'il eût voulu se mettre en quête.

Il était près de sept heures, lorsque Briant réveilla

ses camarades, étroitement blottis sous leurs couvertures.

Tous furent aussitôt sur pied, et, tandis que Service grignotait un morceau de biscuit, les trois autres vinrent prendre un premier aperçu de la contrée au-delà du cours d'eau.

« En vérité, s'écria Wilcox, nous avons joliment fait de ne point chercher hier soir à franchir ce rio, nous serions tombés en plein marécage !

— En effet, répondit Briant, c'est un marais qui s'étend vers le sud, et dont on n'aperçoit pas la fin !

— Voyez ! s'écria Doniphan, voyez les nombreuses bandes de canards, de sarcelles, de bécassines qui volent à sa surface ! Si l'on pouvait s'installer ici pour l'hiver, on serait assuré de ne jamais manquer de gibier !

— Et pourquoi pas ? » répondit Briant, qui se dirigea vers la rive droite du rio.

En arrière se dressait une haute falaise que terminait un contrefort coupé à pic. De ses deux revers, qui se rejoignaient presque à angle droit, l'un se dirigeait latéralement à la berge de la petite rivière, tandis que l'autre faisait face au lac. Cette falaise, était-ce la même qui encadrait Sloughi-bay en se prolongeant vers le nord-ouest ? C'est ce qu'on ne saurait qu'après avoir fait une reconnaissance plus complète de la région.

Quant au rio, si sa rive droite, large d'une vingtaine de pieds, longeait la base des hauteurs avoisinantes, sa rive gauche, très basse, se distinguait à peine des entailles, des flaques, des fondrières de cette plaine marécageuse qui se développait à perte de vue vers le sud. Pour relever la direction du cours d'eau, il serait nécessaire de gravir la falaise, et Briant se promettait bien de ne pas reprendre la route de Sloughi-bay qu'il n'eût accompli cette ascension.

En premier lieu, il s'agissait d'examiner le rio à l'en-

droit où les eaux du lac se déversaient dans son lit.
Il ne mesurait là qu'une quarantaine de pieds de large,
mais devait gagner en largeur comme en profondeur,
à mesure qu'il se rapprochait de son embouchure, pour
peu qu'il reçût quelque affluent, soit du marécage,
soit des plateaux supérieurs.

« Eh ! voyez donc ! » s'écria Wilcox, au moment où
il venait d'atteindre le pied du contrefort.

Ce qui attirait son attention, c'était un entassement
de pierres, formant une sorte de digue — disposition
analogue à celle qui avait été déjà observée dans la
forêt.

« Plus de doute, cette fois ! dit Briant.

— Non !... plus de doute ! » répondit Doniphan,
en montrant des débris de bois, à l'extrémité de la digue.

Ces débris étaient certainement ceux d'une coque
d'embarcation, entre autres, une pièce de bois à demi
pourrie et verte de mousse, dont la courbure indiquait
un morceau d'étrave, auquel pendait encore un anneau
de fer, rongé par la rouille.

« Un anneau !... un anneau ! » s'écria Service.

Et tous, immobiles, regardaient autour d'eux, comme
si l'homme qui s'était servi de ce canot, qui avait élevé
cette digue, eût été sur le point d'apparaître !

Non !... Personne ! Bien des années s'étaient écoulées
depuis que cette embarcation avait été délaissée sur le
bord du rio. Ou l'homme, dont la vie s'était passée
là avait revu ses semblables, ou sa misérable existence
s'était éteinte sur cette terre, sans qu'il eût pu la quitter.

On comprend donc l'émotion de ces jeunes garçons
devant ces témoignages d'une intervention humaine
qu'il n'était plus permis de contester !

C'est alors qu'ils remarquèrent les singulières allures
du chien. Phann était certainement tombé sur une piste.

Ses oreilles se redressaient, sa queue s'agitait violemment, son museau humait le sol, en se fourrant sous les herbes.

« Voyez donc Phann ! dit Service.

— Il a senti quelque chose ! » répondit Doniphan, qui s'avança vers le chien.

Phann venait de s'arrêter, une patte levée, la gueule tendue. Puis, brusquement, il s'élança vers un bouquet d'arbres qui se groupaient au pied de la falaise du côté du lac.

Briant et ses camarades le suivirent. Quelques instants après, ils faisaient halte devant un vieux hêtre, sur l'écorce duquel étaient gravées deux lettres et une date, disposées de cette façon :

F B

1807

Briant, Doniphan, Wilcox et Service seraient long-temps restés muets et immobiles devant cette inscription, si Phann, revenant sur ses pas, n'eût disparu à l'angle du contrefort.

« Ici, Phann, ici !... » cria Briant.

Le chien ne revint pas, mais ses aboiements précipités se firent entendre.

« Attention, nous autres ! dit Briant. Ne nous séparons pas, et soyons sur nos gardes ! »

En effet, on ne pouvait agir avec trop de circons-pection. Peut-être une bande d'indigènes se trouvait-elle dans le voisinage, et leur présence eût été plus à craindre qu'à désirer, si c'étaient de ces farouches Indiens qui infestent les pampas du Sud-Amérique.

Les fusils furent armés, les revolvers tenus à la main, prêts pour la défensive.

Ils se glissèrent le long de l'étroite berge. (Page 131.)

Les jeunes garçons se portèrent en avant ; puis, ayant tourné le contrefort, ils se glissèrent le long de la berge resserrée du rio. Ils n'avaient pas fait vingt pas, que Doniphan se baissait pour ramasser un objet sur le sol.

C'était une pioche, dont le fer tenait à peine à un manche à demi pourri, — une pioche d'origine américaine ou européenne, non un de ces outils grossiers fabriqués par des sauvages polynésiens. Comme l'anneau de l'embarcation, elle était profondément oxydée, et nul doute que, depuis bien des années, elle eût été abandonnée en cet endroit.

Là aussi, au pied de la falaise, se voyaient des traces de culture, quelques sillons irrégulièrement tracés, un petit carré d'ignames que le défaut de soins avait ramenés à l'état sauvage.

Tout à coup, un lugubre aboiement traversa l'air. Presque aussitôt, Phann reparut, en proie à une agitation plus inexplicable encore. Il tournait sur lui-même, il courait au-devant de ses jeunes maîtres, il les regardait, il les appelait, il semblait les inviter à le suivre.

« Il y a certainement quelque chose d'extraordinaire ! dit Briant, qui cherchait vainement à calmer le chien.

— Allons où il veut nous mener ! » répondit Doniphan, en faisant signe à Wilcox et à Service de le suivre.

Dix pas plus loin, Phann vint se dresser devant un amas de broussailles et d'arbustes, dont les branches s'enchevêtraient à la base même de la falaise.

Briant s'avança pour voir si cet amas ne cachait pas le cadavre d'un animal ou même celui d'un homme, sur la piste duquel Phann serait tombé... Et voilà qu'en écartant les broussailles, il aperçut une étroite ouverture.

« Y a-t-il donc là une caverne ? s'écria-t-il en reculant de quelques pas.

Briant lança une poignée d'herbes sèches allumées. (Page 133.)

« — C'est probable, répondit Doniphan. Mais qu'y a-t-il dans cette caverne.

— Nous le saurons ! » dit Briant.

Et, avec sa hache, il se mit à tailler largement dans les branchages qui obstruaient l'orifice. Cependant, en prêtant l'oreille, on n'entendait aucun bruit suspect.

Aussi Service se disposait-il à se glisser par l'orifice qui avait été rapidement dégagé, lorsque Briant lui dit : « Voyons d'abord ce que Phann va faire ! »

Le chien laissait toujours échapper de sourds aboiements qui n'étaient pas faits pour rassurer.

Et pourtant, si un être vivant eût été caché dans cette caverne, il en fût déjà sorti !...

Il fallait savoir à quoi s'en tenir. Toutefois, comme il se pouvait que l'atmosphère fût viciée à l'intérieur de la caverne, Briant lança à travers l'ouverture une poignée d'herbes sèches qu'il venait d'allumer. Ces herbes, en s'éparpillant sur le sol, brûlèrent vivement, preuve que l'air était respirable.

« Entrons-nous ?... demanda Wilcox.

— Oui, répondit Doniphan.

— Attendez au moins que nous y voyions clair ! » dit Briant.

Et, ayant coupé une branche résineuse à l'un des pins qui poussaient sur le bord du rio, il l'enflamma ; puis, suivi de ses camarades, il se glissa entre les broussailles.

A l'entrée, l'orifice mesurait cinq pieds de haut sur deux de large ; mais il s'élargissait brusquement pour former une excavation haute d'une dizaine de pieds sur une largeur double, et dont le sol était formé d'un sable très sec et très fin.

En y pénétrant, Wilcox heurta un escabeau de bois, placé près d'une table, sur laquelle se voyaient quelques ustensiles de ménage, une cruche de grès, de larges

Là, entre les racines d'un hêtre... (Page 135.)

coquilles qui avaient dû servir d'assiettes, un couteau à lame ébréchée et rouillée, deux ou trois hameçons de pêche, une tasse de fer-blanc, vide ainsi que la cruche. Près de la paroi opposée se trouvait une sorte de coffre, fait de planches grossièrement ajustées, et qui contenait des lambeaux de vêtements.

Ainsi, nul doute que cette excavation eût été habitée. Mais à quelle époque, et par qui ? L'être humain qui avait vécu là, gisait-il dans quelque coin ?...

Au fond était dressé un misérable grabat que recouvrait une couverture de laine en lambeaux. A son chevet, sur un banc, il y avait une seconde tasse et un chandelier de bois, dont le godet ne conservait plus qu'un bout de mèche carbonisée.

Les jeunes garçons reculèrent tout d'abord à la pensée que cette couverture cachait un cadavre.

Briant, maîtrisant sa répugnance, la releva...

Le grabat était vide.

Un instant après, très vivement impressionnés, tous quatre avaient rejoint Phann, qui, resté dehors, faisait toujours entendre de lamentables aboiements.

Ils redescendirent alors la berge du rio pendant une vingtaine de pas, et s'arrêtèrent brusquement. Un sentiment d'horreur les clouait sur place !

Là, entre les racines d'un hêtre, les débris d'un squelette gisaient sur le sol.

Ainsi, à cette place, était venu mourir le malheureux qui avait vécu dans cette caverne, pendant bien des années sans doute, et ce sauvage abri, dont il avait fait sa demeure, n'avait pas même été son tombeau !

BRIANT, Doniphan, Wilcox et Service gardaient un
profond silence. Quel était l'homme qui était venu mourir en cet endroit ? Etait-ce un naufragé, auquel les
secours avaient manqué jusqu'à sa dernière heure ?
A quelle nation appartenait-il ? Etait-il arrivé jeune sur
ce coin de terre ? Y était-il mort vieux ? Comment
avait-il pu subvenir à ses besoins ? Si c'était un naufrage
qui l'avait jeté là, d'autres que lui avaient-ils survécu
à la catastrophe ? Puis, était-il resté seul après la mort
de ses compagnons d'infortune ? Les divers objets, trouvés dans la caverne, provenaient-ils de son bâtiment,
ou les avait-il fabriqués de ses mains ?

Que de questions dont la solution resterait peut-etre
à jamais ignorée !

Et, entre toutes, une des plus graves ! Puisque c'était
sur un continent que cet homme avait trouvé refuge,
pourquoi n'avait-il pas gagné quelque ville de l'intérieur, quelque port du littoral ? Le rapatriement pré-
sentait-il donc de telles difficultés, de tels obstacles,
qu'il n'avait pu les vaincre ? La distance à parcourir
était-elle si grande qu'il fallût la considérer comme
infranchissable ? Ce qui était certain, c'est que ce malheureux était tombé, affaibli par la maladie ou par
l'âge, qu'il n'avait pas eu la force de regagner sa caverne, qu'il était mort au pied de cet arbre !... Et si

les moyens lui avaient manqué pour aller chercher le salut vers le nord ou vers l'est de ce territoire, ne manqueraient-ils pas également aux jeunes naufragés du *Sloughi* ?

Quoi qu'il en fût, il était nécessaire de visiter la caverne avec le plus grand soin. Qui sait si on n'y trouverait pas un document donnant quelque éclaircissement sur cet homme, sur son origine, sur la durée de son séjour !... A un autre point de vue, d'ailleurs, il convenait de reconnaître si l'on pourrait s'y installer pendant l'hiver, après l'abandon du yacht.

« Venez ! » dit Briant.

Et, suivis de Phann, ils se glissèrent par l'orifice, à la clarté d'une seconde branche résineuse.

Le premier objet qu'ils aperçurent sur une planchette fixée à la paroi de droite, fut un paquet de grossières chandelles, fabriquées avec de la graisse et des effilés d'étoupe. Service se hâta d'allumer une de ces chandelles qu'il plaça dans le chandelier de bois, et les recherches commencèrent.

Avant tout, il fallait examiner la disposition de la caverne, puisqu'il n'y avait plus de doute sur son habitabilité. C'était un large évidement qui devait remonter à l'époque des formations géologiques. Il ne présentait aucune trace d'humidité, bien que l'aération ne se fît que par l'unique orifice ouvert sur la berge. Ses parois étaient aussi sèches que l'eussent été des parois de granit, sans la moindre trace de ces infiltrations cristallisées, de ces chapelets de gouttelettes qui, dans certaines grottes de porphyre ou de basalte, forment des stalactites. D'ailleurs, son orientation la mettait à l'abri des vents de mer. A vrai dire, le jour n'y pénétrait qu'à peine ; mais, en creusant une ou deux ouvertures dans la paroi, il serait aisé de remédier à cet inconvénient et d'aérer l'intérieur pour les besoins de quinze personnes.

Quant à ses dimensions — vingt pieds de largeur sur trente de longueur — cette caverne serait certainement insuffisante pour servir à la fois de dortoir, de réfectoire, de magasin général et de cuisine. En somme, il ne s'agissait que d'y passer cinq ou six mois d'hiver — après quoi, on prendrait la route du nord-est pour atteindre quelque ville de la Bolivie ou de la République Argentine. Evidemment, dans le cas où il eût été indispensable de s'installer d'une façon définitive, on aurait cherché à s'aménager plus à l'aise en creusant le massif, qui était d'un calcaire assez tendre. Mais telle qu'était cette excavation, on devrait s'en contenter jusqu'au retour de la saison d'été.

Ceci reconnu, Briant fit un minutieux inventaire des objets qu'elle contenait. En vérité, c'était bien peu de chose ! Ce malheureux avait dû y arriver dans un dénuement presque complet. De son naufrage, qu'avait-il pu recueillir ? Rien que d'informes épaves, des espars brisés, des fragments de bordages, qui lui avaient servi à fabriquer ce grabat, cette table, ce coffre, ce banc, ces escabeaux — unique mobilier de sa misérable demeure. Moins favorisé que les survivants du *Sloughi,* il n'avait pas eu tout un matériel à sa disposition. Quelques outils, une pioche, une hache, deux ou trois ustensiles de cuisine, un petit tonneau qui avait dû contenir de l'eau-de-vie, un marteau, deux ciseaux à froid, une scie — ce fut seulement ce que l'on trouva en premier lieu. Ces ustensiles avaient été sauvés, évidemment, dans cette embarcation dont il ne restait plus que des débris près de la digue du rio.

C'est à quoi songeait Briant, c'est ce qu'il expliquait à ses camarades. Et alors, après le sentiment d'horreur qu'ils avaient ressenti à la vue du squelette, en songeant qu'ils étaient peut-être destinés à mourir dans le même abandon, la pensée leur vint que rien ne leur manquait de ce qui avait manqué à cet infortuné, et ils se sentaient portés à reprendre confiance.

Maintenant, quel était cet homme ? Quelle était son origine ? A quelle époque remontait son naufrage ? Nul doute que bien des années se fussent écoulées depuis qu'il avait succombé. L'état des ossements, qui avaient été trouvés au pied de l'arbre, ne l'indiquait que trop ! En outre, le fer de la pioche et l'anneau de l'embarcation rongés par la rouille, l'épaisseur du fourré qui obstruait l'entrée de la caverne, tout ne tendait-il pas à démontrer que la mort du naufragé datait de loin déjà ?

Par suite, quelque nouvel indice ne permettrait-il pas de changer cette hypothèse en certitude ?

Les recherches continuant, d'autres objets furent encore découverts — un second couteau dont plusieurs lames étaient cassées, un compas, une bouilloire, un cabillot de fer, un épissoir, sorte d'outil de matelots. Mais, il n'y avait aucun instrument de marine, ni lunette, ni boussole, pas même une arme à feu pour chasser le gibier, pour se défendre contre les animaux ou les indigènes !

Cependant, comme il avait fallu vivre, cet homme avait certainement été réduit à tendre des pièges. Au reste, un éclaircissement fut donné à ce sujet, lorsque Wilcox s'écria :

« Qu'est-ce que cela ?

— Cela ? répondit Service.

— C'est un jeu de boules, répondit Wilcox.

— Un jeu de boules ? » dit Briant, non sans surprise. Mais il reconnut aussitôt à quel usage avaient dû être

employées les deux pierres rondes que Wilcox venait
de ramasser. C'était un de ces engins de chasse, appelés
« bolas », qui se composent de deux boules reliées l'une
à l'autre par une corde, et qu'emploient les Indiens
de l'Amérique du Sud. Lorsqu'une main habile lance
ces bolas, elles s'enroulent autour des jambes de l'animal,
dont les mouvements sont paralysés et qui devient facilement la proie du chasseur.

Indubitablement, c'était l'habitant de cette caverne
qui avait fabriqué cet engin, et aussi un lazo, longue
lanière de cuir qui se manœuvre comme les bolas,
mais à plus courte distance.

Tel fut l'inventaire des objets recueillis dans la caverne,
et, à cet égard, Briant et ses camarades étaient incompa-
rablement plus riches. Ils n'étaient que des enfants,
il est vrai, et l'autre était un homme.

Quant à cet homme, était-ce un simple matelot ou un
officier qui avait pu mettre à profit son intelligence
préalablement développée par l'étude ? C'est ce qui eût
été très difficile à établir, sans une découverte qui
permit de s'avancer avec plus d'assurance dans la voie
des certitudes.

Au chevet du grabat, sous un pan de la couverture
que Briant avait rejetée, Wilcox découvrit une montre
accrochée à un clou fixé dans la muraille.

Cette montre, moins commune que les montres de
matelots, était de fabrication assez fine ; elle se composait d'un double boîtier d'argent, auquel pendait une
clef, attachée par une chaîne de même métal.

« L'heure !... Voyons l'heure ! s'écria Service.

— L'heure ne nous apprendrait rien, répondit
Briant. Probablement, cette montre a dû s'arrêter bien
des jours, avant la mort de ce malheureux ! »

Briant ouvrit le boîtier, avec quelque peine, car les

jointures en étaient oxydées, et il put voir que les aiguilles marquaient trois heures vingt-sept minutes.

« Mais, fit observer Doniphan, cette montre porte un nom... Cela peut nous fixer...

— Tu as raison », répondit Briant.

Et, après avoir regardé à l'intérieur du boîtier, il parvint à lire ces mots, gravés sur la plaque :

— *Delpeuch, Saint-Malo* — le nom du fabricant et son adresse.

« C'était un Français, un compatriote à moi ! » s'écria Briant avec émotion.

Il n'y avait plus à en douter, un Français avait vécu dans cette caverne, jusqu'à l'heure où la mort était venue mettre un terme à ses misères !

A cette preuve s'en joignit bientôt une autre, non moins décisive, lorsque Doniphan, qui avait déplacé le grabat, eut ramassé sur le sol un cahier, dont les pages jaunies étaient couvertes de lignes tracées au crayon.

Par malheur, la plupart de ces lignes étaient à peu près illisibles. Quelques mots, cependant, purent être déchiffrés, et entre autres, ceux-ci : *François Baudoin.*

Deux noms, et c'était bien ceux dont le naufragé avait gravé les initiales sur l'arbre ! Ce cahier, c'était le journal quotidien de sa vie, depuis le jour où il avait échoué sur cette côte ! Et, dans des fragments de phrases que le temps n'avait pas complètement effacés, Briant parvint à lire encore ces mots : *Duguay-Trouin* — évidemment le nom du navire qui s'était perdu dans ces lointains parages du Pacifique.

Puis, au début, une date : — la même qui était inscrite au-dessous des initiales, et, sans doute, celle du naufrage !

Il y avait donc cinquante-trois ans que François

Baudoin avait atterri sur ce littoral. Pendant toute la durée de son séjour il n'avait reçu aucun secours du dehors !

Or, si François Baudoin n'avait pu se porter sur quelque autre point de ce continent, était-ce donc parce que d'infranchissables obstacles s'étaient dressés devant lui ?...

Plus que jamais, les jeunes garçons se rendirent compte de la gravité de leur situation. Comment viendraient-ils à bout de ce qu'un homme, un marin, habitué aux rudes travaux, rompu aux dures fatigues, n'avait pu accomplir?

D'ailleurs, une dernière trouvaille allait leur apprendre que toute tentative pour quitter cette terre serait vaine.

En feuilletant le cahier, Doniphan aperçut un papier plié entre les pages. C'était une carte, tracée avec une sorte d'encre, probablement faite d'eau et de suie.

« Une carte !... s'écria-t-il.

— Que François Baudoin a vraisemblablement dessinée lui-même ! répondit Briant.

— Si cela est, cet homme ne devait pas être un simple matelot, fit observer Wilcox, mais un des officiers du *Duguay-Trouin,* puisqu'il était capable de dresser une carte...

— Est-ce que ce serait ?... » s'écria Doniphan.

Oui ! C'était la carte de cette contrée ! Du premier coup d'œil, on y reconnaissait Sloughi-bay, le banc de récifs, la grève sur laquelle avait été établi le campement, le lac dont Briant et ses camarades venaient de redescendre la rive occidentale, les trois îlots situés au large, la falaise qui s'arrondissait jusqu'au bord du rio, les forêts dont toute la région centrale était couverte !

Au-delà de la rive opposée du lac, c'étaient encore d'autres forêts, qui s'étendaient jusqu'à la lisière d'un autre littoral, et ce littoral... la mer le baignait sur tout son périmètre.

Ainsi tombaient ces projets de remonter vers l'est pour chercher le salut dans cette direction ! Ainsi Briant avait eu raison contre Doniphan ! Ainsi la mer entourait de toute part ce prétendu continent... C'était une île, et voilà pourquoi François Baudoin n'avait pu en sortir !

Il était aisé de voir, sur cette carte, que les contours généraux de l'île avaient été reproduits assez exactement. Assurément, les longueurs n'avaient dû être relevées qu'à l'estime, par le temps employé à les parcourir et non par des mesures de triangulation ; mais, à en juger d'après ce que Briant et Doniphan connaissaient déjà de la partie comprise entre Sloughi-bay et le lac, les erreurs ne pouvaient être importantes.

Il était démontré, en outre, que le naufragé avait parcouru toute son île, puisqu'il en avait noté les principaux détails géographiques, et, sans doute, l'ajoupa comme la chaussée du creek devaient être son ouvrage.

Voici les dispositions que présentait l'île, telle que l'avait dessinée François Baudoin :

Elle était de forme oblongue et ressemblait à un énorme papillon, aux ailes déployées. Rétrécie dans sa partie centrale entre Sloughi-bay et une autre baie qui se creusait à l'est, elle en présentait une troisième beaucoup plus ouverte dans sa partie méridionale. Au milieu d'un cadre de vastes forêts se développait le lac, long de dix-huit milles environ et large de cinq — dimensions assez considérables pour que Briant, Doniphan, Service et Wilcox, arrivés sur son bord occidental, n'eussent rien aperçu des rives du nord, du sud et de l'est. C'est ce qui expliquait comment, au premier abord, ils l'avaient pris pour une mer.

Plusieurs rios sortaient de ce lac, et, notamment, celui qui, coulant devant la caverne, allait se jeter dans Sloughi-bay près du campement.

La seule hauteur un peu importante de cette île paraissait être la falaise, obliquement disposée depuis le promontoire, au nord de la baie, jusqu'à la rive droite du rio. Quant à sa région septentrionale, la carte l'indiquait comme étant aride et sablonneuse, tandis qu'au-delà du rio se développait un immense marécage, qui s'allongeait en un cap aigu vers le sud. Dans le nord-est et le sud-est se succédaient de longues lignes de dunes, lesquelles donnaient à cette partie du littoral un aspect très différent de celui de Sloughi-bay.

Enfin, si l'on s'en rapportait à l'échelle tracée au bas de la carte, l'île devait mesurer environ cinquante milles dans sa plus grande longueur du nord au sud, sur vingt-cinq dans sa plus grande largeur de l'ouest à l'est. En tenant compte des irrégularités de sa configuration, c'était un développement de cent cinquante milles de circonférence.

Quant à savoir à quel groupe de la Polynésie appartenait cette île, si elle se trouvait ou non isolée au milieu du Pacifique, il était impossible de formuler de sérieuses conjectures à ce sujet.

Quoi qu'il en fût, c'était une installation définitive, et non provisoire, qui s'imposait aux naufragés du *Sloughi*. Et, puisque la caverne leur offrait un excellent refuge, il conviendrait d'y transporter le matériel, avant que les premières bourrasques de l'hiver eussent achevé de démolir le schooner.

Il s'agissait maintenant de revenir au campement et sans retard. Gordon devait être très inquiet — trois jours s'étant écoulés depuis le départ de Briant et de ses camarades — et il pouvait craindre qu'il leur fût arrivé malheur.

Sur le conseil de Briant, on décida que le départ s'effectuerait le jour même, à onze heures du matin. Il était inutile de gravir la falaise, puisque la carte indiquait que le plus court serait de suivre la rive droite du rio qui courait de l'est à l'ouest. C'était au plus sept milles à faire jusqu'à la baie, et ils pouvaient être franchis en quelques heures.

Mais, avant de partir, les jeunes garçons voulurent rendre les derniers devoirs au naufragé français. La pioche servit à creuser une tombe au pied même de l'arbre sur lequel François Baudoin avait gravé les lettres de son nom, et dont une croix de bois marqua la place.

Cette pieuse cérémonie terminée, tous quatre revinrent vers la caverne, et ils en bouchèrent l'orifice, afin que les animaux n'y pussent pénétrer. Après avoir achevé ce qui restait des provisions, ils descendirent la rive droite du rio, en longeant la base de la falaise. Une heure plus tard, ils arrivaient à l'endroit où le massif s'écartait pour prendre une direction oblique vers le nord-ouest.

Tant qu'ils suivirent le cours du rio, leur marche fut assez vive, car la berge n'était que peu encombrée d'arbres, d'arbrisseaux et l'herbes.

Tout en cheminant, dans la prévision que le rio servait de communication entre le lac et Sloughi-bay, Briant ne cessait de l'examiner avec attention. Il lui sembla que, sur la partie supérieure de son cours tout au moins, une embarcation ou un radeau pourraient être halés à la cordelle ou poussés à la gaffe — ce qui faciliterait le transport du matériel, à condition d'utiliser la marée dont l'action se faisait sentir jusqu'au lac. L'important était que ce cours ne se changeât pas en rapides, et que le manque de profondeur ou de largeur ne le rendît point impraticable. Il n'en était rien ; et, sur un espace de trois milles depuis sa sortie du lac, le rio parut être dans d'excellentes conditions de navigabilité.

Cependant, vers quatre heures du soir, le chemin de la berge dut être abandonné. En effet, la rive droite était coupée par une large et molle fondrière sur laquelle on n'aurait pu s'engager sans risques. Aussi, le plus sage fut-il de se porter à travers la forêt.

Sa boussole à la main, Briant se dirigea alors vers le nord-ouest, de manière à gagner Sloughi-bay par le plus court. Il y eut alors des retards considérables, car les hautes herbes formaient à la surface du sol d'inextricables fouillis. En outre, sous le dôme épais des bouleaux, des pins et des hêtres, l'obscurité se fit presque avec le coucher du soleil.

Deux milles furent parcourus dans ces conditions très fatigantes. Quand on eut contourné la fondrière, qui s'étendait assez profondément vers le nord, le mieux, certainement, eût été de rejoindre le cours du rio, puisque, à s'en rapporter à la carte, il se jetait dans Sloughi-bay. Mais le détour aurait été si long que Briant et Doniphan ne voulurent point perdre de temps à revenir dans sa direction. Ils continuèrent à s'engager sous bois, et, vers sept heures du soir, ils eurent la certitude qu'ils s'étaient égarés.

Seraient-ils donc contraints à passer la nuit sous les arbres ? Il n'y aurait eu que demi-mal, si les provisions n'eussent manqué, au moment où la faim se faisait vivement sentir.

« Allons toujours, dit Briant. En marchant du côté de l'ouest, il faudra bien que nous arrivions au campement...

Gordon avait imaginé de lancer quelques fusées. (Page 148.)

— A moins que cette carte ne nous ait donné de fausses indications, répondit Doniphan, et que ce rio ne soit pas celui qui se jette dans la baie !

— Pourquoi cette carte serait-elle inexacte, Doniphan ?

— Et pourquoi ne le serait-elle pas, Briant ? »

On le voit, Doniphan, qui n'avait pas digéré sa déconvenue, s'obstinait à n'accorder qu'une médiocre confiance à la carte du naufragé. Il avait tort, néanmoins, car, dans la partie de l'île déjà reconnue, on ne pourrait nier que le travail de François Baudoin ne présentât une réelle exactitude.

Briant jugea inutile de discuter là-dessus, et l'on se remit résolument en route.

A huit heures, impossible de s'y reconnaître, tant l'obscurité était profonde. Et la limite de cette interminable forêt qu'on n'atteignait point !

Soudain, par une trouée des arbres, apparut une vive lueur qui se propageait à travers l'espace.

— Qu'est-ce que cela ?... dit Service.

— Une étoile filante, je suppose ? dit Wilcox.

— Non, c'est une fusée !... répliqua Briant, une fusée qui a été lancée du *Sloughi*.

— Et, par conséquent, un signal de Gordon !... » s'écria Doniphan, qui y répondit par un coup de fusil.

Un point de repère ayant été pris sur une étoile, au moment où une seconde fusée montait dans l'ombre, Briant et ses camarades se dirigèrent dessus, et, trois quarts d'heure après, ils arrivaient au campement du *Sloughi*.

C'était Gordon, en effet, qui, dans la crainte qu'ils ne se fussent égarés, avait imaginé de lancer quelques fusées afin de leur signaler la position du schooner.

Excellente idée, sans laquelle cette nuit-là, Briant,

Doniphan, Wilcox et Service n'auraient pu se reposer de leurs fatigues dans les couchettes du yacht.

X

RÉCIT DE L'EXPLORATION. — ON SE DÉCIDE A QUITTER LE *SLOUGHI*. — DÉCHARGEMENT ET DÉMOLITION DU YACHT. — UNE BOURRASQUE QUI L'ACHÈVE. — CAMPÉS SOUS LA TENTE. — CONSTRUCTION D'UN RADEAU. — CHARGEMENT ET EMBARQUEMENT. — DEUX NUITS SUR LE RIO. — ARRIVÉE A FRENCH-DEN.

ON se figure aisément quel accueil fut fait à Briant et à ses trois compagnons. Gordon, Cross, Baxter, Garnett et Webb leur ouvrirent les bras, tandis que les petits leur sautaient au cou. Ce fut un échange de cris de joie et de bonnes poignées de main. Phann prit sa part de cette cordiale réception en mêlant ses aboiements aux hurrahs des enfants. Oui ! cette absence avait paru longue !

« Se sont-ils donc égarés ?... Sont-ils tombés entre les mains des indigènes ?... Ont-ils été attaqués par quelques carnassiers ! » Voilà ce que se demandaient ceux qui étaient restés au campement du *Sloughi*.

Mais Briant, Doniphan, Wilcox et Service étaient de retour ; il n'y avait plus qu'à connaître les incidents de leur expédition. Néanmoins, comme ils étaient très fatigués par cette longue journée de marche, le récit fut remis au lendemain.

« Nous sommes dans une île ! »

Ce fut tout ce que Briant se contenta de dire, et c'était suffisant pour que l'avenir apparût avec ses

nombreuses et inquiétantes éventualités. Malgré cela,
Gordon accueillit la nouvelle sans montrer trop de
découragement.

« Bon ! je m'y attendais, semblait-il dire, et cela ne me
trouble pas autrement ! »

Le lendemain, dès l'aube — 5 avril —, les grands,
Gordon, Briant, Doniphan, Baxter, Cross, Wilcox,
Service, Webb, Garnett — et aussi Moko, qui était de
bon conseil — se réunirent sur l'avant du yacht, tandis
que les autres dormaient encore. Briant et Doniphan
prirent tour à tour la parole et mirent leurs camarades
au courant de ce qui s'était passé. Ils dirent comment
une chaussée de pierre, jetée en travers d'un ruisseau,
les restes d'un ajoupa, enfoui sous un épais fourré, leur
avaient donné à croire que le pays était ou avait été
habité. Ils expliquèrent comment cette vaste étendue
d'eau, qu'ils avaient d'abord prise pour une mer, n'était
qu'un lac, comment de nouveaux indices les avaient
conduits jusqu'à la caverne, près de l'endroit où le rio
sortait du lac, comment les ossements de François
Baudoin, français d'origine, avaient été découverts,
comment enfin la carte, dressée par le naufragé, indiquait que c'était une île sur laquelle était venu se perdre
le *Sloughi*.

Ce récit fut fait minutieusement, sans que Briant
ni Doniphan omissent le moindre détail. Et tous, maintenant, regardant cette carte, comprenaient bien que
le salut ne pouvait leur venir que du dehors !

Cependant, si l'avenir se présentait sous les plus
sombres couleurs, si les jeunes naufragés n'avaient plus
à mettre leur espoir qu'en Dieu, celui qui s'effraya
le moins — il convient d'insister sur ce point —, ce
fut Gordon. Le jeune Américain n'avait point de famille
qui l'attendît en Nouvelle-Zélande. Aussi, avec son

esprit pratique, méthodique, organisateur, la tâche de fonder pour ainsi dire une petite colonie n'avait-elle rien pour l'effrayer. Il voyait là une occasion d'exercer ses goûts naturels, et il n'hésita pas à remonter le moral de ses camarades en leur promettant une existence supportable, s'ils voulaient le seconder.

Tout d'abord, puisque l'île présentait des dimensions assez considérables, il semblait impossible qu'elle ne fût point marquée sur la carte du Pacifique, dans le voisinage du continent sud-américain. Après examen minutieux, on reconnut que l'atlas de Stieler n'indiquait aucune île de quelque importance en dehors des archipels, dont l'ensemble comprend les terres fuégiennes ou magellaniques, celles de la Désolation, de la Reine Adélaïde, de Clarence, etc. Or, si l'île eût fait partie de ces archipels, qui ne sont séparés du continent que par d'étroits canaux, François Baudoin l'aurait certainement indiqué sur sa carte — ce qu'il n'avait pas fait. Donc, c'était une île isolée et on devait en conclure qu'elle se trouvait plus au nord ou plus au sud de ces parages. Mais, sans les données suffisantes, sans les instruments nécessaires, il était impossible d'en relever la situation dans le Pacifique.

Il n'y avait plus qu'à s'installer définitivement, avant que la mauvaise saison eût rendu tout déplacement impraticable.

« Le mieux sera de faire notre demeure de cette caverne que nous avons découverte sur les bords du lac, dit Briant. Elle nous offrira un excellent abri.

— Est-elle assez grande pour que nous puissions y loger tous ? demanda Baxter.

— Non, évidemment, répondit Doniphan ; mais je crois qu'on pourra l'agrandir, en creusant une seconde cavité dans le massif ! Nous avons des outils...

— Prenons-la d'abord telle qu'elle est, répliqua Gordon, lors même que nous y serions à l'étroit...

— Et surtout, ajouta Briant, tâchons de nous y transporter dans le plus bref délai ! »

En effet, c'était urgent. Ainsi que le fit observer Gordon, le schooner devenait moins habitable de jour en jour. Les dernières pluies, suivies de chaleurs assez fortes, avaient beaucoup contribué à ouvrir les coutures de la coque et du pont. Les toiles déchirées laissaient pénétrer l'air et l'eau à l'intérieur. En outre, certains affouillements se creusaient sous les fonds, des infiltrations couraient à travers le sable de la grève, et la bande du yacht s'accentuait, en même temps qu'il s'enfonçait visiblement dans un sol devenu très meuble. Qu'une bourrasque, comme il s'en produit à la période de l'équinoxe qui durait encore, se déchaînât sur cette côte, et le *Sloughi* risquait d'être démembré en quelques heures. Dès lors il s'agissait non seulement de l'abandonner sans retard, mais aussi de le démolir méthodiquement, de manière à en retirer tout ce qui pourrait être utile, poutres, planches, fer, cuivre, en vue de l'aménagement de French-den (Grotte française) — nom qui fut donné à la caverne en souvenir du naufragé français.

« Et, en attendant que nous ayons pu nous y réfugier, demanda Doniphan, où demeurerons-nous ?

— Sous une tente, répondit Gordon, — une tente que nous dresserons sur la rive du rio, entre les arbres.

— C'est le meilleur parti à prendre, dit Briant, et sans perdre une heure ! »

En effet, la démolition du yacht, le déchargement du matériel et des provisions, la construction d'un radeau pour le transport de cette cargaison, cela demanderait au moins un mois de travail, et, avant de quitter Sloughi-

Sous l'abri de cette tente... (Page 154.)

bay, on serait aux premiers jours de mai, qui correspondent aux premiers jours de novembre dans l'hémisphère boréal, c'est-à-dire au début de l'hiver.

C'était avec raison que Gordon avait choisi la rive du rio pour établir le nouveau campement, puisque le transport devait s'effectuer par eau. Aucune autre voie n'eût été ni plus directe ni plus commode. Charrier à travers la forêt ou sur la berge du rio tout ce qui resterait du yacht après démolition, c'eût été une besogne presque irréalisable. Au contraire, en utilisant, pendant plusieurs marées, le flux qui se faisait sentir jusqu'au lac, un radeau arriverait à destination sans trop de peine.

On le sait, dans son cours supérieur — Briant l'avait constaté — le rio n'offrait aucun obstacle, ni chutes, ni rapides, ni barrages. Une nouvelle exploration, qui eut pour objet d'en reconnaître le cours inférieur depuis la fondrière jusqu'à son embouchure, fut faite avec la yole. Briant et Moko purent s'assurer que ce cours était également navigable. Ainsi il y avait une voie de communication tout indiquée entre Sloughi-bay et French-den.

Les jours suivants furent employés à disposer le campement au bord du rio. Les basses branches de deux hêtres, reliées par de longs espars aux branches d'un troisième, servirent de soutien à la grande voile de rechange du yacht, dont on fit retomber les côtés jusqu'à terre. Ce fut sous l'abri de cette tente, solidement fixée par des amarrages, que l'on transporta la literie, les ustensiles de première nécessité, les armes, les munitions, les ballots de provisions. Comme le radeau devait être construit avec les débris du yacht, il fallait attendre que sa démolition fût achevée.

On n'eut point à se plaindre du temps, qui se maintenait au sec. S'il y eut parfois du vent, il venait de terre, et le travail put se faire dans de bonnes conditions.

Vers le 15 avril, il ne restait plus rien à bord du schooner, si ce n'est les objets trop pesants, qui ne pourraient être retirés qu'après le dépeçage — entre autres, les gueuses de plomb servant de lest, les pièces à eau engagées dans la cale, le guindeau, la cuisine, trop lourds pour être enlevés sans un appareil. Quant au gréement, mât de misaine, vergues, haubans et galhaubans de fer, chaînes, ancres, cordages, amarres, cordelles, fils de caret et autres, dont il existait un approvisionnement considérable, tout avait été peu à peu transporté dans le voisinage de la tente.

Il va sans dire que, si pressé que fût ce travail, on ne négligeait point de subvenir aux besoins de chaque jour. Doniphan, Webb et Wilcox consacraient quelques heures à la chasse aux pigeons de roche et aux autres volatiles venant du marécage. Les petits, eux, s'occupaient de récolter des mollusques, dès que la marée laissait le banc de récifs à découvert. C'était plaisir de voir Jenkins, Iverson, Dole et Costar grouiller comme une nichée de poussins à travers les flaques d'eau. Par exemple, ils se mouillaient un peu plus que les jambes — ce qui les faisait gronder par le sévère Gordon, tandis que Briant les excusait de son mieux. Jacques travaillait aussi avec ses jeunes camarades, mais sans jamais se mêler à leurs éclats de rire.

Ainsi le travail marchait à souhait, et avec une méthode où l'on sentait l'intervention de Gordon, dont le sens pratique n'était jamais en défaut. Evidemment, ce que Doniphan admettait de lui, il ne l'eût point admis de Briant ni d'aucun autre. En somme, l'accord régnait dans tout ce petit monde.

Cependant il importait de se hâter. La seconde quinzaine d'avril fut moins belle. La moyenne de la température s'abaissa sensiblement. Plusieurs fois, de grand matin, la colonne thermométrique tomba à zéro. L'hiver s'annonçait, et avec lui allait apparaître son cortège de grêle, de neige, de rafales, si redoutable dans les hauts parages du Pacifique.

Par précaution, petits et grands durent se vêtir plus chaudement et prendre les tricots épais, les pantalons de grosse étoffe, les vareuses de laine, préparés en prévision d'un hiver rigoureux. Il n'y eut qu'à consulter le carnet de Gordon pour savoir où trouver ces vêtements, classés par qualité et par taille. C'était des plus jeunes que se préoccupait surtout Briant. Il prenait garde à ce qu'ils n'eussent point les pieds froids, à ce qu'ils ne s'exposassent point à l'air vif, lorsqu'ils étaient en nage. Au moindre rhume, il les consignait ou même les contraignait à se coucher près d'un bon brasier qui était entretenu nuit et jour. A plusieurs reprises, Dole et Costar durent être retenus à la tente, sinon à la chambre, et Moko ne leur épargna pas la tisane, dont les ingrédients étaient fournis par la pharmacie du bord.

Depuis que le yacht avait été vidé de son entier contenu, on s'était attaqué à sa coque, qui, d'ailleurs, craquait de toutes parts.

Les feuilles du doublage de cuivre furent enlevées avec soin, pour servir à l'aménagement de French-den. Les tenailles, les pinces et le marteau firent ensuite leur office afin de détacher le bordage que les clous et les gournables retenaient à la membrure. Il y eut là un gros travail, qui donna bien du mal à ces mains inexpérimentées, à ces bras peu vigoureux encore. Aussi le dépeçage marchait-il lentement, quand, le 25 avril, une bourrasque vint en aide aux travailleurs.

Pendant la nuit, bien que l'on fût déjà dans la saison

Tous, attelés à quelque pesante pièce de bois. (Page 158.)

froide, il s'éleva un orage très violent, qui avait été annoncé par le trouble du storm-glass. Les éclairs embrasèrent largement l'espace ; les roulements de la foudre ne discontinuèrent pas de minuit jusqu'au lever du jour — à la grande épouvante des petits. Il ne plut pas, fort heureusement ; mais, à deux ou trois reprises, il fut nécessaire de maintenir la tente contre la furie du vent.

Si elle résista, grâce aux arbres entre lesquels elle était amarrée, il n'en fut pas ainsi du yacht, directement exposé aux coups du large, et que vinrent battre d'énormes lames déferlantes.

La démolition fut complète. Le bordage arraché, la membrure disloquée, la quille rompue par quelques violents coups de talon, se trouvèrent bientôt réduits à l'état d'épaves. Il n'y eut pas lieu de s'en plaindre, car les lames, en se retirant, n'entraînèrent qu'une partie de ces épaves, qui, pour la plupart, furent retenues par les têtes de récifs. Quant aux ferrures, il ne serait pas difficile de les retrouver sous les plis du sable.

Ce fut la besogne à laquelle tout le monde s'appliqua pendant les jours suivants. Les poutres, les planches, les gueuses de la cale, les objets qui n'avaient pu être enlevés, gisaient çà et là. Il ne s'agissait plus que de les transporter sur la rive droite du rio, à quelques pas de la tente.

Gros ouvrage, en vérité, mais qui, avec du temps, non sans grande fatigue, fut conduit à bonne fin. C'était curieux de les voir tous, attelés à quelque pesante pièce de bois, halant avec ensemble et s'excitant par mille cris. On s'aidait au moyen d'espars qui faisaient office de leviers, ou de morceaux de bois ronds qui facilitaient le roulement des lourdes pièces. Le plus dur, ce fut de conduire à destination le guindeau, le fourneau de

cuisine, les caisses à eau en tôle dont le poids était
assez considérable. Pourquoi leur manquait-il, à ces
enfants, quelque homme pratique qui les eût guidés !
Si Briant avait eu près de lui son père, Garnett le sien,
l'ingénieur et le capitaine auraient su leur épargner
bien des fautes qu'ils commirent et qu'ils devaient
commettre encore. Toutefois, Baxter, d'une intelligence
très ouverte aux choses de la mécanique, déploya beaucoup d'adresse et de zèle. C'est par ses soins, avec les
conseils de Moko, que des palans furent fixés à des pieux
enfoncés dans le sable — ce qui décupla les forces de
cette équipe de jeunes garçons et les mit à même d'achever leur besogne.

Bref, le 28 au soir, tout ce qui restait du *Sloughi* avait
été conduit au lieu d'embarquement. Et, dès lors, le
plus difficile était fait, puisque ce serait le rio lui-même
qui se chargerait de transporter ce matériel à French-den.

« Dès demain, dit Gordon, nous nous mettrons à
la construction de notre radeau...

— Oui, dit Baxter, et pour ne point avoir la peine
de le lancer, je propose de le construire à la surface
du rio...

— Ce ne sera pas commode ! fit observer Doniphan.

— N'importe, essayons ! répondit Gordon. S'il nous
donne plus de mal à établir, du moins n'aurons-nous
pas à nous inquiéter de le mettre à l'eau. »

Cette façon de procéder était, en effet, préférable,
et voici comment dès le lendemain, on disposa les fon-
dements de ce radeau, qui devait avoir des dimensions
assez grandes pour recevoir une lourde et encombrante
cargaison.

Les poutres arrachées au schooner, la quille rompue
en deux morceaux, le mât de misaine, le tronçon du
grand mât, brisé à trois pieds au-dessus du pont, les

On obtint ainsi un bâti solide. (Page 161.)

barreaux et le maître-bau, le beaupré, la vergue de misaine, le gui, la corne de brigantine, avaient été transportés sur un endroit de la rive que la marée ne recouvrait qu'à l'heure de la haute mer. On attendit ce moment, et, lorsque ces pièces eurent été soulevées par le flux, elles furent envoyées à la surface du rio. Là, les plus longues, assemblées, puis réunies l'une à l'autre par les plus petites mises en travers, furent amarrées solidement.

On obtint ainsi une assise solide, mesurant à peu près trente pieds de long sur quinze de large. On travailla sans relâche pendant toute la journée, et le bâti était achevé lorsque la nuit vint. Briant prit alors la précaution de l'attacher aux arbres de la rive, afin que la marée montante ne pût l'entraîner en amont, du côté de French-den, ni la marée descendante, en aval, du côté de la mer.

Tous, rompus de fatigue, après une journée si laborieuse, soupèrent avec un appétit formidable et ne firent qu'un somme jusqu'au matin.

Le lendemain, 30, dès l'aube naissante, chacun se remit à la besogne.

Il s'agissait maintenant de dresser une plate-forme sur la membrure du radeau. C'est à cela que servirent les planches du pont et les bordages de la coque du *Sloughi*. Des clous, enfoncés à grands coups de marteau, des cordes, liées sous les pièces, formèrent de solides amarrages qui consolidèrent tout l'ensemble.

Ce travail demanda trois jours, bien que chacun s'y hâtât, car il n'y avait pas une heure à perdre. Quelques cristallisations se montraient déjà à la surface des flaques, entre les récifs, et aussi sur les bords du rio. L'abri de la tente commençait à devenir insuffisant, malgré la chaleur du brasier. C'est à peine si, en se

pressant les uns contre les autres, en s'enveloppant
de leurs couvertures, Gordon et ses camarades arrivaient à combattre l'abaissement de la température.
Donc, nécessité d'activer la besogne pour commencer
l'installation définitive à French-den. Là, on l'espérait du moins, il serait possible de braver les rigueurs
de l'hiver, qui sont si rudes sous ces hautes latitudes.

Il va sans dire que la plate-forme avait été établie
aussi solidement que possible, afin qu'elle ne pût se
disloquer en route — ce qui eût amené l'engloutissement
du matériel dans le lit du rio. Aussi, pour parer à une
telle catastrophe, mieux eût valu retarder le départ
de vingt-quatre heures.

« Cependant, fit observer Briant, nous avons intérêt
à ne pas attendre au-delà du 6 mai.

— Et pourquoi ? demanda Gordon.

— Parce que, c'est après-demain nouvelle lune,
répondit Briant, et que les marées vont croître pendant
quelques jours. Or, plus elles seront fortes, plus elles
nous aideront à remonter le cours du rio. Penses-y donc,
Gordon ! Si nous étions forcés de haler ce lourd radeau
à la cordelle ou de le pousser à la gaffe, nous n'arrive-
rions jamais à vaincre le courant !...

— Tu as raison, répondit Gordon, et il faut partir
dans trois jours au plus tard ! »

Tous convinrent donc de ne point prendre de repos,
avant que la besogne fût achevée.

Le 3 mai, on s'occupa du chargement qu'il importait
d'arrimer avec soin, afin que le radeau fût convenable-.
ment équilibré. Chacun suivant ses forces, s'employa
à ce travail. Jenkins, Iverson, Dole et Costar furent chargés de transporter les menus objets, ustensiles, outils,
instruments, sur la plate-forme, où Briant et Baxter

A l'extrémité de cette sorte de chèvre... (Page 164.)

les disposaient méthodiquement de la façon qu'indiquait Gordon. Pour les objets d'un poids plus considérable, le fourneau, les caisses à eau, le guindeau, les ferrures, les feuilles de doublage, etc. ; enfin, le reste des épaves du *Sloughi*, les courbes de la membrure, les bordages, les barreaux de pont, les capots, ce fut aux grands qu'incomba la rude tâche de les embarquer. De même pour les ballots de provisions, les tonneaux de vin, d'ale et d'alcool, sans oublier plusieurs sacs de sel qui avait été recueilli entre les roches de la baie. Pour faciliter l'embarquement, Baxter fit dresser deux espars qui furent maintenus au moyen de quatre cordages. A l'extrémité de cette sorte de chèvre, on frappa un palan dont le bout fut garni à l'un des virevaux — petit treuil horizontal du yacht — ce qui permit de prendre les objets à terre, de les soulever et de les déposer sans choc sur la plate-forme.

Bref, tous procédèrent avec tant de prudence et de zèle que, dans l'après-midi du 5 mai, chaque objet était en place. Il n'y avait plus qu'à larguer les amarres du radeau. Cela, on le ferait le lendemain matin, vers huit heures, dès que la marée montante se manifesterait à l'embouchure du rio.

Peut-être s'étaient-ils imaginé, ces jeunes garçons, que, leur travail achevé, ils allaient pouvoir jouir jusqu'au soir d'un repos bien mérité. Il n'en fut rien, et une proposition de Gordon leur donna encore de l'ouvrage.

« Mes camarades, dit-il, puisque nous allons nous éloigner de la baie, nous ne serons plus à même de surveiller la mer, et si quelque navire venait de ce côté en vue de l'île, nous ne pourrions lui faire des signaux. Ainsi il serait donc opportun, je pense, d'établir un mât sur la falaise et d'y hisser un de nos pavillons à demeure.

Cela suffirait, j'espère, pour attirer l'attention des bâtiments du large. »

La proposition ayant été adoptée, le mât de hune du schooner, qui n'avait point été employé dans la construction du radeau, fut traîné jusqu'au pied de la falaise, dont le talus, près de la rive du rio, offrait une pente assez praticable. Néanmoins, il y eut là de grands efforts à faire pour monter ce raidillon sinueux, qui aboutissait à la crête.

On y parvint cependant, et le mât fut implanté solidement dans le sol. Après quoi, au moyen d'une drisse, Baxter hissa le pavillon anglais, en même temps que Doniphan le saluait d'un coup de fusil.

« Eh ! eh ! fit observer Gordon à Briant, voilà Doniphan qui vient de prendre possession de l'île au nom de l'Angleterre !

— Je serais bien étonné si elle ne lui appartenait pas déjà ! » répondit Briant.

Et Gordon ne put s'empêcher de faire la moue, car, à la manière dont il parlait parfois de « son île », il semblait bien qu'il la tînt pour américaine.

Le lendemain, au lever du soleil, tout le monde était debout. On se hâta de démonter la tente et de transporter la literie sur le radeau, où des voiles furent étendues pour la protéger jusqu'à destination. Il ne semblait pas, d'ailleurs, qu'il y eût rien à craindre du temps. Toutefois, un changement dans la direction du vent aurait pu ramener sur l'île les vapeurs du large.

A sept heures, les préparatifs étaient terminés. On avait aménagé la plate-forme de manière que l'on pût s'y installer pour deux ou trois jours, au besoin. Quant aux provisions de bouche, Moko avait mis à part ce qui serait nécessaire pendant la traversée, sans qu'il fût obligé de faire du feu.

A huit heures et demie, chacun prit place sur le radeau. Les grands se tenaient en abord, armés de gaffes ou d'espars — seul moyen qu'ils eussent de le diriger, puisqu'un gouvernail n'aurait pas eu d'action sur le courant.

Un peu avant neuf heures, la marée s'étant fait sentir, un sourd craquement courut à travers la charpente du radeau, dont les pièces jouaient dans leurs amarrages. Mais, après ce premier effort, il n'y eut plus de dislocation à craindre.

« Attention ! cria Briant.

— Attention ! » cria Baxter.

Tous deux étaient postés aux amarres, qui retenaient l'embarcation par l'avant et par l'arrière, et dont le double revenait entre leurs mains.

« Nous sommes prêts ! » cria Doniphan, lequel se tenait avec Wilcox à la partie antérieure de la plate-forme.

Après avoir constaté que le radeau dérivait sous l'action de la marée :

« Larguez ! » cria Briant.

L'ordre fut exécuté sans délai, et l'appareil, devenu libre, remonta lentement entre les deux rives, entraînant la yole qu'il avait à la remorque.

Ce fut une joie générale quand tous virent leur lourde machine en mouvement. Ils auraient construit un vaisseau de haut-bord qu'ils n'eussent pas été plus satisfaits d'eux-mêmes ! Qu'on leur pardonne ce petit sentiment de vanité !

On le sait, la rive droite, bordée d'arbres, était sensiblement plus élevée que la rive gauche, étroite berge allongée le long du marais avoisinant. En écarter le radeau parce qu'elle était peu accore et qu'il eût risqué de s'engraver, c'est à cela que Briant, Baxter, Doniphan,

Wilcox et Moko appliquèrent tous leurs efforts — la profondeur de l'eau permettant de ranger sans inconvénient le bord opposé du rio.

Le radeau fut donc maintenu autant que possible près de la rive droite, que le courant de flux longeait plus directement et qui pouvait fournir un point d'appui aux gaffes.

Deux heures après le départ, le chemin parcouru pouvait être évalué à un mille environ. Aucun choc ne s'était produit, et, dans ces conditions, l'appareil arriverait sans dommage à French-den.

Toutefois, suivant l'estime antérieurement faite par Briant, comme, d'une part, ce cours d'eau devait mesurer six milles depuis sa sortie du lac jusqu'à son embouchure dans Sloughi-bay, et, de l'autre, comme on ne pouvait parcourir que deux milles pendant la durée de la marée montante, il lui faudrait plusieurs flots » pour arriver à destination.

En effet, vers onze heures, le jusant commença à ramener les eaux en aval, et on se hâta d'amarrer solidement l'appareil, afin qu'il ne dérivât point vers la mer.

Evidemment, on aurait pu repartir vers la fin de la journée, lorsque la marée de nuit se serait fait sentir ; mais c'eût été s'aventurer au milieu de l'obscurité.

« Je pense que ce serait très imprudent, fit observer Gordon, car le radeau serait exposé à des chocs capables de le démolir. Je serais d'avis d'attendre jusqu'à demain pour profiter de la marée de jour ! »

Cette proposition était trop sensée pour ne pas avoir l'approbation générale. Dût-on mettre vingt-quatre heures de plus, ce retard était préférable au risque de compromettre la sécurité de la précieuse cargaison, livrée au courant du rio.

Il y avait par suite une demi-journée à passer en cet endroit, puis la nuit entière. Aussi Doniphan et ses compagnons de chasse habituels, accompagnés de Phann, s'empressèrent-ils de débarquer sur la rive droite.

Gordon leur avait recommandé de ne point trop s'éloigner, et ils durent tenir compte de la recommandation. Cependant, comme ils rapportèrent deux couples de grasses outardes et un chapelet de tinamous, leur amour-propre eut lieu d'être satisfait. Sur le conseil de Moko, ce gibier dut être conservé pour le premier repas, déjeuner, dîner ou souper, qui serait fait dans le réfectoire de French-den.

Pendant cette excursion, Doniphan n'avait découvert aucun indice de nature à révéler la présence ancienne ou récente d'êtres humains en cette partie de la forêt. Quant aux animaux, il avait entrevu des volatiles de grande taille s'enfuyant à travers les fourrés, mais sans les reconnaître.

La journée s'acheva, et, toute la nuit, Baxter, Webb et Cross veillèrent ensemble, prêts, suivant le cas, soit à doubler les amarres du radeau, soit à leur donner un peu de jeu, au moment du renversement de la marée.

Il n'y eut aucune alerte. Le lendemain, vers neuf heures trois quarts, dès la montée du flot, la navigation fut reprise dans les mêmes conditions que la veille.

La nuit avait été froide. La journée le fut aussi. Il n'était que temps d'arriver. Que deviendrait-on si les eaux du rio venaient à se prendre, si quelques glaçons, sortis du lac, dérivaient vers Sloughi-bay ? Sujet de grosse inquiétude dont on ne serait délivré qu'après l'arrivée à French-den.

Et, pourtant, il était impossible d'aller plus vite que

le flux, impossible aussi de remonter le courant, lorsque la marée venait à descendre, impossible dès lors de franchir plus d'un mille en une heure et demie. Ce fut encore la moyenne de cette journée. Vers une heure après-midi, halte fut faite à la hauteur de cette fondrière que Briant avait dû contourner en revenant à Sloughi-bay. On en profita pour l'explorer sur sa partie riveraine. Pendant un mille et demi, la yole, montée par Moko, Doniphan et Wilcox, s'engagea dans la direction du nord, et ne s'arrêta qu'au moment où l'eau vint à lui manquer. Cette fondrière était comme un prolongement du marais qui s'étendait au-delà de la rive gauche, et elle paraissait très riche en gibier aquatique. Aussi Doniphan put-il tirer quelques bécassines qui allèrent rejoindre les outardes et les tinamous dans le garde-manger du bord.

Nuit tranquille, mais glaciale, avec une brise âpre, dont les souffles s'engouffraient à travers la vallée du rio. Il se forma même quelques glaces légères qui se brisaient ou se dissolvaient au moindre choc. En dépit de toutes les précautions prises, on ne fut pas à l'aise sur ce plancher, bien que chacun eût cherché à se blottir sous les voiles. Chez quelques-uns de ces enfants, Jenkins, et Iverson particulièrement, la mauvaise humeur l'emporta, et ils se plaignirent d'avoir abandonné le campement du *Sloughi*. Il fallut à plusieurs reprises que Briant les réconfortât par d'encourageantes paroles.

Enfin, dans l'après-midi du lendemain, avec l'aide de la marée qui dura jusqu'à trois heures et demie du soir, le radeau arriva en vue du lac et vint accoster au pied de la berge, devant la porte de French-den.

Le débarquement se fit aux cris de joie des petits. (Page 171.)

XI

PREMIERES DISPOSITIONS A L'INTERIEUR DE FRENCH-DEN. — DECHAR-
GEMENT DU RADEAU. — VISITE A LA TOMBE DU NAUFRAGE. — GORDON
ET DONIPHAN. — LE FOURNEAU DE LA CUISINE. — GIBIER DE POIL ET
DE PLUME. — LE NANDU. — PROJETS DE SERVICE. — APPROCHE DE LA
MAUVAISE SAISON.

Le débarquement se fit aux cris de joie des petits, pour
qui tout changement de la vie ordinaire équivalait
à un jeu nouveau. Dole gambadait sur la berge comme
un jeune chevreau ; Iverson et Jenkins couraient du
côté du lac, tandis que Costar, prenant Moko à part,
lui disait :

« Tu nous as promis un bon dîner, mousse ?

— Eh bien, vous vous en passerez, monsieur Costar,
répondit Moko.

— Et pourquoi ?

— Parce que je n'aurais plus le temps de vous faire
à dîner aujourd'hui !

— Comment, on ne dînera pas ?...

— Non, mais on soupera, et les outardes n'en seront
pas moins bonnes pour servir à un souper ! »

Et Moko riait en montrant ses belles dents blanches.

L'enfant, après lui avoir donné une bourrade de bonne
amitié, s'en alla retrouver ses camarades. D'ailleurs,
Briant leur avait intimé l'ordre de ne point s'éloigner,
afin que l'on pût toujours avoir l'œil sur eux.

« Tu ne les rejoins pas ?... demanda-t-il à son frère.

— Non ! je préfère rester ici ! répondit Jacques.

— Tu ferais mieux de prendre un peu d'exercice,
reprit Briant. Je ne suis pas content de toi, Jacques !...

Tu as quelque chose que tu caches... Ou bien, est-ce
que tu serais malade ?

— Non, frère, je n'ai rien ! »

Toujours la même réponse qui ne pouvait suffire
à Briant, très résolu à tirer les choses au clair — fût-ce
au prix d'une scène avec le jeune entêté.

Cependant il n'y avait pas une heure à perdre, si
l'on voulait passer cette nuit à French-den.

Premièrement, il s'agissait de faire visiter la caverne
à ceux qui ne la connaissaient pas. Aussi, dès que le
radeau eut été solidement amarré à la rive, au milieu
d'un remous, en dehors du courant du rio, Briant
pria-t-il ses camarades de l'accompagner. Le mousse
s'était muni d'un fanal de bord, dont la flamme, très
accrue par la puissance de ses lentilles, donnait une
vive lumière.

On procéda au dégagement de l'orifice. Tels les
branchages avaient été disposés par Briant et Doniphan,
tels ils furent retrouvés. Donc, aucun être humain,
aucun animal, n'avaient essayé de pénétrer dans French-
den.

Après avoir écarté les branchages, tous se glissèrent
par l'étroite ouverture. A la clarté du fanal, la caverne
s'éclaira infiniment mieux qu'elle n'avait pu faire à la
lueur des branches résineuses ou des grossières chandelles du naufragé.

« Eh ! nous serons à l'étroit ici ! fit observer Baxter,
qui venait de mesurer la profondeur de la caverne.

— Bah ! s'écria Garnett ! En mettant les couchettes
les unes sur les autres, comme dans une cabine...

— A quoi bon ? répliqua Wilcox. Il suffira de les ranger en ordre sur le sol...

— Et, alors, il ne nous restera plus de place pour
aller et venir, répliqua Webb.

— Eh bien, on n'ira pas et on ne viendra pas, voilà tout ! répondit Briant. As-tu mieux à nous offrir, Webb ?

— Non, mais...

— Mais, riposta Service, l'important, c'était d'avoir un abri suffisant ! Je ne pense pas que Webb s'imaginait trouver ici un appartement complet avec salon, salle à manger, chambre à coucher, hall, fumoir, salle de bains...

— Non, dit Cross. Encore faut-il qu'il y ait un endroit où l'on puisse faire la cuisine...

— Je la ferai dehors, répondit Moko.

— Ce serait très incommode par les mauvais temps, fit remarquer Briant. Aussi je pense que dès demain, nous devrons placer ici même le fourneau du *Sloughi*...

— Le fourneau... dans la cavité où nous mangerons, où nous coucherons ! répliqua Doniphan d'un ton de dégoût très prononcé.

— Eh bien, tu respireras des sels, Lord Doniphan ! s'écria Service qui partit d'un franc éclat de rire.

— Si cela me convient, aide-cuisinier ! repartit le hautain garçon en fronçant les sourcils.

— Bien !... bien !... se hâta de dire Gordon. Que la chose soit agréable ou non, il faudra cependant s'y résoudre au début ! D'ailleurs, en même temps qu'il servira pour la cuisine, le fourneau chauffera l'intérieur de la caverne. Quant à s'aménager plus spacieusement en creusant d'autres chambres dans le massif, nous aurons tout l'hiver pour ce travail, s'il est faisable. Mais, d'abord, prenons French-den comme il est, et installons-nous le mieux possible ! »

Avant dîner, les couchettes furent transportées, puis arrimées régulièrement sur le sable. Quoiqu'elles fussent serrées les unes contre les autres, ces enfants, habitués

aux étroites cabines du schooner, ne devaient pas y
regarder de si près.

Cet aménagement occupa la fin de la journée. La
grande table du yacht fut alors placée au milieu de la
caverne, et Garnett, aidé des petits qui lui apportaient
les divers ustensiles du bord, se chargea de mettre le
couvert.

De son côté, Moko, auquel s'était adjoint Service, avait
fait d'excellente besogne. Un foyer, disposé entre deux
grosses pierres, au pied du contrefort de la falaise, fut
alimenté avec le bois sec que Webb et Wilcox étaient
allés chercher sous les arbres de la berge. Vers six
heures, le pot-au-feu, c'est-à-dire le biscuit de viande —
qu'il suffisait de soumettre à une ébullition de quelques
minutes — fumait en répandant une bonne odeur. Ce
qui n'empêchait pas une douzaine de tinamous, enfilés
d'une baguette de fer, après avoir été convenablement
plumés, de rôtir devant une flamme pétillante au-dessus
d'une lèchefrite, dans laquelle Costar avait grande
envie de tremper un morceau de biscuit. Et, tandis
que Dole et Iverson remplissaient consciencieusement
l'office de tournebroches, Phann suivait leurs mouvements avec un intérêt très significatif.

Avant sept heures, tous étaient réunis dans l'unique
chambre de French-den — réfectoire et dortoir à la
fois. Les escabeaux, les pliants, les sièges d'osier du
Sloughi, avaient été apportés en même temps que les
bancs du poste d'équipage. Les jeunes convives, servis
par le mousse et aussi par eux-mêmes, firent un repas
substantiel. La soupe bouillante, un morceau de corn-
beef, le rôti de tinamous, du biscuit en guise de pain,
de l'eau fraîche additionnée d'un dixième de brandy,
un morceau de chester et quelques verres de sherry
au dessert, les dédommagèrent du médiocre menu des

derniers jours. Quelle que fût la gravité de la situation, les petits se laissaient aller à la gaieté de leur âge, et Briant se fût bien gardé de contenir leur joie ou de réprimer leurs rires !

La journée avait été fatigante. On ne demandait pas mieux, la faim satisfaite, que d'aller prendre du repos. Mais, auparavant, Gordon, guidé par un sentiment de religieuse convenance, proposa à ses camarades de faire une visite à la tombe de François Baudoin, dont ils occupaient maintenant la demeure.

La nuit assombrissait l'horizon du lac et les eaux ne réfléchissaient même plus les derniers rayons du jour. Ayant tourné le contrefort, les jeunes garçons s'arrêtèrent près d'un léger renflement du sol, sur lequel s'élevait une petite croix de bois. Et alors, les petits agenouillés, les grands courbés devant cette tombe, adressèrent une prière à Dieu pour l'âme du naufragé.

A neuf heures, les couchettes étaient occupées, et, à peine fourré sous sa couverture, chacun dormait d'un bon somme. Seuls, Wilcox et Doniphan, dont c'était le tour de veille, entretinrent un grand feu à l'entrée de la caverne, lequel devait servir à écarter les visiteurs dangereux, tout en échauffant l'intérieur.

Le lendemain, 9 mai, et pendant les trois journées qui suivirent, le déchargement du radeau exigea tous les bras. Déjà les vapeurs persistaient à s'amonceler avec les vents d'ouest, annonçant une période de pluie ou même une période de neige. En effet, la température ne dépassait guère le zéro du thermomètre, et les hautes zones devaient être très refroidies. Il importait donc que tout ce qui pouvait se gâter, munitions, provisions solides ou liquides, fût mis à l'abri dans French-den.

Pendant ces quelques jours, vu l'urgence de la besogne,

les chasseurs ne s'éloignèrent pas. Mais, comme le
gibier d'eau abondait, soit à la surface du lac, soit
au-dessus du marécage, sur la rive gauche du rio, Moko
ne fut jamais dépourvu. Bécassines et canards, pilets
et sarcelles, fournirent à Doniphan l'occasion de tirer
quelques beaux coups de fusil.

Pourtant, Gordon ne voyait pas sans peine ce que la
chasse — même heureuse — coûtait de plomb et de
poudre. Il tenait par-dessus tout à ménager les munitions dont il avait noté les quantités exactes sur son
carnet. Aussi recommanda-t-il bien à Doniphan d'économiser ses coups de feu.

« Il y va de notre intérêt pour l'avenir, lui dit-il.

— D'accord, répondit Doniphan, mais il faut également être avares de nos conserves ! Nous nous repenti-
rions d'en être privés, s'il se présentait jamais un moyen
de quitter l'île...

— Quitter l'île ?... fit Gordon. Sommes-nous donc
capables de construire un bateau qui puisse tenir la
mer ?...

— Et pourquoi pas, Gordon, s'il se trouve un continent dans le voisinage ?... En tout cas, je n'ai pas envie
de mourir ici comme le compatriote de Briant !...

— Soit, répondit Gordon. Cependant, avant de songer
à partir, habituons-nous à l'idée que nous serons peut-
être forcés de vivre ici des années et des années ?...

— Voilà bien mon Gordon ! s'écria Doniphan. Je suis
sûr qu'il serait enchanté de fonder une colonie...

— Sans doute, si on ne peut faire autrement !

— Eh ! Gordon, je ne crois pas que tu rallies beaucoup de partisans à ta marotte — pas même ton ami
Briant !

— Nous avons le temps de discuter cela, répondit
Gordon. — Et, à propos de Briant, Doniphan, laisse-

moi te dire que tu as des torts envers lui. C'est un bon camarade, qui nous a donné des preuves de dévouement...

— Comment donc, Gordon ! répliqua Doniphan de ce ton dédaigneux dont il ne pouvait se départir. Briant a toutes les qualités !... C'est une sorte de héros...

— Non, Doniphan, il a ses défauts comme nous. Mais tes sentiments à son égard peuvent amener une désunion qui rendrait notre situation encore plus pénible ! Briant est estimé de tous...

— Oh ! de tous !

— Ou, au moins, du plus grand nombre de ses camarades. Je ne sais pourquoi Wilcox, Cross, Webb et toi, vous ne voulez rien entendre de lui ! Je te dis cela en passant, Doniphan, et je suis sûr que tu réfléchiras...

— C'est tout réfléchi, Gordon ! »

Gordon vit bien que l'orgueilleux garçon était peu disposé à tenir compte de ses conseils — ce qui l'affligeait, car il prévoyait de sérieux ennuis pour l'avenir.

Ainsi qu'il a été dit, le déchargement complet du radeau avait pris trois jours. Il ne restait plus qu'à démolir le bâti et la plate-forme, dont les madriers et les planches pourraient être employés à l'intérieur de French-den.

Malheureusement, tout le matériel n'avait pu trouver place dans la caverne, et, si on ne parvenait pas à l'agrandir, on serait obligé de construire un hangar, sous lequel les ballots seraient mis à l'abri du mauvais temps.

En attendant, suivant le conseil de Gordon, ces objets furent entassés dans l'angle du contrefort, après avoir été recouverts des prélarts goudronnés, qui servaient à protéger les claires-voies et capots du yacht.

Dans la journée du 13, Baxter, Briant et Moko procé-

Baxter parvint à percer un trou. (Page 179.)

dèrent au montage du fourneau de cuisine, qu'il avait fallu traîner sur des rouleaux jusqu'à l'intérieur de French-den. Là, on l'adossa contre la paroi de droite, près de l'orifice, de façon que le tirage pût s'opérer dans de meilleures conditions. Quant au tuyau, qui devait conduire au-dehors les produits de la combustion, sa mise en place ne laissa pas de donner quelques difficultés. Cependant, comme le calcaire du massif était tendre, Baxter parvint à percer un trou à travers lequel fut ajusté le tuyau, ce qui permit à la fumée de s'échapper extérieurement. Dans l'après-midi, lorsque le mousse eut allumé son fourneau, il eut la satisfaction de constater qu'il fonctionnait assez convenablement. Même par les mauvais temps, la cuisson des aliments était donc assurée.

Pendant la semaine suivante, Doniphan, Webb, Wilcox et Cross auxquels se joignirent Garnett et Service, purent satisfaire leurs goûts de chasseurs. Un jour, ils s'engagèrent sous la forêt de bouleaux et de hêtres, à un demi-mille de French-den, du côté du lac. En quelques endroits, des indices du travail de l'homme leur apparurent très visiblement. C'étaient des fosses, creusées dans le sol, recouvertes d'un réseau de branchages, et assez profondes pour que les animaux qui y tombaient n'en pussent plus sortir. Mais l'état de ces fosses indiquait qu'elles dataient de bien des années déjà, et l'une d'elles contenait encore les restes d'un animal dont il eût été malaisé de reconnaître l'espèce.

« En tout cas, ce sont les ossements d'une bête de grande taille ! fit observer Wilcox, qui s'était laissé prestement glisser au fond de la fosse, et en avait retiré des débris blanchis par le temps.

— Et c'était un quadrupède, puisque voici les os de ses quatre pattes, ajouta Webb.

— A moins qu'il n'y ait ici des bêtes à cinq pattes,

répondit Service, et alors celle-ci ne pourrait être qu'un mouton ou un veau phénoménal !

— Toujours des plaisanteries, Service ! dit Cross.

— Il n'est pas défendu de rire ! répliqua Garnett.

— Ce qui est certain, reprit Doniphan, c'est que cet animal devait être très vigoureux. Voyez la grosseur de sa tête et sa mâchoire encore armée de crocs ! Que Service plaisante, puisque ça l'amuse, avec ses veaux de bateleurs et ses moutons de foire ! Mais, si ce quadrupède venait à ressusciter, je crois qu'il ne serait pas d'humeur à rire.

— Bien envoyé ! s'écria Cross, toujours disposé à trouver excellentes les reparties de son cousin.

— Tu penses donc, demanda Webb à Doniphan, qu'il s'agit là d'un carnassier ?

— Oui, à n'en pas douter !

— Un lion ?... un tigre ?... demanda Cross, qui ne paraissait pas très rassuré.

— Sinon un tigre ou un lion, répondit Doniphan, du moins un jaguar ou un couguar !

— Il faudra nous tenir sur nos gardes !... dit Webb.

— Et ne pas s'aventurer trop loin ! ajouta Cross.

— Entends-tu, Phann, dit Service en se retournant vers le chien, il y a de grosses bêtes par ici ! »

Phann répondit par un joyeux aboiement qui ne dénotait aucune inquiétude.

Les jeunes chasseurs se disposèrent alors à revenir vers French-den.

« Une idée, dit Wilcox. Si nous recouvrions cette fosse avec de nouveaux branchages ?... Peut-être quelque animal s'y laisserait-il prendre encore ?

— Comme tu voudras, Wilcox, répondit Doniphan, bien que j'aime mieux tirer un gibier en liberté que de le massacrer au fond d'une fosse ! »

C'était le sportsman qui parlait ainsi ; mais, en somme, Wilcox, avec son goût naturel pour dresser des pièges, se montrait plus pratique que Doniphan.

Aussi, s'empressa-t-il de mettre son idée à exécution. Ses camarades l'aidèrent à couper des branches aux arbres voisins ; cela fait, les plus longues furent placées en travers, et leur feuillage dissimula complètement l'ouverture de la fosse. Piège bien rudimentaire, sans doute, mais souvent employé et avec succès par les trappeurs des Pampas.

Afin de reconnaître l'endroit où était creusée cette fosse, Wilcox fit quelques brisées aux arbres jusqu'à la lisière de la forêt, et tous revinrent à French-den.

Ces chasses, cependant, ne laissaient pas d'être fructueuses. Le gibier de plume abondait. Sans compter les outardes et les tinamous, on voyait nombre de ces martinettes, dont le plumage, pointillé de blanc, rappelle celui de la pintade, de ces pigeons des bois qui volent par bandes, de ces oies antarctiques, qui sont assez bonnes à manger, lorsque la cuisson les a dépouillées de leur saveur huileuse. Quant au gibier de poil, il était représenté par des « tucutucos », sortes de rongeurs qui peuvent remplacer avantageusement le lapin dans les gibelottes, des « maras », lièvres d'un gris roux avec un croissant noir sur la queue, ayant toutes les qualités comestibles de l'agouti, des « pichis », du genre tatous, mammifères au test écailleux dont la chair est délicieuse, des « pécaris », qui sont des sangliers de petite taille, et des « guaçulis », semblables aux cerfs, dont ils ont l'agilité.

Doniphan put abattre quelques-uns de ces animaux ; mais, comme ils étaient difficiles à approcher, la consommation de poudre et de plomb ne fut pas en rapport avec les résultats obtenus, au grand déplaisir du jeune chasseur. Et cela lui attira des observations de la part de Gordon — observations, d'ailleurs, que ses partisans ne reçurent pas mieux que lui.

Ce fut aussi pendant une de ces excursions que l'on fit bonne provision de ces deux précieuses plantes, découvertes par Briant, lors de la première expédition au lac. C'était ce céleri sauvage, qui croissait en grande abondance sur des terrains humides, et ce cresson, dont les jeunes pousses forment un excellent antiscorbutique, lorsqu'elles commencent à sortir de terre. Ces végétaux figurèrent à tous les repas par mesure d'hygiène.

En outre, le froid n'ayant pas encore congelé la surface du lac et du rio, des truites furent prises à l'hameçon, ainsi qu'une espèce de brochet, très agréable à manger, à la condition de ne point s'étrangler avec ses trop nombreuses arêtes. Enfin, un jour, Iverson revint triomphalement, portant un saumon de belle taille, avec lequel il avait longtemps lutté au risque de rompre sa ligne. Si donc, à l'époque où ces poissons remontaient l'embouchure du rio, on parvenait à s'en approvisionner amplement, ce serait s'assurer une précieuse réserve pour l'hiver.

Entre-temps, plusieurs visites avaient été faites à la fosse préparée par Wilcox ; mais aucun animal ne s'y laissait choir, bien qu'on y eût déposé un gros morceau de viande qui aurait pu attirer quelque carnassier.

Cependant, le 17 mai, il se produisit un incident.

Ce jour-là, Briant et quelques autres étaient allés dans la partie de la forêt voisine de la falaise. Il s'agissait de chercher si, à proximité de French-den, il ne se trouverait pas quelque autre cavité naturelle, qui servirait de magasin pour loger le reste du matériel.

Or, voici qu'en s'approchant de la fosse, on entendit des cris rauques qui s'en échappaient.

Briant, s'étant dirigé de ce côté, fut aussitôt rejoint par Doniphan qui n'eût pas voulu se laisser devancer. Les autres les suivaient à quelques pas, leurs fusils en état, tandis que Phann marchait, les oreilles dressées, la queue raide.

Ils n'étaient plus qu'à vingt pas de la fosse, lorsque les cris redoublèrent. Au milieu du plafond de branchages, apparut alors une large trouée qui avait dû être produite par la chute de quelque animal.

Ce qu'était cet animal, on n'eût pu le dire. En tout cas, il convenait de se tenir sur la défensive.

« Va, Phann, va !... » cria Doniphan.

Et, aussitôt, le chien de s'élancer en aboyant, mais sans montrer d'inquiétude.

Briant et Doniphan coururent vers la fosse, et, dès qu'ils se furent penchés au-dessus :

« Venez !... venez ! crièrent-ils.

— Ce n'est point un jaguar ?... demanda Webb.

— Ni un couguar ?... ajouta Cross.

— Non ! répondit Doniphan. C'est une bête à deux pattes, une autruche ! »

C'était une autruche, en effet, et il y avait lieu de se féliciter que de tels volatiles courussent les forêts de l'intérieur, car leur chair est excellente — surtout dans la partie grasse qui leur garnit la poitrine.

Cependant, s'il n'était pas douteux que ce fût une autruche, sa taille moyenne, sa tête semblable à une tête d'oie, le vêtement de petites plumes qui enveloppait tout son corps d'une toison gris blanchâtre, la rangeaient dans l'espèce des « nandûs », si nombreux au milieu des pampas du Sud-Amérique. Bien que le nandû ne puisse entrer en comparaison avec l'autruche africaine, il n'en faisait pas moins honneur à la faune du pays.

« Il faut le prendre vivant !... dit Wilcox.

« Enfin, nous la tenons ! » s'écria Webb. (Page 185.)

— Je le crois bien ! s'écria Service.

— Ce ne sera pas commode ! répondit Cross.

— Essayons ! » dit Briant.

Si le vigoureux animal n'avait pu s'échapper, c'est que ses ailes ne lui permettaient pas de s'élever jusqu'au niveau du sol, et que ses pieds n'avaient point prise sur des parois verticales. Wilcox fut donc obligé de se laisser glisser au fond de la fosse, au risque de recevoir quelques coups de bec qui auraient pu le blesser grièvement. Cependant, comme il parvint à encapuchonner l'autruche avec sa vareuse qu'il lui jeta sur la tête, elle fut réduite à la plus complète immobilité. Il fut facile alors de lui lier les pattes à l'aide de deux ou trois mouchoirs attachés bout à bout, et tous, unissant leurs efforts, les uns en bas, les autres en haut, parvinrent à l'extraire de la fosse.

« Enfin, nous la tenons ! s'écria Webb.

— Et qu'en ferons-nous ?... demanda Cross.

— C'est bien simple ! répliqua Service, qui ne doutait jamais de rien. Nous la conduirons à French-den, nous l'apprivoiserons, et elle nous servira de monture ! J'en fais mon affaire, à l'exemple de mon ami Jack du *Robinson suisse !* »

Qu'il fût possible d'utiliser l'autruche de cette façon, c'était au moins contestable, malgré le précédent invoqué par Service. Toutefois, comme il n'y avait aucun inconvénient à la ramener à French-den, c'est ce qui fut fait.

Lorsque Gordon vit arriver ce nandû, peut-être s'effraya-t-il un peu d'avoir une bouche de plus à nourrir. Mais, en songeant que l'herbe ou les feuilles suffiraient à son alimentation, il lui fit bon accueil. Quant aux petits, ce fut une joie pour eux d'admirer cet animal, de s'en approcher — pas trop près cependant — après qu'on l'eut attaché avec une longue corde. Et, lorsqu'ils apprirent que Service comptait le dresser pour la course, ils lui firent promettre qu'il les prendrait en croupe.

« Oui ! si vous êtes sages, les bébés ! répondit Service, que les petits considéraient déjà comme un héros.

— Nous le serons ! s'écria Costar.

— Comment, toi aussi, Costar, répliqua Service, tu oserais monter sur cette bête ?...

— Derrière toi... et en te tenant bien... oui !

— Eh ! rappelle-toi donc ta belle peur, quand tu étais sur le dos de la tortue !

— Ce n'est pas la même chose, répondit Costar. Au moins, cette bête-là ne va pas sous l'eau !...

— Non, mais elle peut aller en l'air ! » dit Dole.

Et là-dessus, les deux enfants restèrent songeurs.

On le pense bien, depuis l'installation définitive à French-den, Gordon et ses camarades avaient organisé la vie quotidienne d'une façon régulière. Lorsque cette installation serait complète, Gordon se proposait de régler autant que possible les occupations de chacun, et surtout de ne point laisser les plus jeunes abandonnés à eux-mêmes. Sans doute, ceux-ci ne demanderaient pas mieux que de s'appliquer au travail commun dans la mesure de leurs forces ; mais pourquoi ne donnerait-on pas suite aux leçons commencées à la pension Chairman ?

« Nous avons des livres qui nous permettront de continuer nos études, dit Gordon, et ce que nous avons appris, ce que nous apprendrons encore, il ne serait que juste d'en faire profiter nos petits camarades.

— Oui, répondit Briant, et, si nous parvenons à quitter cette île, si nous devons revoir un jour nos familles, tâchons de n'avoir pas trop perdu notre temps ! »

Il fut convenu qu'un programme serait rédigé ; puis,

dès qu'il aurait été soumis à l'approbation générale, on veillerait à ce qu'il fût scrupuleusement appliqué.

En effet, l'hiver venu, il y aurait bien des mauvais jours pendant lesquels ni grands ni petits ne pourraient mettre le pied dehors, et il importait qu'ils ne s'écoulassent pas sans profit. En attendant, ce qui gênait surtout les hôtes de French-den, c'était l'étroitesse de cette unique salle dans laquelle tous avaient dû s'entasser. Il fallait donc aviser, sans retard, aux moyens de donner à la caverne des dimensions suffisantes.

XII

AGRANDISSEMENT DE FRENCH-DEN. — BRUIT SUSPECT. — DISPARITION DE PHANN. — REAPPARITION DE PHANN. — APPROPRIATION ET AMENAGEMENT DU HALL. — MAUVAIS TEMPS. — NOMS DONNES. — L'ILE CHAIRMAN. — LE CHEF DE LA COLONIE.

PENDANT leurs dernières excursions, les jeunes chasseurs avaient plusieurs fois examiné la falaise, dans l'espoir d'y trouver une autre excavation. S'ils l'eussent découverte, elle aurait pu servir de magasin général et recevoir le reste du matériel qu'il avait fallu laisser au-dehors. Or, les recherches n'ayant point abouti, on dut en revenir à ce projet d'agrandir la demeure actuelle, en creusant une ou plusieurs chambres contiguës à la caverne de Jean Baudoin.

Dans le granit, ce travail eût été certainement infaisable ; mais, dans ce calcaire que le pic ou la pioche entameraient aisément, il n'offrirait pas de difficulté. Sa durée importait peu. Il y aurait là de quoi occuper les longues journées d'hiver, et tout pouvait être terminé avant le retour de la belle saison, s'il ne se produisait ni éboulement ni infiltration — ce qui était surtout à craindre.

D'ailleurs, il ne serait point nécessaire d'employer la mine. Les outils suffiraient, puisqu'ils avaient suffi, lorsqu'il s'était agi de forer la paroi pour ajuster le tuyau du fourneau de cuisine. En outre, Baxter avait déjà pu, non sans peine, élargir l'orifice de French-den, de manière à y adapter avec ses ferrures une des portes du *Sloughi*. De plus, à droite et à gauche de l'entrée, deux étroites fenêtres, ou plutôt deux sortes d'embrasures, avaient été percées dans la paroi — ce qui permettait au jour et à l'air de circuler plus largement à l'intérieur.

Cependant, depuis une semaine, le mauvais temps avait fait son apparition. De violentes bourrasques s'abattaient sur l'île ; mais, grâce à son orientation au sud et à l'est, French-den n'était pas directement atteint. Les rafales de pluie et de neige passaient à grand bruit en rasant la crête de la falaise. Les chasseurs ne poursuivaient plus le gibier que dans le voisinage du lac, canards, bécassines, vanneaux, râles, foulques, et quelques-uns de ces « becs en fourreau », plus connus sous le nom de pigeons blancs dans les parages du Sud-Pacifique. Si le lac et le rio n'étaient pas pris encore, ce serait assez d'une nuit claire pour les congeler, avec les premiers froids secs qui succéderaient aux bourrasques.

Le plus souvent confinés, les jeunes garçons pouvaient donc entreprendre le travail d'agrandissement, et ils se mirent à l'œuvre dans la journée du 27 mai.

Ce fut la paroi de droite que la pioche et le pic attaquèrent au début.

« En creusant dans une direction oblique, avait fait observer Briant, peut-être pourrons-nous déboucher du côté du lac, et ménager une seconde entrée à French-den. Cela permettrait d'en mieux surveiller les abords, et, si le mauvais temps nous empêchait de sortir d'un côté, nous pourrions du moins sortir par l'autre. »

Ce serait, on le voit, une disposition fort avantageuse pour les besoins de la vie commune, et, sans doute, il n'était pas impossible de réussir.

En effet, à l'intérieur, quarante ou cinquante pieds au plus séparaient la caverne du revers oriental. Il n'y aurait donc qu'à percer une galerie dans cette direction, après l'avoir relevée avec la boussole. Au cours de ce travail, il serait essentiel de s'appliquer à ne point provoquer d'éboulement. D'ailleurs, avant de donner à la nouvelle excavation la largeur et la hauteur qu'elle aurait plus tard, Baxter proposa de creuser un étroit boyau, quitte à l'élargir lorsque sa profondeur paraîtrait à point. Les deux chambres de French-den seraient alors réunies par un couloir, qui pourrait se fermer à ses deux extrémités, et dans lequel on creuserait latéralement une ou deux caves obscures. Ce plan était évidemment le meilleur, et, entre autres avantages, il donnerait facilité de sonder prudemment le massif, dont la perforation pourrait être abandonnée à temps, s'il se produisait quelque infiltration soudaine.

Pendant trois jours, du 27 au 30 mai, le travail se fit dans des conditions assez favorables. Cette molasse calcaire se taillait pour ainsi dire au couteau. Aussi fut-il nécessaire de la consolider par un boisage intérieur — ce qui ne laissa pas d'être très difficile. Les déblais étaient immédiatement transportés au-dehors, de manière à ne jamais encombrer. Si tous les bras ne pouvaient être occupés simultanément à cette besogne,

faute d'espace, ils ne chômaient point cependant.
Lorsque la pluie et la neige cessaient de tomber, Gordon
et les autres s'occupaient à démonter le radeau, afin
que les pièces de la plate-forme et du bâti pussent être
employées au nouvel aménagement. Ils surveillaient
également les objets empilés dans l'angle du contrefort,
car les prélarts goudronnés ne les garantissaient que
très imparfaitement contre les rafales.

La besogne avançait peu à peu, non sans tâtonnements
pénibles, et le boyau était déjà creusé sur une longueur
de quatre à cinq pieds, lorsqu'un incident très inattendu
se produisit dans l'après-midi du 30.

Briant, accroupi au fond, comme un mineur qui fonce
une galerie de mine, crut entendre une sorte de bruit
sourd à l'intérieur du massif.

Il suspendit son travail, afin d'écouter plus attentivement... Le bruit arriva de nouveau à son oreille.

Se retirer du couloir, revenir vers Gordon et Baxter
qui se trouvaient à l'orifice, leur faire part de l'incident,
cela ne demanda que quelques instants.

« Illusion ! répondit Gordon. Tu as cru entendre...

— Prends ma place, Gordon, répondit Briant, appuie
ton oreille contre la paroi et écoute ! »

Gordon s'introduisit dans l'étroit boyau et en ressortit
quelques moments après.

« Tu ne t'es pas trompé !... dit-il. J'ai entendu comme
des grondements éloignés !... »

Baxter recommença l'épreuve à son tour et ressortit
en disant :

« Qu'est-ce que cela peut être ?

— Je ne puis l'imaginer ! répondit Gordon. Il faudrait
prévenir Doniphan et les autres...

— Pas les petits ! ajouta Briant. Ils auraient peur ! »

Précisément, tous venaient de rentrer pour le dîner,

et les petits eurent connaissance de ce qui se passait.
Cela ne laissa pas de leur causer quelque effroi.

Doniphan, Wilcox, Webb, Garnett, se glissèrent successivement à travers le boyau. Mais le bruit avait
cessé ; ils n'entendirent plus rien et furent portés à
croire que leurs camarades avaient dû faire erreur.

En tout cas, il fut décidé que le travail ne serait point
interrompu, et l'on s'y remit, dès que le dîner eut été
achevé.

Or, pendant la soirée, aucun bruit ne s'était fait entendre, lorsque, vers neuf heures, de nouveaux grondements furent distinctement perçus à travers la paroi.

En ce moment, Phann, qui venait de se jeter dans
le boyau, en ressortait, le poil hérissé, les lèvres retroussées au-dessus de ses crocs, comme s'il eût voulu répondre aux grondements qui se produisaient à l'intérieur
du massif.

Et alors, ce qui n'avait été, chez les petits, qu'un effroi
mêlé de surprise, devint une véritable épouvante. L'imagination du boy anglais est sans cesse nourrie des
légendes familières aux pays du Nord, et dans lesquelles
les gnomes, les lutins, les valkyries, les sylphes, les
ondines, les génies de toute provenance, rôdent autour
de son berceau. Aussi, Dole, Costar, même Jenkins et
Iverson, ne cachèrent-ils point qu'ils se mouraient de
peur. Après avoir vainement essayé de les rassurer,
Briant les obligea à regagner leurs couchettes, et,
s'ils finirent par s'endormir, ce ne fut que très tard.
Et encore rêvèrent-ils de fantômes, de spectres, d'êtres
surnaturels, qui hantaient les profondeurs de la falaise
— bref, les angoisses du cauchemar.

Gordon et les autres, eux continuèrent à s'entretenir
à voix basse de cet étrange phénomène. A plusieurs
reprises, ils purent constater qu'il ne cessait de se

Ils s'avancèrent jusqu'au-dessus de French-den. (Page 193.)

reproduire, et que Phann persistait à manifester une étrange irritation.

Enfin, la fatigue l'emportant, tous allèrent se coucher, à l'exception de Briant et de Moko. Puis, un profond silence régna jusqu'au jour à l'intérieur de French-den.

Le lendemain, chacun fut sur pied de bonne heure. Baxter et Doniphan rampèrent jusqu'au fond du boyau... Aucun bruit ne se faisait entendre. Le chien, allant et venant sans montrer d'inquiétude, ne cherchait plus à s'élancer contre la paroi comme il l'avait fait la veille.

« Remettons-nous au travail, dit Briant.

— Oui, répondit Baxter. Il sera toujours temps de s'arrêter, s'il survient quelque bruit suspect.

— Ne serait-il pas possible, fit alors observer Doniphan, que ce grondement fût tout simplement celui d'une source qui passerait en bouillonnant à travers le massif ?

— On l'entendrait encore, fit observer Wilcox, et on ne l'entend plus !

— C'est juste, répondit Gordon, et je croirais plutôt que cela provient du vent qui doit s'engouffrer par quelque fissure à la crête de la falaise...

— Montons sur le plateau, dit Service, et là nous découvrirons peut-être... »

La proposition fut acceptée.

A une cinquantaine de pas en redescendant la berge, un sentier sinueux permettait d'atteindre l'arête supérieure du massif. En quelques instants, Baxter et deux ou trois autres l'eurent gravi et ils s'avancèrent sur le plateau jusqu'au-dessus de French-den. Ce fut peine inutile. A la surface de ce dos d'âne, revêtu d'une herbe courte et serrée, ils ne trouvèrent aucune fissure par laquelle un courant d'air ou une nappe d'eau auraient pu pénétrer. Et, lorsqu'ils redescendirent, ils n'en savaient pas davantage sur cet étrange phénomène que les petits expliquaient tout naïvement par le surnaturel.

Cependant le travail de perforation avait été repris et fut continué jusqu'à la fin de la journée. On n'entendit plus les bruits de la veille, bien que, d'après une observation faite par Baxter, la paroi, dont la sonorité avait été mate jusqu'alors, commençât à sonner le creux. Y avait-il donc dans cette direction une cavité naturelle à laquelle le boyau allait aboutir ? Et ne serait-ce pas dans cette cavité que le phénomène aurait pu se produire ? L'hypothèse d'une seconde excavation, contiguë à la caverne, n'avait rien d'inadmissible ; il était même à souhaiter qu'il en fût ainsi, car c'eût été autant de besogne épargnée dans l'œuvre d'agrandissement.

On le pense bien, tous y mirent une ardeur extraordinaire, et cette journée compta parmi l'une des plus fatigantes qu'ils eussent supportées jusqu'alors. Néanmoins, elle se passa sans incident notable, si ce n'est que, dans la soirée, Gordon constata que son chien avait disparu.

Ordinairement, à l'heure des repas, Phann ne manquait jamais de se placer près de l'escabeau de son maître ; ce soir-là, sa place était vide.

On appela Phann... Phann ne répondit pas.

Gordon alla sur le seuil de la porte. Il appela de nouveau... Silence complet.

Doniphan et Wilcox coururent l'un sur la berge du rio, l'autre du côté du lac... Pas de trace du chien.

En vain les recherches s'étendirent-elles à quelques centaines de pas aux abords de French-den !... Phann ne fut pas retrouvé.

Il était évident que le chien n'était plus à portée d'entendre, car il aurait certainement répondu à la

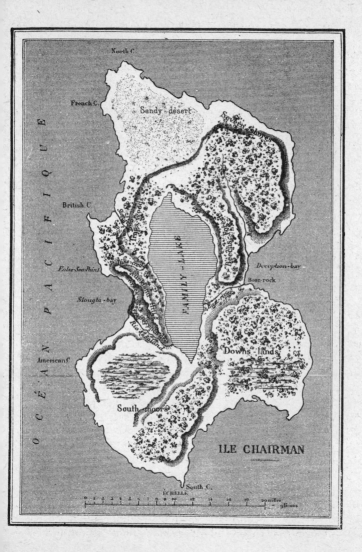

ILE CHAIRMAN

voix de Gordon. S'était-il donc égaré ?... C'était assez inadmissible. Avait-il péri sous la dent de quelque fauve ?... Cela pouvait être, et c'est même ce qui eût le mieux expliqué sa disparition.

Il était neuf heures du soir. Une profonde obscurité enveloppait la falaise et le lac. Il fallut bien se résoudre à abandonner les recherches pour regagner French-den.

Tous rentrèrent alors, très inquiets — et non seulement inquiets, mais désolés à la pensée que l'intelligent animal avait disparu pour toujours peut-être !

Les uns vinrent s'étendre sur leurs couchettes, les autres s'asseoir autour de la table, ne songeant guère à dormir. Il leur semblait qu'ils étaient plus seuls, plus délaissés, plus éloignés encore de leur pays et de leurs familles !

Soudain, au milieu du silence, de nouveaux grondements retentirent. Cette fois, c'étaient comme des hurlements, suivis de cris de douleur, et qui se prolongèrent pendant près d'une minute.

« C'est de là... C'est de là que cela vient ! » s'écria Briant, en s'élançant à travers le boyau.

Tous s'étaient levés, comme s'ils se fussent attendus à quelque apparition. L'épouvante avait repris les petits qui se fourraient sous leurs couvertures...

Dès que Briant fut ressorti :

« Il faut qu'il y ait là, dit-il, une cavité dont l'entrée se trouve au pied de la falaise...

— Et dans laquelle il est probable que des animaux se réfugient pendant la nuit ! ajouta Gordon.

— Cela doit être, répondit Doniphan. Aussi, demain, nous irons faire des recherches... »

En ce moment, un aboiement éclata, et, ainsi que les hurlements, il venait de l'intérieur du massif.

« Est-ce que Phann serait là, s'écria Wilcox, et aux prises avec quelque animal ?... »

Briant, qui venait de rentrer dans le boyau, écoutait, l'oreille appuyée contre la paroi du fond... Plus rien !... Mais que Phann fût là ou non, il n'était pas douteux qu'il existait une seconde excavation, laquelle devait communiquer avec l'extérieur, probablement par quelque trou perdu entre les broussailles enchevêtrées à la base de la falaise.

La nuit se passa, sans que ni hurlements ni aboiements se fussent de nouveau fait entendre.

Au jour levant, les fouilles, entreprises aussi bien du côté du rio que du côté du lac, ne donnèrent pas plus de résultat que l'avant-veille sur la crête du massif.

Phann, bien qu'on l'eût cherché et appelé dans les environs de French-den, n'avait point reparu.

Briant et Baxter se remirent tour à tour au travail. La pioche et le pic ne chômèrent pas. Pendant la matinée, le boyau gagna près de deux pieds en profondeur. De temps en temps, on s'arrêtait, on prêtait l'oreille... on n'entendait plus rien.

La besogne, interrompue pour le déjeuner de midi, recommença une heure après. Toutes les précautions avaient été prises pour le cas où un dernier coup de pioche, éventrant la paroi, aurait livré passage à quelque animal. Les petits avaient été emmenés du côté de la berge. Fusils et revolvers à la main, Doniphan, Wilcox et Webb se tenaient prêts à toute éventualité.

Vers deux heures, Briant poussa une exclamation. Son pic venait de traverser le calcaire qui s'était éboulé et laissait voir une assez large ouverture.

Briant rejoignit aussitôt ses camarades, qui ne savaient que penser...

Mais, avant qu'il eût pu ouvrir la bouche, un rapide

« C'est le corps d'un chacal ! » (Page 199.)

glissement frôla les parois du boyau, et un animal s'élança d'un bond dans la caverne...

C'était Phann !

Oui ! Phann, qui, tout d'abord, se précipita vers un seau plein d'eau et se mit à boire avidement. Puis, la queue frétillante, sans montrer aucune irritation, il revint sauter autour de Gordon. Il n'y avait donc rien à craindre.

Briant prit alors un fanal et s'introduisit dans le boyau. Gordon, Doniphan, Wilcox, Baxter, Moko, le suivirent. Un instant après, tous ayant franchi l'orifice produit par l'éboulement, se trouvaient au milieu d'une sombre excavation dans laquelle ne pénétrait aucune lumière du dehors.

C'était une seconde caverne, ayant en hauteur et en largeur les mêmes dimensions que French-den, mais beaucoup plus profonde, et dont le sol était recouvert d'un sable fin sur une superficie de cinquante yards carrés.

Comme cette cavité ne semblait avoir aucune communication avec l'extérieur, on aurait pu craindre que l'air fût impropre à la respiration. Mais, puisque la lampe du fanal brûlait à pleine flamme, c'est que l'air s'y introduisait par une ouverture quelconque. Sans cela, d'ailleurs, comment Phann aurait-il pu y entrer ?

En ce moment, Wilcox heurta du pied un corps inerte et froid — ce qu'il reconnut en y portant la main.

Briant approcha le fanal.

« C'est le corps d'un chacal ! s'écria Baxter.

— Oui !... Un chacal que notre brave Phann aura étranglé ! répondit Briant.

— Voilà donc l'explication de ce que nous ne pouvions expliquer ! » ajouta Gordon.

Avec quelle ardeur on se remit à l'ouvrage. (Page 201.)

Mais, si un ou plusieurs chacals avaient fait de cette caverne leur gîte habituel, par quelle issue y pénétraient-ils ? c'est là ce qu'il fallait absolument découvrir.

Aussi, après être ressorti de French-den, Briant vint-il longer la falaise du côté du lac. En même temps, il poussait des cris, auxquels répondirent enfin d'autres cris à l'intérieur. C'est de cette façon qu'il découvrit une étroite ouverture, entre les broussailles, au ras du sol, par laquelle se glissaient les chacals. Mais, depuis que Phann les y avait suivis, il s'était produit un éboulement partiel qui avait fermé cette ouverture, ainsi qu'on ne tarda pas à le reconnaître.

Donc, tout s'expliquait, les hurlements des chacals, les aboiements du chien qui, pendant vingt-quatre heures, s'était trouvé dans l'impossibilité de revenir au-dehors.

Quelle satisfaction ce fut ! Non seulement Phann était rendu à ses jeunes maîtres, mais aussi que de travail épargné ! Il y avait là « toute faite » comme dit Dole, une vaste cavité dont le naufragé Baudoin n'avait jamais soupçonné l'existence. En agrandissant l'orifice, ce serait une seconde porte ouverte du côté du lac. De là, grande facilité pour satisfaire à toutes les exigences du service intérieur. Aussi ces jeunes garçons, réunis dans la nouvelle caverne, poussèrent-ils des hurrahs, auxquels Phann mêla ses joyeux aboiements.

Avec quelle ardeur on se remit à l'ouvrage pour transformer le boyau en un couloir praticable ! La seconde excavation, à laquelle fut donné le nom de « hall », le justifiait par ses dimensions. En attendant que des caves eussent été ménagées latéralement au couloir, tout le matériel fut transporté dans ce hall. Il servirait aussi de dortoir et de salle de travail, tandis que la première chambre serait réservée pour la cuisine.

l'office, le réfectoire. Mais, comme on en comptait faire le magasin général, Gordon proposa de l'appeler Store-room — ce qui fut adopté.

En premier lieu, on s'occupa de déménager les couchettes qui furent rangées symétriquement sur le sable du hall, où la place ne manquait point. Puis, on y disposa le mobilier du *Sloughi*, les divans, les fauteuils, les tables, les armoires, etc., et — ce qui était important — les poêles de la chambre et du salon du yacht dont l'installation fut faite de manière à chauffer cette vaste pièce. En même temps, on évida l'entrée du côté du lac, afin d'y adapter une des portes du schooner — travail dont Baxter ne se tira pas sans quelque peine. En outre, deux nouvelles embrasures ayant été percées de chaque côté de ladite porte, la lumière fut suffisamment donnée au hall, qui, le soir venu, s'éclairait d'un fanal suspendu à sa voûte.

Ces arrangements prirent une quinzaine de jours. Il était temps qu'ils fussent achevés, car, après s'être tenu au calme, le temps venait de se modifier. S'il ne fit pas encore extrêmement froid, les rafales devinrent si violentes que toute excursion au-dehors dut être interdite.

En effet, telle était la force du vent que, malgré l'abri de la falaise, il soulevait comme une mer les eaux du lac. Les lames déferlaient avec fracas, et, très certainement, une embarcation, chaloupe de pêche ou pirogue de sauvage, s'y fût trouvée en perdition. Il avait fallu retirer la yole à terre, sans quoi elle eût risqué d'être emportée. Par moments, les eaux du rio, refoulées inversement à son cours, recouvraient la berge et menaçaient de s'étendre jusqu'au contrefort. Heureusement, ni Store-room ni le hall n'étaient directement exposés aux coups de la bourrasque, puisque le vent soufflait de l'ouest. Aussi, les poêles et le fourneau de la cuisine, alimentés de bois sec dont on avait fait ample provision, fonctionnèrent-ils convenablement.

Comme il était à propos que tout ce qui avait été sauvé du *Sloughi* eût trouvé un abri sûr ! Les provisions n'avaient plus rien à redouter de l'inclémence du temps. Gordon et ses camarades, maintenant emprisonnés par la mauvaise saison, eurent le loisir de s'aménager plus confortablement. Ils avaient élargi le couloir et creusé deux profonds réduits, dont l'un, fermé par une porte, fut réservé aux munitions, de manière à prévenir tout danger d'explosion. Enfin, bien que les chasseurs ne pussent s'aventurer aux environs de French-den, rien qu'avec les oiseaux aquatiques, dont Moko n'arrivait pas toujours à faire disparaître le goût marécageux — ce qui provoquait des protestations et des grimaces — l'ordinaire était assuré. Il va sans dire, d'ailleurs, qu'une place avait été réservée au nandû dans un coin de Store-room, en attendant qu'on lui eût construit un enclos au-dehors.

C'est alors que Gordon eut la pensée de rédiger un programme, auquel chacun serait tenu de se soumettre, lorsqu'il aurait été approuvé de tous. Après la vie matérielle, il y avait encore lieu de songer à la vie morale. Savait-on ce que durerait le séjour sur cette île ? Si l'on parvenait à la quitter, quelle satisfaction ce serait d'avoir mis le temps à profit ! Avec les quelques livres fournis par la bibliothèque du schooner, les grands ne pouvaient-ils accroître la somme de leurs connaissances, tout en se consacrant à l'instruction des plus jeunes ? Excellente besogne, qui occuperait utilement et agréablement les longues heures de l'hiver !

Cependant, avant que ce programme eût été rédigé, une autre mesure fut prise dans les circonstances que voici.

Le soir du 10 juin, après le souper, tous étant réunis dans le hall autour des poêles qui ronflaient, la conversation vint à porter sur l'opportunité qu'il y aurait à donner des noms aux principales dispositions géographiques de l'île.

« Ce serait très utile et très pratique, dit Briant.

— Oui, des noms... s'écria Iverson, et, surtout, choisissons des noms bien jolis !

— Ainsi qu'ont toujours fait les Robinsons réels ou imaginaires ! répliqua Webb.

— Et, en réalité, mes camarades, dit Gordon, nous ne sommes pas autre chose...

— Un pensionnat de Robinsons ! s'écria Service.

— D'ailleurs, reprit Gordon, avec des noms donnés à la baie, aux rios, aux forêts, au lac, à la falaise, aux marais, aux promontoires, nous aurons plus de facilité pour nous y reconnaître ! »

On le pense bien, cette motion fut adoptée, et il n'y eut plus qu'à se mettre en frais d'imagination pour trouver des dénominations convenables.

« Nous avons déjà Sloughi-bay, sur laquelle notre yacht est venu s'échouer, dit Doniphan, et je pense qu'il convient de lui conserver ce nom auquel nous sommes habitués !

— Assurément ! répondit Cross.

— De même que nous conserverons le nom de French-den à notre demeure, ajouta Briant, en mémoire du naufragé dont nous avons pris la place ! »

Il n'y eut aucune contestation à ce sujet, même de la part de Doniphan, bien que l'observation vînt de Briant.

« Et maintenant, dit Wilcox, comment appellerons-nous le rio qui se jette dans Sloughi-bay ?

— Le rio Zealand, proposa Baxter. Ce nom nous rappellera celui de notre pays !

— Adopté !... Adopté ! »

Là-dessus, il n'y eut qu'une voix.

« Et le lac ?... demanda Garnett.

— Puisque le rio a reçu le nom de notre Zealand, dit Doniphan, donnons au lac un nom qui rappelle nos familles, et appellons-le Family-lake (Lac de la Famille) ! »

Ce qui fut admis par acclamation.

On le voit, l'accord était complet, et c'est sous l'empire de ces mêmes sentiments que le nom d'Auckland-hill (colline d'Auckland) fut attribué à la falaise. Pour le cap qui la terminait — ce cap du haut duquel Briant avait cru découvrir une mer dans l'est — on l'appela, sur sa proposition, False-Sea-point (Pointe de la fausse mer.)

Quant aux autres dénominations qui furent successivement adoptées, les voici.

On nomma Traps-woods (bois des trappes), la partie de la forêt où les trappes avaient été découvertes, — Bog-woods (bois de la fondrière), l'autre partie, située entre Sloughi-bay et la falaise, — South-moors (marais du sud), le marécage qui couvrait toute la partie méridionale de l'île, — Dike-creek (ruisseau de la chaussée), le ruisseau barré par la petite chaussée de pierre, — Wreck-coast (côte de la tempête), la côte de l'île sur laquelle s'était échoué le yacht, — enfin Sport-terrace (terrasse du sport), l'emplacement limité par les rives du rio et du lac, formant devant le hall une sorte de pelouse qui serait destinée aux exercices indiqués dans le programme.

En ce qui concernait les autres points de l'île, on les dénommerait à mesure qu'ils seraient reconnus, et d'après les incidents dont ils auraient été le théâtre.

Cependant, il parut bon d'attribuer encore un nom

aux principaux promontoires marqués sur la carte de
François Baudoin. On eut ainsi, au nord de l'île, North-
cape, à sa pointe sud, South-cape. Enfin, l'entente fut
générale pour donner aux trois pointes qui se projetaient
à l'ouest, sur le Pacifique, les dénominations de French-
cape, British-cape et American-cape, en l'honneur des
trois nations française, anglaise et américaine, représentées dans la petite colonie.

Colonie ! Oui ! Ce mot fut alors proposé pour rappeler que l'installation n'avait plus un caractère provisoire.
Et, naturellement, il fut dû à l'initiative de Gordon,
toujours plus préoccupé d'organiser la vie sur ce nouveau
domaine que de chercher à en sortir. Ces jeunes garçons,
ce n'étaient plus les naufragés du *Sloughi,* c'étaient
les colons de l'île...

Mais de quelle île ?... Il restait à la baptiser à son tour.

« Tiens !... tiens !... Je sais comment on devrait l'appeler ! s'écria Costar.

— Tu sais cela... toi ? répondit Doniphan.

— Il va bien, le petit Costar ! s'écria Garnett.

— Pas de doute, il va l'appeler l'île Baby ! riposta
Service.

— Allons ! Ne plaisantez pas Costar, dit Briant, et
voyons son idée ! »

L'enfant, tout interloqué, se taisait.

« Parle, Costar, reprit Briant en l'encourageant du
geste. Je suis sûr que ton idée est bonne !...

— Eh bien, dit Costar, puisque nous sommes des
élèves de la pension Chairman, appelons-la l'île Chairman ! »

Et, en effet, on ne pouvait trouver mieux. Aussi ce
nom fut-il admis aux applaudissements de tous — ce
dont le Costar se montra très fier.

L'île Chairman ! Vraiment, ce nom avait une certaine

« Oui !... Oui !... Hurrah pour Gordon ! » (Page 208.)

tournure géographique, et il pourrait figurer très convenablement dans les atlas de l'avenir.

La cérémonie enfin terminée — à la satisfaction générale —, le moment était venu d'aller prendre du repos, lorsque Briant demanda la parole.

« Mes camarades, dit-il, maintenant que nous avons donné un nom à notre île, ne serait-il pas convenable de choisir un chef pour la gouverner ?

— Un chef ?... répondit vivement Doniphan.

— Oui, il me semble que tout irait mieux, reprit Briant, si l'un de nous avait autorité sur les autres ! Ce qui se fait pour tout pays, n'est-il pas convenable de le faire pour l'île Chairman ?

— Oui !... Un chef... Nommons un chef ! s'écrièrent à la fois grands et petits.

— Nommons un chef, dit alors Doniphan, mais à la condition que ce ne soit que pour un temps déterminé... un an, par exemple !...

— Et qu'il pourra être réélu, ajouta Briant.

— D'accord !... Qui nommerons-nous ? » demanda Doniphan d'un ton assez anxieux.

Et il semblait que le jaloux garçon n'eût qu'une crainte : c'est qu'à défaut de lui, le choix de ses camarades se portât sur Briant !... Il fut vite détrompé à cet égard.

« Qui nommer ?... avait répondu Briant, mais le plus sage de tous... notre camarade Gordon !

— Oui !... Oui !... Hurrah pour Gordon ! »

Gordon voulait d'abord refuser l'honneur qu'on lui décernait, tenant plus à organiser qu'à commander. Toutefois, en songeant au trouble que les passions, presque aussi ardentes chez ces jeunes garçons que s'ils eussent été des hommes, pouvaient faire naître dans l'avenir, il se dit que son autorité ne serait pas inutile !

Et voilà comment Gordon fut proclamé chef de la petite colonie de l'île Chairman.

XIII

LE PROGRAMME D'ÉTUDES. — OBSERVATION DU DIMANCHE. — PELOTES DE NEIGE. — DONIPHAN ET BRIANT. — GRANDS FROIDS. — LA QUESTION DU COMBUSTIBLE. — EXCURSION A TRAPS-WOODS. — EXCURSION A LA BAIE SLOUGHI. — PHOQUES ET PINGOUINS. — UNE EXÉCUTION PUBLIQUE.

A PARTIR de ce mois de mai, la période hivernale s'était définitivement établie dans les parages de l'île Chairman. Quelle en serait sa durée ? Cinq mois, au moins, si l'île se trouvait plus haute en latitude que la Nouvelle-Zélande. Aussi, les précautions allaient être prises par Gordon de manière à se garder contre les redoutables éventualités d'un long hiver.

En tout cas, voici ce que le jeune Américain avait déjà noté parmi ses observations météorologiques : l'hiver n'avait commencé qu'avec le mois de mai, c'est-à-dire deux mois avant le juillet de la zone australe qui correspond au janvier de la zone boréale. On pouvait en conclure qu'il finirait deux mois après, par conséquent vers le milieu de septembre. Toutefois, en dehors de cette période, il faudrait encore compter avec les tempêtes qui sont si fréquentes pendant l'équinoxe. Ainsi, il était probable que les jeunes colons seraient confinés à French-den jusqu'aux premiers jours d'octobre, sans pouvoir entreprendre aucune longue excursion à travers ou autour de l'île Chairman.

Pour organiser la vie intérieure dans les meilleures conditions, Gordon se mit en devoir d'élaborer un programme d'occupations quotidiennes.

Il va de soi que les pratiques du faggisme, dont il a été déjà question à propos de la pension Chairman, n'eussent pas été acceptables sur l'île de ce nom. Tous les efforts de Gordon tendraient à ce que ces jeunes garçons s'accoutumassent à l'idée qu'ils étaient presque des hommes, afin d'agir en hommes. Il n'y aurait donc pas de fags à French-den, ce qui signifie que les plus jeunes ne seraient pas astreints à servir les plus âgés. Mais, hormis cela, on respecterait les traditions, ces traditions, qui sont, ainsi que l'a fait remarquer l'auteur de la *Vie de collège en Angleterre*, « la raison majeure des écoles anglaises ».

Il y eut, dans ce programme, la part des petits et la part des grands forcément très inégales. En effet, la bibliothèque de French-den, ne contenant qu'un nombre restreint de livres de science, en dehors des livres de voyage, ces derniers ne pourraient poursuivre leurs études que dans une certaine mesure. Il est vrai, les difficultés de l'existence, la lutte à soutenir pour subvenir à ses besoins, la nécessité d'exercer son jugement ou son imagination en présence d'éventualités de toutes sortes, cela leur apprendrait sérieusement la vie. Dès lors, naturellement désignés pour être les éducateurs de leurs jeunes camarades, ce leur serait une obligation de les instruire à leur tour.

Toutefois, loin de surcharger les petits d'un travail au-dessus de leur âge, on s'appliquerait à saisir toutes les occasions d'exercer leur corps non moins que leur intelligence. Lorsque le temps le permettrait, à la condition qu'ils fussent chaudement vêtus, ils seraient tenus à sortir, à courir en plein air, et même à travailler manuellement dans la limite des forces de chacun.

En somme, ce programme fut rédigé en s'inspirant de ces principes, qui sont la base de l'éducation anglo-saxonne :

« Toutes les fois qu'une chose vous effraie, faites-la.

« Ne perdez jamais l'occasion de faire un effort possible.

« Ne méprisez aucune fatigue, car il n'y en a pas d'inutile. »

A mettre ces préceptes en pratique, le corps devient solide, l'âme aussi.

Voici ce qui fut convenu, après avoir été soumis à l'approbation de la petite colonie :

Deux heures le matin, deux heures le soir, il y aurait travail en commun dans le hall. A tour de rôle, Briant, Doniphan, Cross, Baxter de la cinquième division, Wilcox et Webb, de la quatrième, feraient la classe à leurs camarades des troisième, seconde et première divisions. Ils leur enseigneraient mathématiques, géographie, histoire, en s'aidant des quelques ouvrages de la bibliothèque ainsi que de leurs connaissances antérieures. Ce serait pour eux l'occasion de ne point oublier ce qu'ils savaient déjà. De plus, deux fois par semaine, le dimanche et le jeudi, il y aurait une conférence, c'est-à-dire qu'un sujet de science, d'histoire ou même d'actualité, se rapportant aux événements journaliers, serait mis à l'ordre du jour. Les grands se feraient inscrire pour ou contre, et ils discuteraient autant pour l'instruction que pour l'agrément général.

Gordon, en sa qualité de chef de la colonie, tiendrait la main à ce que ce programme fût observé, et ne subît de modifications que dans le cas d'éventualités nouvelles.

Et d'abord, une mesure fut prise, qui concernait la

durée du temps. On avait le calendrier du *Sloughi*, mais il fallait en effacer régulièrement chaque jour écoulé. On avait les montres du bord, mais il fallait qu'elles fussent remontées régulièrement, afin de donner l'heure exacte.

Deux des grands furent chargés de ce service, Wilcox pour les montres, Baxter pour le calendrier, et l'on pouvait compter sur leurs bons soins. Quant au baromètre et au thermomètre, ce fut à Webb qu'incomba la tâche de relever leurs indications quotidiennes.

Autre décision qui fut également prise : c'est qu'il serait tenu un journal de tout ce qui s'était passé et de tout ce qui se passerait pendant le séjour sur l'île Chairman. Baxter s'offrit pour ce travail, et, grâce à lui, le « journal de French-den » allait être fait avec une minutieuse exactitude.

Une besogne non moins importante et qui ne devait souffrir aucun retard, c'était le lessivage du linge, pour lequel, heureusement, le savon ne manquait pas, et Dieu sait si, malgré les recommandations de Gordon, les petits se salissaient, quand ils jouaient sur Sport-terrace ou pêchaient sur les bords du rio. Que de fois, à ce sujet, avaient-ils été grondés et menacés d'être punis ! Il y avait donc là un ouvrage, auquel Moko s'entendait parfaitement ; mais, à lui seul, il n'aurait pu y suffire, et, malgré leur peu de goût pour cette besogne, les grands furent astreints à lui venir en aide, afin de tenir en bon état la lingerie de French-den.

Le lendemain était précisément un dimanche et l'on sait avec quel rigorisme les dimanches sont observés en Angleterre et en Amérique. La vie est comme suspendue dans les villes, bourgades et villages. « Ce jour-là, a-t-on pu dire, toute distraction, tout amusement sont interdits par l'usage. Non seulement, il faut s'ennuyer,

mais il faut en avoir l'air, et cette règle est aussi strictement imposée aux enfants qu'aux grandes personnes. »
Les traditions ! Toujours les fameuses traditions !

Cependant, à l'île Chairman, il fut convenu que l'on
se relâcherait un peu de cette sévérité, et, même, ce
dimanche-là, les jeunes colons se permirent une excursion sur les bords du Family-lake. Mais, comme il
faisait extrêmement froid, après une promenade de
deux heures, suivie d'une lutte de vitesse, à laquelle
les petits prirent part sur la pelouse de Sport-terrace,
tous furent heureux de retrouver dans le hall une bonne
température, et dans Store-room, un dîner bien chaud,
dont le menu avait été particulièrement soigné par
l'habile maître coq de French-den.

La soirée se termina par un concert, dans lequel
l'accordéon de Garnett tint lieu d'orchestre, tandis
que les autres chantaient plus ou moins faux avec une
conviction toute saxonne. Le seul de ces enfants qui
eût une assez jolie voix, c'était Jacques. Mais, avec
son inexplicable disposition d'esprit, il ne prenait plus
part aux distractions de ses camarades, et, en cette occasion, bien qu'on l'en priât, il refusa de dire une de ces
chansons d'enfants, dont il était si prodigue à la pension
Chairman.

Ce dimanche, qui avait débuté par une petite allocu-
tion du « révérend Gordon, » ainsi que disait Service,
s'acheva par une prière faite en commun. Vers dix
heures, tout le monde dormait d'un profond sommeil
sous la garde de Phann, auquel on pouvait se fier en cas
d'approche suspecte.

Pendant le mois de juin, le froid alla toujours croissant. Webb constata que le baromètre se tenait en
moyenne au-dessus de vingt-sept pouces, tandis que le
thermomètre centigrade marquait jusqu'à 10 ou 12° au-

dessous du point de congélation. Dès que le vent, qui
soufflait du sud, inclinait vers l'ouest, la température
se relevait un peu, et les environs de French-den se
couvraient d'une neige épaisse. Aussi, les jeunes colons
se livrèrent-ils quelques-unes de ces batailles à coups
de pelotes plus ou moins comprimées, qui sont si à la
mode en Angleterre. Il y eut bien quelques têtes légèrement endommagées, et même, certain jour, un des
plus maltraités fut précisément Jacques, qui, pourtant,
n'assistait à ces jeux que comme spectateur. Une pelote,
lancée trop vigoureusement par Cross, l'atteignit
rudement, quoiqu'elle ne fût point à son adresse, et
un cri de douleur lui échappa.

« Je ne l'ai pas fait exprès ! dit Cross — ce qui est
la réponse habituelle des maladroits.

— Sans doute ! répliqua Briant, que le cri de son frère
venait d'attirer sur le théâtre de la bataille. Néanmoins,
tu as tort de jeter ta pelote si fort !

— Aussi, pourquoi Jacques s'est-il trouvé là, reprit
Cross, puisqu'il ne veut pas jouer ?

— Que de paroles ! s'écria Doniphan, et pour un
méchant bobo !

— Soit !... Ce n'est pas grave ! répondit Briant, sen-
tant bien que Doniphan ne cherchait que l'occasion
d'intervenir dans la discussion. Seulement, je prierai
Cross de ne pas recommencer !

— Et de quoi le prieras-tu ?... riposta Doniphan d'un
ton railleur, puisqu'il ne l'a pas fait exprès ?...

— Je ne sais pourquoi tu te mêles de cela, Doniphan !
reprit Briant. Cela ne regarde que Cross et moi...

— Et cela me regarde aussi, Briant, puisque tu le
prends sur ce ton ! répondit Doniphan.

— Comme tu voudras... et quand tu voudras ! répliqua Briant, qui s'était croisé les bras.

Service et Garnett confectionnèrent un grand bonhomme.
(Page 216.)

— Tout de suite ! » s'écria Doniphan.

En ce moment, Gordon arriva et fort à propos pour empêcher cette querelle de finir par des coups. Il donna tort à Doniphan, d'ailleurs. Celui-ci dut se soumettre, et, tout maugréant, rentra à French-den. Mais il était à craindre que quelque autre incident mît les deux rivaux aux prises !

La neige ne cessa de tomber pendant quarante-huit heures. Pour amuser les petits, Service et Garnett confectionnèrent un grand bonhomme, avec une grosse tête, un nez énorme, une bouche démesurée — quelque chose comme un Croquemitaine. Et, on doit l'avouer, si, pendant le jour, Dole et Costar s'enhardissaient jusqu'à lui lancer des pelotes, ils ne le regardaient point sans effroi, lorsque l'obscurité lui donnait des dimensions gigantesques.

« Oh ! les poltrons ! » s'écriaient alors Iverson et Jenkins, qui faisaient les braves, sans être beaucoup plus rassurés que leurs jeunes camarades.

Vers la fin de juin, il fallut renoncer à ces amusements. La neige, entassée jusqu'à trois ou quatre pieds d'épaisseur, rendait la marche presque impossible. S'aventurer de quelques centaines de pas seulement hors de French-den, c'eût été courir le risque de n'y pouvoir revenir.

Les jeunes colons furent donc claquemurés durant quinze jours — jusqu'au 9 juillet. Les études n'en souffrirent pas, au contraire. Le programme quotidien était strictement observé. Les conférences furent faites aux jours fixés. Tous y prirent un véritable plaisir, et, ce qui ne surprendra pas, Doniphan, avec sa facilité de parole, son instruction très avancée déjà, tint le premier rang. Mais pourquoi s'en montrait-il si fier ? Cet orgueil gâtait toutes ses brillantes qualités.

Bien que les heures de récréation dussent alors se passer dans le hall, la santé générale n'en périclita pas, grâce à l'aération qui se faisait d'une chambre à l'autre à travers le couloir. Cette question d'hygiène ne laissait pas d'être des plus importantes. Que l'un de ces enfants tombât malade, comment pourrait-on lui donner les soins nécessaires ? Heureusement, ils en furent quittes pour quelques rhumes ou maux de gorge, que le repos et les boissons chaudes firent promptement disparaître.

C'est alors qu'il y eut lieu de se préoccuper de résoudre une autre question. Ordinairement, l'eau, nécessaire aux besoins de French-den. était puisée dans le rio, à mer basse, afin qu'elle ne fût point saumâtre. Mais, lorsque la surface du rio serait entièrement congelée, il deviendrait impossible d'opérer de la sorte. Gordon s'entretint donc avec Baxter, son « ingénieur ordinaire », des mesures qu'il conviendrait de prendre. Baxter, après réflexion, proposa d'établir une conduite à quelques pieds sous la berge, afin qu'elle ne gelât point, conduite qui amènerait l'eau du rio dans Store-room. C'était là un travail difficile dont Baxter ne se fût jamais tiré s'il n'avait eu à sa disposition un des tuyaux de plomb qui servaient à l'alimentation des toilettes à bord du *Sloughi*. Enfin, après de nombreux essais, le service de l'eau fut assuré à l'intérieur de Store-room. Quant à l'éclairage, il y avait encore assez d'huile pour les lampes des fanaux ; mais, après l'hiver, il serait nécessaire de s'en approvisionner, ou tout au moins de fabriquer des chandelles avec les graisses que Moko mettait en réserve.

Ce qui donna encore quelques soucis pendant cette période, ce fut de pourvoir à l'alimentation de la petite colonie, car la chasse et la pêche ne fournissaient plus leur tribut habituel. Sans doute, quelques animaux.

poussés par la faim, vinrent plus d'une fois rôder sur Sport-terrace. Mais ce n'étaient que des chacals que Doniphan et Cross se contentaient d'écarter à coups de fusil. Un jour même, ils arrivèrent en troupe — une vingtaine — et on dut barricader solidement les portes du hall et de Store-room. Une invasion de ces carnassiers, rendus féroces par les privations, eût été redoutable. Toutefois, Phann les ayant signalés à temps, ils ne parvinrent point à forcer l'entrée de French-den.

Dans ces conditions fâcheuses, Moko fut obligé de prendre quelque peu sur les provisions du yacht que l'on s'appliquait à ménager le plus possible. Gordon ne donnait pas volontiers l'autorisation d'en disposer, et c'était avec chagrin qu'il voyait s'allonger sur son carnet la colonne des dépenses, quand celle des recettes restait stationnaire. Cependant, comme il y avait un assez gros stock de canards et d'outardes, qui avaient été hermétiquement renfermés dans des barils, après une demi-cuisson, Moko put l'utiliser ainsi qu'une certaine quantité de saumons conservés dans la saumure. Or, il ne faut point l'oublier, French-den avait quinze bouches à nourrir et des appétits de huit à quatorze ans à satisfaire !

Néanmoins, durant cet hiver, on ne fut pas tout à fait privé de viande fraîche. Wilcox, très entendu pour tout ce qui concernait l'installation des engins de chasse, avait dressé des pièges sur la berge. Ce n'étaient que de simples trappes, retenues par des morceaux de bois en forme de 4, mais auxquelles le menu gibier se laissait quelquefois prendre.

Avec l'aide de ses camarades, Wilcox établit aussi des fleurons sur le bord du rio, en employant à cet usage les filets de pêche du *Sloughi*, montés sur de hautes perches. Dans les mailles de ces longues toiles

d'araignées, les oiseaux des South-moors donnaient
en grand nombre, lorsqu'ils passaient d'une rive à
l'autre. Si la plupart purent se dégager de ces mailles
trop petites pour une pêche aérienne, il y eut des jours
où l'on en prit assez pour subvenir aux deux repas
réglementaires.

Par exemple, ce fut le nandû qui donna beaucoup
d'embarras à nourrir ! Il faut bien l'avouer, l'appri-
voisement de ce sauvage animal ne faisait aucun progrès,
quoi que pût dire Service, spécialement chargé de son
éducation.

« Quel coursier ce sera ! » répétait-il souvent, bien
qu'on ne vît pas trop comment il parviendrait à le
monter.

En attendant, le nandû n'étant point un carnassier,
Service était forcé d'aller chercher sa provision quotidienne d'herbes et de racines sous deux ou trois pieds
de neige. Mais que n'aurait-il pas fait pour procurer
une bonne nourriture à sa bête favorite ? Si le nandû
maigrit un peu pendant cet interminable hiver, ce ne
fut point la faute de son fidèle gardien, et il y avait
tout lieu d'espérer que, le printemps venu, il reprendrait
son embonpoint normal.

Le 9 juillet, de grand matin, Briant, ayant mis le pied
hors de French-den, constata que le vent venait de passer
subitement au sud.

Le froid était devenu tellement vif que Briant dut
rentrer en hâte dans le hall, où il fit connaître à Gordon
cette modification de la température.

« C'était à craindre, répondit Gordon, et je ne serais
pas étonné que nous eussions à supporter encore quelques mois d'un hiver très rigoureux !

— Cela démontre bien, ajouta Briant, que le *Sloughi*
a été entraîné plus au sud que nous le supposions !

— Sans doute, dit Gordon, et pourtant notre atlas ne porte aucune île sur la limite de la mer Antarctique !

— C'est inexplicable, Gordon, et, vraiment, je ne sais trop de quel côté nous pourrions prendre direction, si nous parvenions à quitter l'île Chairman...

— Quitter notre île ! s'écria Gordon. Tu y penses donc toujours, Briant ?

— Toujours, Gordon. Si nous pouvions construire une embarcation qui tiendrait la mer tant bien que mal, je n'hésiterais pas à me lancer à la découverte !

— Bon !... bon !... répliqua Gordon. Rien ne presse !... Attendons au moins que nous ayons organisé notre petite colonie...

— Eh ! mon brave Gordon ! répondit Briant, tu oublies que, là-bas, nous avons des familles...

— Certainement... certainement... Briant ! Mais enfin, nous ne sommes pas trop malheureux ici ! Cela marche... et même, je me demande ce qui nous manque !

— Bien des choses, Gordon, répondit Briant, qui trouva opportun de ne point prolonger la conversation à ce sujet. Tiens, par exemple, nous n'avons presque plus de combustible...

— Oh ! toutes les forêts de l'île ne sont pas encore brûlées !...

— Non, Gordon ! Mais il n'est que temps de refaire notre provision de bois, car elle touche à sa fin !

— Aujourd'hui, soit ! répondit Gordon. Voyons ce que marque le thermomètre ! »

Le thermomètre, placé dans Store-room, n'indiquait que 5° au-dessus de zéro, bien que le fourneau fût en pleine activité. Mais, lorsqu'il eut été exposé contre la paroi extérieure, il ne tarda pas à marquer 17° au-dessous de glace.

C'était un froid intense, et qui s'accroîtrait certainement, si le temps restait clair et sec pendant quelques semaines. Déjà même, malgré le ronflement des deux poêles du hall et du fourneau de la cuisine, la température s'abaissait sensiblement à l'intérieur de French-den.

Vers neuf heures, après le premier déjeuner, il fut décidé que l'on se rendrait à Traps-woods, afin d'en rapporter tout un chargement de bois.

Lorsque l'atmosphère est calme, les plus basses températures peuvent être supportées impunément. Ce qui est particulièrement douloureux, c'est l'âpre bise qui vous mord aux mains et au visage, et il est bien difficile de s'en préserver. Heureusement, ce jour-là, le vent était extrêmement faible, le ciel d'une pureté parfaite, comme si l'air eût été gelé.

Aussi, à la place de cette neige molle dans laquelle, la veille encore, on enfonçait jusqu'à la taille, le pied allait-il fouler un sol d'une dureté métallique. Dès lors, à la condition d'assurer son pas, on pourrait marcher ainsi qu'on l'eût fait à la surface du Family-lake ou du rio Zealand, qui étaient entièrement congelés. Avec quelques paires de ces raquettes dont se servent les indigènes des régions polaires, ou même avec un traîneau attelé de chiens ou de rennes, le lac aurait pu être parcouru dans toute son étendue, du sud au nord, en quelques heures.

Mais, pour le moment, il ne s'agissait point d'une si longue expédition. Aller à la forêt voisine et y refaire la provision de combustible, voilà ce qui était de nécessité immédiate.

Toutefois, le transport à French-den d'une quantité suffisante de bois ne laisserait pas d'être un travail pénible, puisque ce transport ne pouvait être effectué qu'à bras ou à dos. C'est alors que Moko eut une bonne idée, et l'on se hâta de la mettre à exécution, en atten-

dant qu'un véhicule quelconque pût être établi avec
les planches du yacht. Cette grande table de Store-room,
solidement bâtie, qui mesurait douze pieds de long
sur quatre de large, est-ce qu'il ne suffirait pas de la
renverser les pieds en l'air, et de la traîner à la surface
de la couche de neige glacée ? Oui, évidemment, et
c'est ce qui fut fait. Puis quatre des grands s'étant
attelés par des cordes à ce véhicule un peu primitif,
on partit, dès huit heures, dans la direction de Traps-
woods.

Les petits, nez rouge et joues hâlées, gambadaient en
avant comme de jeunes chiens, et Phann leur donnait
l'exemple. Parfois, aussi, ils grimpaient sur la table,
non sans disputes et gourmades, rien que pour le plaisir,
au risque de quelques chutes qui ne seraient jamais bien
graves. Leurs cris éclataient avec une extraordinaire
intensité au milieu de cette atmosphère froide et sèche.
En vérité, c'était réjouissant de voir cette petite colonie
en si belle humeur et si bonne santé !

Tout était blanc à perte de vue entre Auckland-hill
et Family-lake. Les arbres, avec leur ramure de givre,
leurs branches chargées de cristaux étincelants, se
massaient au loin comme à l'arrière-plan d'un décor
féerique. A la surface du lac, les oiseaux volaient par
bandes jusqu'au revers de la falaise. Doniphan et Cross
n'avaient point oublié d'emporter leurs fusils. Sage
précaution, car on vit des empreintes suspectes, appartenant à des animaux autres que les chacals, les couguars
ou les jaguars.

« Ce sont peut-être de ces chats sauvages qu'on
nomme « paperos », dit Gordon, et qui ne sont pas
moins redoutables !

— Oh ! si ce ne sont que des chats ! répondit Costar
en haussant les épaules.

Les jeunes bûcherons se mirent à la besogne. (Page 224.)

— Eh ! les tigres sont aussi des chats ! répliqua Jenkins.

— Est-ce vrai, Service, demanda Costar, que ces chats-là sont méchants ?

— Très vrai, répliqua Service, et ils croquent les enfants comme des souris ! »

Réponse qui ne laissa pas d'inquiéter Costar.

Le demi-mille, entre French-den et Traps-woods, fut rapidement franchi, et les jeunes bûcherons se mirent à la besogne. Leur hache ne s'attaqua qu'aux arbres d'une certaine grosseur, qui furent dégagés des menues branches, afin de s'approvisionner, non de ces fagots qui flambent un instant, mais de bûches qui pourraient alimenter convenablement le fourneau et les poêles. Puis, la table-traîneau en reçut une lourde charge ; mais elle glissait si aisément, et tous tiraient de si bon cœur sur le sol durci, qu'avant midi, elle avait pu faire deux voyages.

Après le déjeuner on reprit le travail, qui ne fut suspendu que vers quatre heures, lorsque le jour vint à baisser. La fatigue était grande, mais, comme il n'y avait nulle nécessité de faire les choses avec excès, Gordon remit la besogne au lendemain. Or, quand Gordon ordonnait, il n'y avait plus qu'à obéir.

D'ailleurs, dès le retour à French-den, on s'occupa de scier ces bûches, de les fendre, de les emmagasiner, et cela dura jusqu'au moment de se coucher.

Pendant six jours, ce charroi fut continué sans relâche, ce qui assura du combustible pour un laps de plusieurs semaines. Il va de soi que toute cette provision n'avait pu trouver place dans Store-room ; mais il n'y avait aucun inconvénient à ce qu'elle restât exposée en plein air au pied du contrefort.

Le 15 juillet, suivant le calendrier, ce jour-là, c'était

la Saint-Swithin. Or, en Angleterre, la Saint-Swithin correspond, comme réputation, à la Saint-Médard en France.

« Alors, dit Briant, s'il pleut aujourd'hui nous allons avoir de la pluie pendant quarante jours.

— Ma foi, répondit Service, voilà qui importe peu, puisque nous sommes dans la mauvaise saison. Ah ! si c'était l'été !... »

Et, en vérité, les habitants de l'hémisphère austral n'ont guère à s'inquiéter de l'influence que peuvent avoir saint Médard ou saint Swithin, qui sont des saints d'hiver pour les pays d'antipodes.

Cependant la pluie ne persista pas, les vents revinrent au sud-est, et il y eut encore de tels froids que Gordon ne permit plus aux petits de mettre le pied dehors.

En effet, au milieu de la première semaine d'août, la colonne thermométrique s'abaissa jusqu'à 27° au-dessous de zéro. Pour peu que l'on s'exposât à l'air extérieur, l'haleine se condensait en neige. La main ne pouvait saisir un objet de métal, qu'elle ne ressentît une vive douleur, analogue aux brûlures. Les plus minutieuses précautions durent être prises pour que la température interne fût maintenue à un degré suffisant.

Il y eut quinze jours très pénibles à passer. Tous souffraient plus ou moins du manque d'exercice. Briant ne voyait pas, sans inquiétude, les mines pâles des petits, dont les bonnes couleurs avaient disparu. Cependant, grâce aux boissons chaudes qui ne manquaient pas, et, à part un certain nombre de rhumes ou de bronchites inévitables, les jeunes colons franchirent sans grand dommage cette dangereuse période.

Vers le 16 août, l'état de l'atmosphère tendit à se modifier avec le vent qui s'établit dans l'ouest. Aussi, le thermomètre se releva-t-il à 12° au-dessous de glace

— température supportable, étant donné le calme de l'air.

Doniphan, Briant, Service, Wilcox et Baxter eurent alors la pensée de faire une excursion jusqu'à Sloughi-bay. En partant de grand matin, ils pouvaient être de retour le soir même.

Il s'agissait de reconnaître si la côte n'était point fréquentée par un grand nombre de ces amphibies, hôtes habituels des régions antarctiques, et dont on avait déjà vu quelques échantillons à l'époque de l'échouage. En même temps, on remplacerait le pavillon dont il ne devait plus rester que des lambeaux, après les bourrasques de l'hiver. Et puis, sur le conseil de Briant, on clouerait sur le mât de signaux une planchette, indiquant la situation de French-den pour le cas où quelques marins ayant aperçu le pavillon, débarqueraient sur la grève.

Gordon donna son assentiment, mais en recommandant bien d'être de retour avant la nuit, et la petite troupe partit dès le matin du 19 août, quoiqu'il ne fît point jour encore. Le ciel était pur, et la lune l'éclairait des pâles rayons de son dernier quartier. Six milles à faire jusqu'à la baie, ce n'était pas pour embarrasser des jambes bien reposées.

Ce trajet fut enlevé rapidement. La fondrière de Bog-woods étant glacée, il n'y eut point à la contourner — ce qui abrégea le parcours. Aussi, avant neuf heures du matin, Doniphan et ses camarades débouchaient-ils sur la grève.

« En voilà une bande de volatiles ! » s'écria Wilcox.

Et il montrait, rangés sur les récifs, quelques milliers d'oiseaux, qui ressemblaient à de gros canards, avec leur bec allongé comme une coquille de moule et leur cri aussi perçant que désagréable.

« On dirait de petits soldats que leur général va passer en revue ! dit Service.

— Ce ne sont que des pingouins, répondit Baxter, et ils ne valent pas un coup de fusil ! »

Ces stupides volatiles, qui se tenaient dans une position presque verticale, due à leurs pattes placées très en arrière, ne songèrent même pas à s'enfuir, et on aurait pu les tuer à coups de bâton. Peut-être Doniphan eut-il envie de se livrer à ce carnage inutile ; mais, Briant ayant eu la prudence de ne point s'y opposer, les pingouins furent laissés en repos.

D'ailleurs, si ces oiseaux ne pouvaient être d'aucun usage, il y avait là nombre d'autres animaux dont la graisse servirait à l'éclairage de French-den pendant le prochain hiver.

C'étaient des phoques, de cette espèce dite phoques à trompes, qui prenaient leurs ébats sur les brisants, recouverts alors d'une épaisse couche de glace. Mais, pour en abattre quelques-uns, il aurait fallu leur couper la retraite du côté des récifs. Or, dès que Briant et ses camarades s'approchèrent, ils s'enfuirent en faisant des gambades extraordinaires et disparurent sous les eaux. Il y aurait donc lieu d'organiser plus tard une expédition spéciale pour la capture de ces amphibies.

Après avoir déjeuné frugalement des quelques provisions qu'ils avaient emportées, les jeunes garçons vinrent observer la baie dans toute son étendue.

Une nappe uniformément blanche s'étendait depuis l'embouchure du rio Zealand jusqu'au promontoire de False-Sea-point. A part les pingouins et les oiseaux de mer, tels que pétrels, mouettes et goélands, il semblait que les autres volatiles eussent abandonné la grève pour aller à l'intérieur de l'île chercher de quoi suffire à leur nourriture. Deux ou trois pieds de neige

Baxter s'occupa de rehisser un pavillon neuf. (Page 229.)

s'étendaient sur la plage, et ce qui restait des débris du schooner avait disparu sous cette couche épaisse. Les relais de marée, varechs et goémons, arrêtés en deçà des brisants, indiquaient que Sloughi-bay n'avait pas été envahie par les fortes marées d'équinoxe.

Quant à la mer, elle était toujours déserte jusqu'à l'extrême limite de cet horizon que Briant n'avait pas revu depuis trois longs mois. Et, au-delà, à des centaines de milles, il y avait cette Nouvelle-Zélande qu'il ne désespérait pas de revoir un jour !

Baxter s'occupa alors de rehisser un pavillon neuf qu'il avait apporté et de clouer la planchette, donnant la situation de French-den à six milles en remontant le cours du rio. Puis, vers une heure après midi, on reprit la rive gauche.

Chemin faisant, Doniphan tua une couple de pilets et une autre de vanneaux qui voletaient à la surface de la rivière, et, vers quatre heures, au moment où le jour s'assombrissait, ses camarades et lui arrivaient à French-den. Là, Gordon fut mis au courant de ce qui s'était passé, et, puisque de nombreux phoques fréquentaient Sloughi-bay, on leur donnerait la chasse dès que le temps le permettrait.

En effet, la mauvaise saison allait bientôt finir. Pendant la dernière semaine d'août et la première semaine de septembre, le vent de mer reprit le dessus. De fortes grenasses amenèrent un relèvement très rapide de la température. La neige ne tarda pas à se dissoudre, et la surface du lac se rompit avec un fracas assourdissant. Ceux des glaçons qui ne fondirent pas sur place, s'engagèrent dans le courant du rio, en s'amoncelant les uns sur les autres, et il se fit une embâcle qui ne se dégagea complètement que vers le 10 septembre.

Ainsi s'était écoulé cet hiver. Grâce aux précautions

prises, la petite colonie n'avait pas eu trop à souffrir. Tous s'étaient maintenus en bonne santé, et, les études ayant été suivies avec zèle, Gordon n'avait guère eu à sévir contre des récalcitrants.

Un jour, cependant, il avait dû châtier Dole, dont la conduite nécessitait une punition exemplaire.

Bien des fois, l'entêté avait refusé de « faire son devoir » et Gordon l'avait réprimandé, sans qu'il voulût tenir compte de ses observations. S'il ne fut pas mis au pain et à l'eau — ce qui n'entre point dans le système des écoles anglo-saxonnes — il fut condamné à recevoir le fouet.

Les jeunes Anglais, on l'a fait observer, n'éprouvent pas la répugnance que des Français ne manqueraient pas de ressentir sans aucun doute pour ce genre de châtiment. Et, pourtant, à cette occasion, Briant aurait protesté contre cette façon de sévir, s'il n'eût dû respecter les décisions de Gordon. D'ailleurs, là où un écolier français serait honteux, l'écolier anglais n'aurait honte que de paraître redouter une correction corporelle.

Dole reçut donc les quelques coups de verge que lui appliqua Wilcox, désigné par le sort pour ces fonctions d'exécuteur public, et cela fut d'un tel exemple que le cas ne se reproduisit plus.

Au 10 septembre, il y avait six mois que le *Sloughi* s'était perdu sur les récifs de l'île Chairman.

XIV

Avec la belle saison qui s'annonçait, les jeunes colons
allaient pouvoir mettre à exécution quelques-uns des
projets conçus pendant les longs loisirs de l'hiver.

Vers l'est — cela n'était que trop évident — aucune
terre n'avoisinait l'île. Au nord, au sud, à l'ouest, en
était-il ainsi, et cette île faisait-elle partie d'un archipel
ou d'un groupe du Pacifique ? Non, sans doute, si l'on
s'en rapportait à la carte de François Baudoin. Néanmoins, des terres pouvaient se trouver dans ces parages,
bien que le naufragé ne les eût pas aperçues, par la
raison qu'il ne possédait ni lunette, ni lorgnette, et que,
du haut d'Auckland-hill, c'est à peine si la vue embras-
sait un horizon de quelques milles ? Les jeunes garçons,
mieux armés pour observer la mer au large, découvri-
raient peut-être ce que le survivant du *Duguay-Trouin*
n'avait pas eu la possibilité d'entrevoir.

Étant donné sa configuration, l'île Chairman ne
mesurait pas plus d'une douzaine de milles dans sa
partie centrale, à l'est de French-den. A l'opposé de
Sloughi-bay, le littoral étant échancré, il conviendrait
de pousser la reconnaissance dans cette direction.

Mais, avant de visiter les diverses régions de l'île, il
s'agissait d'explorer le territoire compris entre Auckland-
hill, Family-lake et Traps-woods. Quelles étaient ses ressources ? Était-il riche en arbres ou arbrisseaux dont on

pouvait tirer profit ? C'est pour le savoir qu'une expédition fut décidée et fixée aux premiers jours de novembre.

Toutefois, si le printemps allait commencer astronomiquement, l'île Chairman, située sous une assez haute latitude, n'en ressentit pas encore l'influence. Le mois de septembre et la moitié d'octobre furent marqués par de grands mauvais temps. Il y eut encore des froids très vifs, qui ne tinrent pas, car les aires du vent devinrent extrêmement variables. Pendant cette période de l'équinoxe, des troubles atmosphériques se manifestèrent avec une violence sans égale — semblables à ceux qui avaient emporté le *Sloughi* à travers le Pacifique. Sous les coups redoublés des bourrasques, il semblait que le massif d'Auckland-hill frémissait tout entier, lorsque la rafale du sud, en rasant la région des South-moors, qui ne lui opposait aucun obstacle, apportait les glaciales intempéries de la mer Antarctique. C'était une rude besogne, quand il fallait lui fermer l'entrée de French-den. Vingt fois, elle enfonça la porte qui donnait accès dans Store-room, et pénétra par le couloir jusque dans le hall. En ces conditions, on souffrit certainement plus qu'à l'époque des froids intenses qui avaient abaissé la colonne thermométrique à 30° audessous de zéro centigrade. Et ce n'était pas seulement la rafale, c'était la pluie et la grêle contre lesquelles il fallait lutter.

Pour comble d'ennui, le gibier semblait avoir disparu, comme s'il fût allé chercher refuge vers les parties de l'île moins exposées aux coups de l'équinoxe — et aussi le poisson, probablement effrayé par l'agitation des eaux qui mugissaient le long des rives du lac.

Cependant, on ne resta pas oisif à French-den. La table ne pouvant plus servir de véhicule, puisque la couche de neige durcie avait disparu, Baxter chercha les moyens de fabriquer un appareil propre au charroi des objets pesants.

A ce propos, il eut l'idée d'utiliser deux roues d'égale grandeur qui appartenaient au guindeau du schooner. Ce travail ne se fit pas sans nombre de tâtonnements qu'eût évités un homme du métier. Ces roues étaient dentées, et, après avoir vainement essayé d'en briser les dents, Baxter en fut réduit à remplir les intervalles avec des coins de bois très serrés et qui furent cerclés d'une bande métallique. Puis, les deux roues ayant été réunies par une barre de fer, on établit un solide bâti de planche sur cet essieu. Véhicule bien rudimentaire ! mais, tel quel, il devait rendre et rendit de grands services. Inutile d'ajouter que, faute de cheval, de mule ou de baudet, ce seraient les plus vigoureux de la colonie qui s'attelleraient audit véhicule.

Ah ! si l'on parvenait à s'emparer de quadrupèdes, qui seraient dressés à cet usage, que de fatigues seraient épargnées ! Pourquoi la faune de l'île Chairman, à part quelques carnassiers dont on avait trouvé les restes ou les traces, semblait-elle plus riche de volatiles que de ruminants ! Et encore, à en juger par l'autruche de Service, pouvait-on espérer qu'ils se plieraient aux devoirs de la domesticité ?

En effet, le nandû n'avait absolument rien perdu de son caractère sauvage. Il ne se laissait point approcher, sans se défendre du bec et des pattes, il cherchait à briser les liens qui le tenaient à l'attache, et, s'il y fût parvenu, on l'aurait bientôt perdu sous les arbres de Traps-woods.

Service, cependant, ne se décourageait pas. Il avait naturellement donné au nandû le nom de Brausewind comme l'avait fait pour son autruche maître Jack du *Robinson suisse*. Bien qu'il mît un excessif amour-propre à dompter le rétif animal, bons ou mauvais traitements n'y faisaient rien.

« Et pourtant, dit-il un jour, en se reportant au roman de Wyss qu'il ne se lassait pas de relire, Jack est parvenu à faire de son autruche une monture rapide !

— C'est vrai, lui répondit Gordon. Mais, entre ton héros et toi, Service, il y a la même différence qu'entre son autruche et la tienne !

— Laquelle, Gordon ?

— Tout simplement cette différence qui sépare l'imagination de la réalité !

— Qu'importe ! répliqua Service. Je viendrai à bout de mon autruche... ou elle dira pourquoi !

— Eh bien, sur ma parole, répondit Gordon en riant, je serais moins étonné de l'entendre te répondre que de la voir t'obéir ! »

En dépit des plaisanteries de ses camarades, Service était décidé à monter son nandû, dès que le temps le permettrait. Aussi, toujours à l'imitation de son type imaginaire, lui fit-il une sorte de harnais en toile à voile, et un capuchon avec œillères mobiles. Est-ce que Jack ne dirigeait pas sa bête suivant qu'il lui abaissait l'une ou l'autre de ces œillères sur l'œil droit ou sur l'œil gauche ? Et pourquoi donc ce qui avait réussi à ce garçon ne réussirait-il pas à son imitateur ? Service confectionna même un collier de filin qu'il parvint à fixer au cou de l'animal — lequel se serait fort bien passé de cet ornement. Quant au capuchon, il fut impossible de le lui mettre sur la tête.

Ainsi s'écoulaient les jours en travaux d'aménagement qui rendirent French-den plus confortable. C'était la meilleure façon d'occuper les heures que l'on ne pouvait utiliser au-dehors, tout en ne retranchant rien de celles qui devaient être consacrées au travail.

D'ailleurs, l'équinoxe touchait à sa fin. Le soleil prenait de la force, et le ciel se rassérénait. On était à la mi-octobre. Le sol communiquait sa chaleur aux arbrisseaux et aux arbres qui se préparaient à reverdir.

Maintenant, il était permis de quitter French-den pendant des journées entières. Les vêtements chauds, pantalons de gros drap, tricots ou vareuses de laine, avaient été battus, réparés, pliés, serrés soigneusement dans les coffres, après avoir été étiquetés par Gordon. Les jeunes colons, plus à l'aise sous des habits plus légers, avaient salué avec joie le retour de la belle saison. De plus, il y avait cet espoir qui ne les abandonnait pas — l'espoir de faire quelque découverte de nature à modifier leur situation. Durant l'été, ne pouvait-il se faire qu'un navire visitât ces parages ? Et, s'il passait en vue de l'île Chairman, pourquoi n'y atterrirait-il pas, à la vue du pavillon qui flottait sur la crête d'Auckland-hill ?

Pendant la seconde quinzaine d'octobre, plusieurs excursions furent tentées sur un rayon de deux milles autour de French-den. Les chasseurs y prirent seuls part. L'ordinaire s'en ressentit, bien que, sur la recommandation de Gordon, la poudre et le plomb dussent être sévèrement économisés. Wilcox tendit des lacets, avec lesquels il captura quelques couples de tinamous et d'outardes, et même parfois de ces lièvres maras, qui ressemblent à l'agouti. Fréquemment dans la journée, on allait visiter ces lacets, car les chacals et les paperos ne se faisaient point faute de devancer les chasseurs pour détruire leur gibier. En vérité, c'était enrageant de travailler au profit de ces carnassiers qu'on n'épargnait point à l'occasion. On prit même un certain nombre de ces malfaisantes bêtes dans les anciennes trappes qui avaient été réparées, et dans les nouvelles.

établies sur la lisière de la forêt. Quant aux fauves, on en releva encore des traces, mais on n'eut pas à repousser leurs attaques contre lesquelles on se tenait toujours en garde.

Doniphan tua aussi quelques-uns de ces pécaris et de ces guaculis — sangliers et cerfs de petite taille —, dont la chair était savoureuse. Quant aux nandûs, personne ne regretta de ne pouvoir les atteindre, le peu de succès de Service dans son essai de domestication n'étant point pour encourager.

Et on le vit bien, lorsque, dans la matinée du 26, l'entêté garçon voulut monter son autruche, qu'il avait harnachée, non sans quelque peine.

Tous étaient venus sur Sport-terrace assister à cette intéressante expérience. Les petits regardaient leur camarade avec un certain sentiment d'envie, mêlé d'un peu d'inquiétude. Au moment décisif, ils hésitaient à prier Service de les prendre en croupe. Pour les grands, ils haussaient les épaules. Gordon avait même voulu dissuader Service de tenter une épreuve qui lui paraissait dangereuse ; mais celui-ci s'y était obstiné, et on avait résolu de le laisser faire.

Tandis que Garnett et Baxter tenaient l'animal, dont les yeux étaient recouverts par les œillères du capuchon, Service, après plusieurs tentatives infructueuses, parvint à s'élancer sur son dos. Puis, d'une voix à demi rassurée :

« Lâchez ! » cria-t-il.

Le nandû, privé de l'usage de ses yeux, resta d'abord immobile, retenu par le jeune garçon qui le serrait vigoureusement entre ses jambes. Mais, dès que les œillères eurent été relevées au moyen de la corde qui servait en même temps de rênes, il fit un bond prodigieux et partit dans la direction de la forêt.

Service n'était plus maître de sa fougueuse monture. (Page 238.)

Service n'était plus maître de sa fougueuse monture qui filait avec la rapidité d'une flèche. En vain essaya-t-il de l'arrêter en l'aveuglant de nouveau ? D'un coup de tête, le nandû déplaça le capuchon qui glissa sur son cou, auquel Service s'accrochait des deux bras. Puis, une violente secousse désarçonna le peu solide cavalier, et il tomba juste au moment où l'animal allait disparaître sous les arbres de Traps-woods.

Les camarades de Service accoururent ; lorsqu'ils arrivèrent à lui, l'autruche était déjà hors de vue.

Fort heureusement, Service, ayant roulé sur une herbe épaisse, n'avait aucun mal.

« La sotte bête !... La sotte bête ! s'écria-t-il tout confus. Ah ! si je la rattrape !...

— Tu ne la rattraperas point ! répondit Doniphan, qui se plaisait à rire de son camarade.

— Décidément, dit Webb, ton ami Jack était meilleur écuyer que toi !

— C'est que mon nandû n'était pas suffisamment apprivoisé !... répondit Service.

— Et ne pouvait l'être ! répliqua Gordon. Console-toi, Service, tu n'aurais rien pu faire de cette bête, et n'oublie pas que dans le roman de Wyss, il y a à prendre et à laisser ! »

Voilà comment finit l'aventure, et les petits n'eurent pas à regretter de ne point être « montés à autruche ! »

Aux premiers jours de novembre, le temps parut favorable pour une expédition de quelque durée, dont l'objectif serait de reconnaître la rive occidentale du Family-lake jusqu'à sa pointe nord. Le ciel était pur, la chaleur très supportable encore, et il n'y aurait aucune imprudence à passer quelques nuits en plein air. Les préparatifs furent donc faits en conséquence.

Les chasseurs de la colonie devaient prendre part

« Ah ! si je la rattrape ! » (Page 238.)

à cette expédition, et, cette fois, Gordon jugea à propos
de se joindre à eux. Quant à ceux de ses camarades
qui demeureraient à French-den, ils y resteraient sous
la garde de Briant et de Garnett. Plus tard, avant la fin
de la belle saison, Briant entreprendrait lui-même
une autre excursion dans le but de visiter la partie inférieure du lac, soit en longeant ses rives avec la yole, soit
en le traversant, puisque, suivant la carte, il ne mesurait
que quatre à cinq milles à la hauteur de French-den.

Les choses étant ainsi convenues, dès le matin du
5 novembre, Gordon, Doniphan, Baxter, Wilcox,
Webb, Cross et Service partirent, après avoir pris
congé de leurs camarades.

A French-den, rien n'allait être changé à la vie habituelle. En dehors des heures consacrées au travail,
Iverson, Jenkins, Dole et Costar continueraient, comme
de coutume, à pêcher dans les eaux du lac et du rio —
ce qui constituait leur récréation favorite. Mais, de
ce que Moko n'accompagnait pas les jeunes explorateurs,
que l'on n'en conclue pas qu'ils seraient réduits à une
mauvaise cuisine ! Service n'était-il pas là, et, le plus
souvent, n'aidait-il pas le mousse dans ses opérations
culinaires ? Aussi avait-il fait valoir ses talents pour
participer à l'expédition. Qui sait s'il n'espérait pas
retrouver son autruche ?

Gordon, Doniphan et Wilcox étaient armés de fusils ;
en outre, tous avaient un revolver passé à la ceinture.
Des couteaux de chasse et deux hachettes complétaient
leur équipement. Autant que possible, ils ne devaient
employer la poudre et le plomb que pour se défendre,
s'ils étaient attaqués, ou pour abattre le gibier, dans le
cas où l'on ne pourrait le prendre d'une façon moins
coûteuse. A cet effet, le lazo et les bolas, remis en état,
avaient été emportés par Baxter, qui, depuis quelque

temps, s'était exercé à leur maniement. Un garçon peu bruyant, ce Baxter, mais vraiment très adroit, et qui était promptement devenu habile à se servir de ces engins. Jusqu'alors, à vrai dire, il n'avait visé que des objets immobiles, et rien ne prouvait qu'il réussirait contre un animal fuyant à toutes jambes. On le verrait à l'œuvre.

Gordon avait eu aussi l'idée de se munir du halkett-boat en caoutchouc, qui était très portatif, puisqu'il se refermait comme une valise et ne pesait qu'une dizaine de livres. La carte, en effet, indiquait deux cours d'eau tributaires du lac et que le halkett-boat servirait à franchir si on ne pouvait le passer à gué.

A s'en tenir à la carte de Baudoin, dont Gordon emportait une copie, afin de la consulter ou de la vérifier, suivant le cas, la rive occidentale du Family-lake se développait sur une longueur de dix-huit milles environ, en tenant compte de sa courbure. L'exploration demanderait donc au moins trois jours à l'aller et au retour, si elle n'éprouvait aucun retard.

Gordon et ses compagnons, précédés de Phann, laissèrent Traps-woods à leur gauche, et marchèrent d'un bon pas sur le sol sablonneux de la rive.

Au-delà de deux milles, ils avaient dépassé la distance à laquelle s'étaient jusqu'alors maintenues les excursions depuis l'installation à French-den.

En cet endroit poussaient de ces hautes herbes, appelées « cortadères », qui sont groupées par touffes, et entre lesquelles les plus grands disparaissaient jusqu'à la tête.

Le cheminement en fut quelque peu retardé ; mais il n'y eut pas lieu de le regretter, car Phann tomba en arrêt devant l'orifice d'une demi-douzaine de terriers qui trouaient le sol.

Evidemment, Phann avait senti là quelque animal qu'il serait aisé de tuer au gîte. Aussi Doniphan se préparait-il à épauler son fusil, lorsque Gordon l'arrêta :

« Ménage ta poudre, Doniphan, lui dit-il, je t'en prie, ménage ta poudre !

— Qui sait, Gordon, si notre déjeuner n'est pas là-dedans ? répondit le jeune chasseur.

— Et aussi notre dîner ?... ajouta Service, qui venait de se baisser vers le terrier.

— S'ils y sont, répondit Wilcox, nous saurons bien les en faire sortir, sans qu'il en coûte un grain de plomb.

— Et de quelle façon ?... demanda Webb.

— En enfumant ces terriers, comme on le ferait pour un terrier de putois ou de renard ! »

Entre les touffes de cortadères, le sol était recouvert d'herbes sèches que Wilcox eut vite enflammées à l'orifice des gîtes. Une minute après, apparaissaient une douzaine de rongeurs, à demi suffoqués, qui essayèrent vainement de s'enfuir. C'étaient des lapins tucutucos, dont Service et Webb abattirent quelques couples à coups de hachette, tandis que Phann en étranglait trois autres en trois coups de dent.

« Voilà qui fera un excellent rôti !... dit Gordon.

— Et je m'en charge, s'écria Service, qui avait hâte de remplir ses fonctions de maître coq. Tout de suite, si l'on veut !...

— A notre première halte ! » répondit Gordon.

Il fallut une demi-heure pour sortir de cette forêt en miniature des hautes cortadères. Au-delà, reparut la grève, accidentée de longues lignes de dunes, dont le sable, d'une extrême finesse, s'enlevait au moindre souffle.

A cette hauteur, le revers d'Auckland-hill s'éloignait déjà à plus de deux milles en arrière dans l'ouest. Cela

Deux des tucutucos rôtissaient... (Page 244.)

s'expliquait par la direction que la falaise prenait en
obliquant depuis French-den jusqu'à Sloughi-bay.
Toute cette partie de l'île était enfouie sous l'épaisse
forêt que Briant et ses camarades avaient traversée
lors de la première expédition au lac, et qu'arrosait le
ruisseau auquel avait été donné le nom de Dike-creek.

Ainsi que l'indiquait la carte, ce creek coulait vers
le lac. Or, ce fut précisément à l'embouchure de ce
ruisseau que les jeunes garçons arrivèrent, vers onze
heures du matin, après avoir enlevé six milles depuis
leur départ.

On fit halte, en cet endroit, au pied d'un superbe
pin parasol. Un feu de bois sec fut allumé entre deux
grosses pierres. Quelques instants plus tard, deux des
tucutucos, épilés et vidés par Service, rôtissaient devant
une flamme pétillante. Si, pendant que Phann, accroupi
devant le foyer, humait cette bonne odeur de venaison,
le jeune cuisinier veilla à ce que son rôti fût tourné et
retourné à point, cela est inutile à dire.

On déjeuna de bon appétit, sans avoir trop à se plaindre de ce premier essai culinaire de Service. Les tucutucos suffirent, et il n'y eut pas lieu de toucher aux provisions emportées dans les musettes, sauf au biscuit qui
remplaçait le pain. Et encore l'économisa-t-on, puisque
la viande ne manquait pas — viande savoureuse, d'ailleurs, avec le fumet de ces plantes aromatiques dont
se nourrissent les rongeurs.

Cela fait, on franchit le creek, et comme on put le
passer à gué, il n'y eut pas lieu d'employer le canot
de caoutchouc, ce qui eût pris plus de temps.

La rive du lac, devenant peu à peu marécageuse, obligea à regagner la lisière de la forêt, quitte à se diriger
de nouveau à l'est, quand l'état du sol le permettrait.
Toujours mêmes essences, mêmes arbres d'une venue

superbe, des hêtres, des bouleaux, des chênes verts, des pins de diverses sortes. Nombre de charmants oiseaux voltigeaient de branches en branches, des pics noirs à crête rouge, des gobe-mouches à huppe blanche, des roitelets de l'espèce des scytalopes, des milliers de grimpereaux qui ricanaient sous la feuillée, tandis que les pinsons, les alouettes, les merles chantaient ou sifflaient à plein bec. Au loin, dans les airs, planaient des condors, des urubus et quelques couples de ces caracaras, aigles voraces qui fréquentent volontiers les parages du Sud-Amérique.

Sans doute, en souvenir de Robinson Crusoé, Service regretta que la famille des perroquets ne fût pas représentée dans l'ornithologie de l'île. S'il n'avait pu apprivoiser une autruche, peut-être l'un de ces oiseaux bavards se serait-il montré moins rebelle ? Mais il n'en aperçut pas un seul.

En somme, le gibier abondait, des maras, des pichis, et particulièrement des grouses, à peu près semblables au coq de bruyère. Gordon ne put refuser à Doniphan le plaisir de tirer un pécari de moyenne taille, qui servirait au déjeuner du lendemain, s'il ne servait pas au dîner du soir.

D'ailleurs, il ne fut pas nécessaire de s'engager sous les arbres, où la marche eût été plus pénible. Il suffisait d'en longer la lisière, et c'est ce qui fut fait jusqu'à cinq heures du soir. Le second cours d'eau, large d'une quarantaine de pieds, vint alors barrer le passage.

C'était un des exutoires du lac, et il allait se jeter dans le Pacifique, au-delà de Sloughi-bay, après avoir contourné le nord d'Auckland-hill.

Gordon résolut de s'arrêter en cet endroit. Douze milles dans les jambes, c'était assez pour un jour. En attendant, il parut indispensable de donner un nom à ce cours d'eau, et, puisqu'on venait de faire halte sur ses bords, il fut nommé Stop-river (rivière de la halte).

Le campement fut établi sous les premiers arbres de la berge. Les grouses ayant été réservées pour le lendemain, les tucutucos formèrent le plat de résistance, et, cette fois encore, Service se tira assez convenablement de ses fonctions. D'ailleurs, le besoin de dormir l'emportait sur le besoin de manger, et, si les bouches s'ouvraient de faim, les yeux se fermaient de sommeil. Aussi un grand feu fut-il allumé, devant lequel chacun s'étendit, après s'être roulé dans sa couverture. La vive lueur de ce foyer à l'entretien duquel Wilcox et Doniphan veilleraient tour à tour, devait suffire à tenir les fauves à distance.

Bref, il n'y eut aucune alerte et, au petit jour, tous étaient prêts à se remettre en route.

Cependant, d'avoir donné un nom au rio ne suffisait pas, il fallait le franchir, et, comme il n'était pas guéable, le halkett-boat fut mis en réquisition. Ce frêle you-you ne pouvant transporter qu'une personne à la fois, il dut faire sept fois la traversée de la rive gauche à la rive droite de Stop-river, ce qui exigea plus d'une heure. Peu importait, du moment que, grâce à lui, les provisions et les munitions ne furent point mouillées.

Quant à Phann, qui ne craignait pas de se tremper les pattes, il se jeta à la nage, et, en quelques bonds, eut passé d'un bord à l'autre.

Le terrain n'étant plus marécageux, Gordon obliqua de manière à revenir vers la rive du lac, qui fut atteinte avant dix heures. Après un déjeuner, dont quelques grillades de pécari firent les frais, on prit la direction du nord.

Rien n'indiquait encore que l'extrémité du lac fût à proximité, et l'horizon de l'est était toujours circonscrit par une ligne circulaire de ciel et d'eau, lorsque, vers midi, Doniphan, braquant sa lunette, dit :

« Voici l'autre rive ! »

Et tous de regarder de ce côté, où quelques têtes d'arbres commençaient à se montrer au-dessus des eaux.

« Ne nous arrêtons pas, répondit Gordon, et tâchons d'arriver avant la nuit ! »

Une plaine aride, ondulée de longues dunes, semée seulement de quelques touffes de joncs et de roseaux, s'étendait alors à perte de vue vers le nord. Dans sa partie septentrionale, il semblait que l'île Chairman n'offrît que de vastes espaces sablonneux, qui contrastaient avec les forêts verdoyantes du centre, et auxquels Gordon put donner très justement le nom de Sandy-desert (désert de sable).

Vers trois heures, la rive opposée, qui s'arrondissait à moins de deux milles au nord-est, apparut distinctement. Cette région paraissait abandonnée de toute créature vivante, si ce n'est des oiseaux de mer, cormorans, pétrels, grèbes, qui passaient en regagnant les roches du littoral.

En vérité, si le *Sloughi* eût abordé ces parages, les jeunes naufragés, en voyant une terre aussi stérile, auraient cru qu'ils y seraient privés de toute ressource ! En vain eussent-ils cherché au milieu de ce désert l'équivalent de leur confortable demeure de French-den ! Lorsque l'abri du schooner aurait manqué, ils n'auraient su où trouver un refuge !

Etait-il nécessaire, maintenant, d'aller plus avant dans cette direction, de reconnaître entièrement cette partie de l'île qui semblait inhabitable ? Ne vaudrait-il pas mieux remettre à une seconde expédition l'exploration de la rive droite du lac, où d'autres forêts pouvaient offrir de nouvelles richesses ? Oui, sans doute. D'ailleurs, c'était

dans les parages de l'est que devait se trouver le continent américain, si l'île Chairman en était voisine.

Cependant, sur la proposition de Doniphan, on résolut
de gagner l'extrémité du lac, qui ne devait pas être
éloignée, car la double courbure de ses rives se pro-
nonçait de plus en plus.

C'est ce qui fut exécuté, et, à la nuit tombante, on
faisait halte au fond d'une petite crique qui se creusait
à l'angle nord du Family-lake.

En cet endroit, pas un arbre, pas même quelque
amas de touffes herbeuses, de mousses ou de lichens
desséchés. Faute de combustible, il fallut se contenter
des provisions que renfermaient les sacs, et, faute
d'abri, du tapis de sable sur lequel on étendit les couvertures.

Pendant cette première nuit, rien ne vint troubler
le silence de Sandy-desert.

XV

ROUTE A SUIVRE POUR LE RETOUR. — EXCURSION VERS L'OUEST. —
TRULCA ET ALGARROBE. — ARBRE A THÉ. — LE TORRENT DE DIKE-
CREEK. — VIGOGNES. — NUIT TROUBLÉE. — GUANAQUES. — ADRESSE
DE BAXTER A LANCER LE LAZO. — RETOUR A FRENCH-DEN.

A deux cents pas de la crique se dressait une dune,
haute d'une cinquantaine de pieds — observatoire tout
indiqué pour que Gordon et ses camarades pussent
prendre une large vue de la région.

Dès que le soleil fut levé, ils se hâtèrent de gravir
cette dune jusqu'à sa crête.

De ce point, la lunette fut immédiatement braquée dans la direction du nord.

Si le vaste désert sablonneux se prolongeait jusqu'au littoral, ainsi que l'indiquait la carte, il était impossible d'en apercevoir la fin, car l'horizon de mer devait se trouver à plus de douze milles vers le nord et à plus de sept vers l'est.

Il parut donc inutile de remonter au-delà sur la partie septentrionale de l'île Chairman.

« Alors, demanda Cross, qu'allons-nous faire maintenant ?

— Revenir sur nos pas, répondit Gordon.

— Pas avant d'avoir pris notre premier déjeuner ! se hâta de répliquer Service.

— Mets le couvert ! répondit Webb.

— Puisqu'il faut retourner sur nos pas, fit alors observer Doniphan, ne pourrions-nous suivre un autre chemin pour regagner French-den ?

— Nous essaierons, répondit Gordon.

— Il me semble même, ajouta Doniphan, que notre exploration serait complète, si nous contournions la rive droite du Family-lake.

— Ce serait un peut long, répondit Gordon. D'après la carte, il y aurait de trente à quarante milles à faire, ce qui demanderait quatre ou cinq jours, en admettant qu'il ne se présentât aucun obstacle sur la route ! On serait inquiet là-bas, à French-den, et mieux vaut ne point donner cette inquiétude !

— Cependant, reprit Doniphan, tôt ou tard, il sera nécessaire de reconnaître cette partie de l'île !

— Sans doute, répondit Gordon, et je compte organiser une expédition dans ce but.

— Pourtant, dit Cross, Doniphan a raison. Il y aurait intérêt à ne pas reprendre le même chemin...

— C'est entendu, répliqua Gordon, et je propose de suivre la rive du lac jusqu'à Stop-river, puis, de marcher directement vers la falaise, dont nous longerons la base.

— Et pourquoi redescendre la rive que nous avons suivie déjà ? demanda Wilcox.

— En effet, Gordon, ajouta Doniphan, pourquoi ne pas couper au plus court, à travers cette plaine de sable, afin d'atteindre les premiers arbres de Traps-woods, qui ne sont pas à plus de trois ou quatre milles dans le sud-ouest ?

— Parce que nous serons toujours forcés de traverser Stop-river, répondit Gordon. Or, nous sommes certains de pouvoir passer où nous avons passé hier, tandis que, plus bas, nous pourrions être très gênés si le rio devenait torrentueux. Donc, ne s'engager sous la forêt qu'après avoir mis le pied sur la rive gauche de Stop-river, cela me paraît sage !

— Toujours prudent, Gordon ! s'écria Doniphan, non sans une pointe d'ironie.

— On ne saurait trop l'être ! » répondit Gordon.

Tous se laissèrent alors glisser sur le talus de la dune, regagnèrent le lieu de halte, grignotèrent un morceau de biscuit et de venaison froide, roulèrent leurs couvertures, reprirent leurs armes et suivirent d'un bon pas le chemin de la veille.

Le ciel était magnifique. Une légère brise ridait à peine les eaux du lac. On pouvait compter sur une belle journée. Que le temps se maintînt au beau pendant trente-six heures encore, Gordon n'en demandait pas davantage, car il comptait avoir atteint French-den dans la soirée du lendemain.

De six heures du matin à onze heures, on enleva sans peine les neuf milles qui séparaient la pointe du lac de Stop-river. Aucun incident en route, si ce n'est que, dans le voisinage du rio, Doniphan abattit deux superbes outardes huppées, à plumage noir mélangé de roux au-dessus et de blanc au-dessous — ce qui le mit en belle humeur, non moins que Service, toujours prêt à plumer, vider, rôtir un volatile quelconque.

C'est même ce qu'il fit, une heure plus tard, lorsque ses camarades et lui eurent successivement traversé le cours d'eau dans le halkett-boat.

« Nous voilà maintenant sous bois, dit Gordon, et j'espère que Baxter trouvera l'occasion de lancer son lazo ou ses bolas !

— Le fait est qu'ils n'ont pas fait merveille jusqu'ici ! répondit Doniphan, qui tenait en mince estime tout engin de chasse autre que le fusil ou la carabine.

— Et que pouvaient-ils contre des oiseaux ? répliqua Baxter.

— Oiseaux ou quadrupèdes, Baxter, je n'ai pas confiance !

— Ni moi ! ajouta Cross, toujours prêt à soutenir son cousin.

— Attendez au moins que Baxter ait eu l'occasion de s'en servir avant de vous prononcer ! répondit Gordon. Je suis sûr, moi, qu'il fera quelque beau coup ! Si les munitions nous manquent un jour, le lazo et les bolas ne manqueront jamais !...

— Ils manqueraient plutôt le gibier !... riposta l'incorrigible garçon.

— Nous le verrons bien, répliqua Gordon, et, en attendant, déjeunons ! »

Mais les préparatifs demandèrent quelque temps, Service voulant que son outarde fût rôtie à point. Et si ce volatile put suffire à l'appétit de ces jeunes estomacs, c'est qu'il était véritablement d'une belle taille. En

effet, ces sortes d'outardes, qui pèsent une trentaine
de livres et mesurent près de trois pieds du bec à la
queue, comptent parmi les plus grands échantillons de
la famille des gallinacés. Il est vrai, celle-ci fut dévorée
jusqu'au dernier morceau, et même jusqu'au dernier
os, car Phann, auquel échut la carcasse, n'en laissa pas
plus que ses maîtres.

Le déjeuner achevé, les jeunes garçons pénétrèrent
dans cette partie encore inconnue de Traps-woods
que Stop-river traversait avant d'aller se jeter dans le
Pacifique. La carte indiquait que son cours s'infléchissait vers le nord-ouest, en contournant l'extrémité de
la falaise, et que son embouchure était située au-delà
du promontoire de False-Sea-point. Aussi, Gordon
résolut-il d'abandonner la rive de Stop-river, vu que,
à continuer de la suivre, il eût été entraîné dans une
direction opposée à French-den. Ce qu'il voulait, c'était
d'arriver par le plus court aux premières assises d'Auckland-hill, afin d'en longer le soubassement en redescendant vers le sud.

Après s'être orienté avec sa boussole, Gordon prit
franchement vers l'ouest. Les arbres, plus espacés que
dans la partie sud de Traps-woods, laissaient libre
passage sur un sol moins embarrassé d'herbes et de
broussailles.

Entre les bouleaux et les hêtres s'ouvraient parfois
de petites clairières, où les rayons du soleil pénétraient
à flots. Des fleurs sauvages y mêlaient leurs fraîches
couleurs à la verdure des arbrisseaux et du tapis d'herbe.
A diverses places, de superbes séneçons se balançaient
à la pointe de tiges hautes de deux à trois pieds. On
cueillit quelques-unes de ces fleurs dont Service, Wilcox
et Webb ornèrent leur veste.

C'est alors qu'une utile découverte fut faite par Gordon, dont les connaissances en botanique devaient profiter en mainte occasion à la petite colonie. Son attention venait d'être attirée par un arbrisseau très touffu, à feuilles peu développées, et dont les branches, hérissées d'épines, portaient un petit fruit rougeâtre de la grosseur d'un pois.

« Voilà le trulca, si je ne me trompe, s'écria-t-il, et c'est un fruit dont les Indiens font grand usage !...

— S'il se mange, répondit Service, mangeons-en, puis-qu'il ne coûte rien ! »

Et, avant que Gordon eût pu l'en empêcher, Service fit craquer deux ou trois de ces fruits sous ses dents.

Quelle grimace, et comme ses camarades accueil-lirent sa déconvenue par des éclats de rire, tandis qu'il rejetait l'abondante salivation que l'acidité de ce fruit venait de déterminer sur les papilles de sa langue !

« Et toi qui m'avais dit que cela se mangeait, Gordon ! s'écria Service.

— Je n'ai point dit que cela se mangeait, répliqua Gordon. Si les Indiens font usage de ces fruits, c'est pour fabriquer une liqueur qu'ils obtiennent par la fermentation. J'ajoute que cette liqueur sera pour nous une précieuse ressource, lorsque notre provision de brandy sera épuisée, à la condition de s'en défier, car elle porte à la tête. Emportons un sac de ces trulcas, et nous en ferons l'essai à French-den ! »

Le fruit était difficile à cueillir au milieu des milliers d'épines qui l'entouraient. Mais, en frappant les bran-ches à petits coups, Baxter et Webb firent tomber sur le sol quantité de ces trulcas, dont on remplit une des musettes, et l'on se remit en marche.

Plus loin, quelques cosses d'un autre arbrisseau, spécial aux terres voisines du Sud-Amérique, furent également récoltées. C'étaient des cosses de l'algarrobe.

dont le fruit donne aussi par fermentation une liqueur très forte. Cette fois, Service s'abstint d'y porter les dents et fit bien ; en effet, si l'algarrobe paraît sucrée tout d'abord, la bouche est bientôt affectée d'une sécheresse très douloureuse, et, faute d'habitude, on ne peut en croquer impunément les graines.

Enfin, autre découverte, non moins importante, qui fut encore faite dans l'après-midi, un quart de mille avant d'arriver à la base d'Auckland-hill. L'aspect de la forêt s'était modifié. Avec l'air et la chaleur qui arrivaient plus abondamment dans les clairières, les végétaux prenaient un développement superbe. A soixante ou quatre-vingts pieds, les arbres déployaient leur large ramure, sous laquelle jacassait tout un monde d'oiseaux criards. Entre les plus belles essences se distinguait le hêtre antarctique, qui garde en toute saison le vert tendre de son feuillage. Puis, un peu moins élevés, mais magnifiques encore, poussaient par groupes quelques-uns de ces « winters », dont l'écorce peut remplacer la cannelle — ce qui permettrait au maître coq de French-den d'en relever ses sauces.

C'est alors que Gordon reconnut parmi ces végétaux le « pernettia », l'arbre à thé, de la famille des vacciniées, qui se rencontre même sous les hautes latitudes, et dont les feuilles aromatiques donnent par infusion une boisson très salutaire.

« Voilà qui pourra remplacer notre provision de thé ! dit Gordon. Prenons quelques poignées de ces feuilles, et, plus tard, nous reviendrons en récolter pour tout notre hiver ! »

Il était quatre heures environ, lorsque Auckland-hill fut atteinte presque à son extrémité nord. En cet endroit, quoiqu'elle parût un peu moins haute qu'aux environs de French-den, il eût été impossible de gravir son revers qui se dressait verticalement. Peu importait, puisqu'il ne s'agissait que de la suivre en revenant vers le rio Zealand.

Deux milles plus loin, on entendit le murmure d'un torrent qui écumait à travers une étroite gorge de la falaise et qu'il fut facile de traverser à gué un peu en aval.

« Ce doit être le rio que nous avons découvert pendant notre première expédition au lac, fit observer Doniphan.

— Celui, sans doute, que barrait la petite chaussée de pierre ?... demanda Gordon.

— Précisément, répondit Doniphan, et que pour cette raison, nous avons nommé Dike-creek.

— Eh bien, campons sur sa rive droite, reprit Gordon. Il est déjà cinq heures, et puisqu'il faut encore passer une nuit en plein air, autant le faire près de ce creek et à l'abri des grands arbres. Demain soir, à moins d'obstacles, j'espère bien que nous dormirons dans nos couchettes du hall ! »

Service s'occupa alors du dîner, pour lequel il avait réservé la seconde outarde. C'était du rôti ; et toujours du rôti, mais il eût été injuste de le reprocher à Service, qui ne pouvait guère varier son ordinaire.

Pendant ce temps, Gordon et Baxter étaient rentrés sous bois, l'un à la recherche de nouveaux arbrisseaux ou de nouvelles plantes, l'autre avec l'intention d'utiliser son lazo et ses bolas — ne fût-ce que pour couper court aux plaisanteries de Doniphan.

Tous deux avaient fait une centaine de pas à travers la futaie, lorsque Gordon, appelant Baxter du geste, lui montra un groupe d'animaux qui folâtraient sur l'herbe.

« Des chèvres ? dit Baxter à voix basse.

Soudain un sifflement se fit entendre. (Page 257.)

— Ou, du moins, ces bêtes ressemblent à des chèvres !
répondit Gordon. Tâchons de les prendre...

— Vivantes ?...

— Oui, Baxter, vivantes, et il est heureux que Doniphan ne soit pas avec nous, car il en eût déjà abattu une
d'un coup de fusil et aurait mis les autres en fuite !
Approchons doucement, sans nous laisser voir ! »

Ces gracieux animaux, au nombre d'une demi-douzaine, n'avaient point pris l'éveil. Cependant, pressen-
tant quelque danger, l'une de ces chèvres — une mère
sans doute — flairait l'air et se tenait aux aguets, prête
à détaler avec son troupeau.

Soudain un sifflement se fit entendre. Les bolas
venaient de s'échapper de la main de Baxter, qui n'était
plus qu'à une vingtaine de pas du groupe. Adroitement
et vigoureusement lancées, elles s'enroulèrent autour
de l'une des chèvres, tandis que les autres disparaissaient
au plus épais du bois.

Gordon et Baxter se précipitèrent vers la chèvre,
qui essayait en vain de se dégager des bolas. Elle fut
saisie, mise dans l'impossibilité de fuir, et, avec elle,
furent pris deux chevreaux que l'instinct avait retenus
près de leur mère.

« Hurrah ! s'écria Baxter que la joie rendait démons-
tratif, hurrah ! Est-ce que ce sont des chèvres ?...

— Non, répondit Gordon ! Je pense que ce sont
plutôt des vigognes !

— Et ces bêtes-là donnent du lait ?...

— Tout de même !

— Eh bien, va pour des vigognes ! »

Gordon ne se trompait pas. A la vérité, les vigognes
ressemblent à des chèvres ; mais leurs pattes sont
longues, leur toison est courte et fine comme de la soie,
leur tête est petite et dépourvue de cornes. Ces ani-

maux habitent principalement les pampas de l'Amérique et même les territoires du détroit de Magellan.

On imagine aisément quel accueil fut fait à Gordon et à Baxter, lorsqu'ils revinrent au campement, l'un tirant la vigogne par la corde des bolas, l'autre portant un des chevreaux sous chaque bras. Puisque leur mère les nourrissait encore, il est probable que l'on pourrait les élever sans trop de peine. Peut-être était-ce là le noyau d'un futur troupeau, qui deviendrait très utile à la petite colonie ? Bien entendu, Doniphan regretta le beau coup de fusil qu'il aurait eu l'occasion de tirer ; mais, lorsqu'il s'agissait de prendre le gibier vivant, non de l'abattre, il dut convenir que les bolas valaient mieux que les armes à feu.

On dîna, ou plutôt on soupa joyeusement. La vigogne, attachée à un arbre, ne refusa point de paître, tandis que ses petits gambadaient autour d'elle.

La nuit, cependant, ne fut pas aussi paisible qu'elle l'avait été dans les plaines de Sandy-desert. Cette partie de la forêt recevait la visite d'animaux plus redoutables que les chacals, dont les cris sont très reconnaissables, parce qu'ils tiennent à la fois du hurlement et de l'aboiement. Aussi, vers trois heures du matin, se produisit-il une alerte, due à de véritables rugissements, cette fois, et qui retentissaient dans le voisinage.

Doniphan, de garde près du feu, son fusil à portée de sa main, n'avait pas cru devoir tout d'abord prévenir ses camarades. Mais, ces hurlements devinrent si violents que Gordon et les autres se réveillèrent d'eux-mêmes.

« Qu'y a-t-il ?... demanda Wilcox.

— Ce doit être une bande de fauves qui rôde aux environs, dit Doniphan.

— Ce sont probablement des jaguars ou des couguars ! répondit Gordon.

— Les uns et les autres se valent !

— Pas tout à fait, Doniphan, et le couguar est moins dangereux que le jaguar ? Mais, en troupe, ce sont des carnassiers fort redoutables.

— Nous sommes prêts à les recevoir ! » répondit Doniphan.

Et il se mit sur la défensive, tandis que ses camarades s'armaient de leurs revolvers.

« Ne tirez qu'à coup sûr ! recommanda Gordon. Du reste, je pense que le feu empêchera ces animaux de s'approcher...

— Ils ne sont pas loin ! » s'écria Cross.

En effet, la bande devait être assez voisine du campement, à en juger par la fureur de Phann que Gordon retenait, non sans peine. Mais pas moyen de distinguer une forme quelconque à travers la profonde obscurité du bois.

Sans doute, ces fauves avaient l'habitude de venir se désaltérer la nuit en cet endroit. Ayant trouvé la place prise, ils témoignaient leur déplaisir par d'effroyables rugissements. S'en tiendraient-ils là, et n'y aurait-il pas lieu de repousser une agression dont les conséquences pouvaient être graves ?...

Tout à coup, à moins de vingt pas, des points clairs et mouvants apparurent dans l'ombre. Presque aussitôt, une détonation retentit.

Doniphan venait de lâcher un coup de fusil, auquel des rugissements plus violents répondirent. Ses camarades et lui, le revolver tendu, se tenaient prêts à faire feu, si les fauves se précipitaient sur le campement.

Baxter, saisissant alors un brandon enflammé, le lança vigoureusement du côté où avaient apparu ces yeux brillants comme des braises.

Un instant après, les fauves, dont l'un avait dû être

atteint par Doniphan, avaient quitté la place et s'étaient perdus dans les profondeurs de Traps-woods.

« Ils ont déguerpi ! s'écria Cross.

— Bon voyage ! ajouta Service.

— Ne peuvent-ils revenir ?... demanda Cross.

— Ce n'est pas probable, répondit Gordon, mais veillons jusqu'au jour. »

On remit du bois dans le foyer, dont la vive lueur fut entretenue jusqu'aux premiers rayons de l'aube. Le campement fut levé, et les jeunes garçons s'enfoncèrent dans la futaie pour voir si l'un de ces animaux n'avait pas été abattu par le coup de feu.

A vingt pas de là, le sol était imprégné d'une large tache de sang. L'animal avait pu fuir, mais il eût été facile de le retrouver en lançant Phann sur ses traces, si Gordon n'eût point jugé inutile de s'aventurer plus profondément à travers la forêt.

La question de savoir si on avait eu affaire à des jaguars ou à des couguars, ou même à d'autres carnassiers non moins dangereux, ne put être éclaircie. En tout cas, l'important était que Gordon et ses camarades s'en fussent tirés sains et saufs.

On repartit dès six heures du matin. Il n'y avait pas de temps à perdre, si l'on voulait enlever dans la journée les neuf milles qui séparaient Dike-creek de French-den.

Service et Webb, s'étant chargés des deux jeunes vigognes, la mère ne se fit pas prier pour suivre Baxter qui la tenait en laisse.

Route peu variée, que celle qui longeait Auckland-hill. A gauche, s'étendait un rideau d'arbres, tantôt disposés en massifs presque impénétrables, tantôt groupés sur les bords des clairières. A droite se dressait une muraille à pic, zébrée de couches de galets enchâssés dans le

L'animal aurait entraîné Baxter. (Page 262.)

calcaire, et dont la hauteur s'accroissait à mesure qu'elle obliquait vers le sud.

A onze heures, première halte pour déjeuner, et, cette fois, afin de ne pas perdre de temps, on prit sur la réserve des sacs, et l'on se remit en route.

Le cheminement était rapide ; il semblait que rien ne viendrait le retarder, lorsque, vers trois heures après midi, un autre coup de fusil éclata sous les arbres.

Doniphan, Webb et Cross, accompagnés de Phann, se trouvaient alors à une centaine de pas en avant, et leurs camarades ne pouvaient plus les apercevoir, lorsque ces cris se firent entendre :

« A vous... A vous ! »

Ces cris avaient-ils pour but d'avertir Gordon, Wilcox, Baxter et Service de se tenir sur leurs gardes ?

Brusquement, à travers le fourré, apparut un animal de grande taille. Baxter, qui venait de développer son lazo, le lança, après l'avoir balancé au-dessus de sa tête.

Cela fut fait si à propos que le nœud coulant de la longue lanière vint s'enrouler au cou de l'animal, qui essaya vainement de s'en dégager. Mais, comme il était vigoureux, il aurait entraîné Baxter, si Gordon, Wilcox et Service n'eussent saisi l'extrémité du lazo qu'ils parvinrent à tourner autour d'un tronc d'arbre.

Presque aussitôt, Webb et Cross sortaient du bois, suivis de Doniphan, qui s'écria d'un ton de mauvaise humeur :

« Maudite bête !... Comment ai-je pu la manquer !

— Baxter ne l'a pas manquée lui, répondit Service, et nous l'avons vivante et bien vivante !

— Qu'importe, puisqu'il faudra toujours tuer cet animal ! répliqua Doniphan.

— Le tuer, reprit Gordon, le tuer, quand il vient si à point pour nous servir de bête de trait !

— Lui ! s'écria Service...

— C'est un guanaque, répondit Gordon, et les guanaques font très bonne figure dans les haras de l'Amérique
du Sud ! »

Au fond, si utile que dût être ce guanaque, Doniphan
regretta certainement de ne point l'avoir abattu. Mais
il se garda d'en rien dire, et vint examiner ce bel échan-
tillon de la faune chairmanienne.

Bien qu'en histoire naturelle, le guanaque soit classé
dans la famille des chameaux, il ne ressemble point
à l'animal de ce nom, si répandu dans l'Afrique septentrionale. Celui-ci, avec son cou effilé, sa tête fine, ses
jambes longues et un peu grêles, — ce qui dénotait une
bête très agile — sa robe fauve, tachetée de blanc, n'eût
pas été inférieur aux plus beaux chevaux de race
américaine. A coup sûr, il pourrait être employé à des
courses rapides, si l'on parvenait à l'apprivoiser d'abord,
à le dompter ensuite, et, paraît-il, c'est ce qui se fait
aisément dans les haciendas des pampas argentines.

Du reste, cet animal est assez timide, et celui-ci n'essaya
même pas de se débattre. Dès que Baxter eut desserré
le nœud coulant qui l'étranglait, il fut facile de le conduire par le lazo comme avec une longe.

Décidément, cette excursion au nord du Family-lake
allait être profitable à la colonie. Le guanaque, la vigogne
et ses deux petits, la découverte de l'arbre à thé, des trulcas, de l'algarrobe, cela méritait que l'on fît bon accueil
à Gordon et surtout à Baxter, qui, n'ayant rien de la
vanité de Doniphan, ne cherchait point à s'enorgueillir
de ses succès.

En tout cas, Gordon fut très heureux de voir que les
bolas et le lazo devaient rendre de réels services. Certainement, Doniphan était un adroit tireur, sur lequel
on devait compter, à l'occasion ; mais son adresse coûtait

toujours quelque charge de poudre et de plomb. Aussi, Gordon se proposait-il d'encourager ses camarades à se servir de ces engins de chasse, que les Indiens savent mettre en usage si avantageusement.

D'après la carte, il y avait encore quatre milles à franchir pour atteindre French-den, et on se hâta, afin d'y arriver avant la nuit.

Certes, ce n'était pas l'envie qui manquait à Service d'enfourcher le guanaque et de faire son entrée sur ce « magnifique coursier ». Mais Gordon ne voulut point le permettre. Mieux valait attendre que l'animal eût été dressé à servir de monture.

« Je pense qu'il ne regimbera pas trop, dit-il. Dans le cas peu probable où il ne voudrait pas se laisser monter, il faudra du moins qu'il consente à traîner notre chariot ! Donc, patience, Service, et n'oublie pas la leçon que tu as reçue de l'autruche ! »

Vers six heures, on arrivait en vue de French-den.

Le petit Costar, qui jouait sur Sport-terrace, signala l'approche de Gordon. Aussitôt, Briant et les autres s'empressèrent d'accourir, et de joyeux hurrahs accueillirent le retour des explorateurs, après ces quelques jours d'absence.

XVI

BRIANT INQUIET DE JACQUES. — CONSTRUCTION DE L'ENCLOS ET DE
LA BASSE-COUR. — SUCRE D'ÉRABLE. — DESTRUCTION DES RENARDS. —
NOUVELLE EXPÉDITION A SLOUGHI-BAY. — LE CHARIOT ATTELÉ. —
MASSACRE DES PHOQUES. — LES FÊTES DE NOEL. — HURRAH POUR
BRIANT.

Tout s'était bien passé à French-den pendant l'absence
de Gordon. Le chef de la petite colonie n'avait qu'à se
louer de Briant, auquel les petits témoignaient une très
sincère affection. N'eût été son caractère hautain et
jaloux, Doniphan, lui aussi, aurait apprécié — à leur
juste valeur — les qualités de son camarade ; mais cela
n'était pas, et grâce à l'ascendant qu'il avait pris sur
Wilcox, Webb et Cross, ceux-ci le soutenaient volontiers,
lorsqu'il s'agissait de faire opposition au jeune Français,
si différent par l'allure et le caractère de ses compagnons
d'origine anglo-saxonne.

Briant n'y prenait garde, du reste. Il faisait ce qu'il
considérait comme son devoir, sans jamais se préoccuper
de ce que l'on pensait de lui. Son plus gros souci, c'était
l'inexplicable attitude de son frère.

Dernièrement, Briant avait encore pressé Jacques de
questions, sans obtenir d'autre réponse que celle-ci :

« Non... frère... non !... Je n'ai rien ! »

— Tu ne veux pas parler, Jacques ? lui avait-il dit.
Tu as tort !... Ce serait un soulagement pour toi comme
pour moi !... J'observe que tu deviens de plus en plus
triste, plus sombre !... Voyons !... Je suis ton aîné !...
J'ai le droit de savoir la cause de ton chagrin !... Qu'as-tu
à te reprocher ?...

— Frère !... avait enfin répondu Jacques, comme s'il n'eût pu résister à quelque secret remords, ce que j'ai fait ?... Toi, peut-être... tu me pardonnerais... tandis que les autres...

— Les autres ?... Les autres ?... s'était écrié Briant. Que veux-tu dire, Jacques ? »

Des larmes avaient jailli des yeux de l'enfant ; mais, malgré l'insistance de son frère, il n'avait plus ajouté que ceci :

« Plus tard tu sauras... plus tard !... »

Après cette réponse, on comprend ce que devait être l'inquiétude de Briant. Qu'y avait-il de si grave dans le passé de Jacques ? C'est là ce qu'il voulait à tout prix savoir. Aussitôt que Gordon fut de retour, Briant lui parla donc de ces demi-aveux arrachés à son frère, le priant même d'intervenir à ce sujet.

« A quoi bon, lui répondit sagement Gordon. Mieux vaut laisser Jacques agir de son propre mouvement ! Quant à ce qu'il a fait... sans doute quelque peccadille dont il s'exagère l'importance !... Attendons qu'il s'explique de lui-même ! »

Dès le lendemain — 9 novembre —, les jeunes colons s'étaient remis à la besogne. L'ouvrage ne manquait pas. Et d'abord, il y eut lieu de faire droit aux réclamations de Moko, dont l'office commençait à se vider, bien que les collets, tendus aux abords de French-den, eussent fonctionné à différentes reprises. En réalité, c'était le gros gibier qui faisait défaut. Dès lors, nécessité d'aviser à construire des pièges assez solides pour que les vigognes, les pécaris, les guaçulis, pussent s'y prendre, sans coûter un grain de plomb ni un grain de poudre.

Ce fut à des travaux de ce genre que les grands consacrèrent tout ce mois de novembre — le mois de mai des latitudes de l'hémisphère septentrional.

Un véritable chantier s'organisa. (Page 268.)

Sitôt leur arrivée, le guanaque, la vigogne et ses deux petits avaient été provisoirement installés sous les arbres les plus rapprochés de French-den. Là, de longues cordes leur permettaient de se mouvoir dans un certain rayon. Cela suffirait pendant la période des longs jours ; mais, avant que l'hiver fût venu, l'établissement d'un abri plus convenable s'imposait. En conséquence, Gordon décida qu'un hangar et un enclos, protégés par de hautes palissades, seraient immédiatement disposés au pied d'Auckland-hill, du côté du lac, un peu au-delà de la porte du hall.

On se mit au travail, et un véritable chantier s'organisa sous la direction de Baxter. C'était plaisir de voir ces zélés garçons manier plus ou moins adroitement les outils qu'ils avaient trouvés dans le coffre de menuiserie du schooner, les uns la scie, les autres la hache ou l'herminette. S'ils gâtaient parfois l'ouvrage, ils ne se rebutaient pas. Des arbres de moyenne grosseur, coupés à la racine et bien ébranchés, fournirent le nombre de pieux nécessaires à la clôture d'un espace assez grand pour qu'une douzaine d'animaux pussent y vivre à l'aise. Ces troncs, solidement enfoncés dans le sol, reliés entre eux par des traverses, étaient capables de résister à toutes les tentatives des bêtes malfaisantes qui essayeraient de les renverser ou de les franchir. Quant au hangar, il fut construit avec les bordages du *Sloughi* — ce qui évita aux jeunes charpentiers la peine de débiter les arbres en planches, travail bien difficile dans ces conditions. Puis, son toit fut recouvert d'un épais prélart goudronné, afin qu'il n'eût rien à craindre des rafales. Une bonne et épaisse litière qui serait fréquemment renouvelée, une fraîche nourriture d'herbe, de mousse et de feuillage dont on ferait ample provision, il n'en fallait pas davantage pour que les

Malgré le bon vouloir de Service... (Page 270.)

animaux domestiques fussent maintenus en bon état. Garnett et Service, plus particulièrement chargés de l'entretien de l'enclos, se trouvèrent bientôt récompensés de leurs soins, en voyant le guanaque et la vigogne s'apprivoiser de jour en jour.

Au surplus, l'enclos ne tarda pas à recevoir de nouveaux hôtes. Ce fut d'abord un second guanaque, qui s'était laissé choir dans l'une des trappes de la forêt, ensuite un couple de vigognes, mâle et femelle, dont Baxter s'empara avec l'aide de Wilcox qui, lui aussi, commençait à manier assez adroitement les bolas. Il y eut même un nandû que Phann força à la course. Mais on vit bien qu'il en serait de celui-là comme du premier. Malgré le bon vouloir de Service, qui s'y entêta encore, on n'en put rien faire.

Il va sans dire que jusqu'au moment où le hangar fut achevé, le guanaque et la vigogne avaient été rentrés chaque soir dans Store-room. Cris de chacals, glapissements de renards, rugissements de fauves, éclataient trop près de French-den pour qu'il fût prudent de laisser ces bêtes au-dehors.

Cependant, tandis que Garnett et Service s'occupaient plus spécialement de l'entretien des animaux, Wilcox et quelques-uns de ses camarades ne cessaient de préparer pièges et collets qu'ils allaient quotidiennement visiter. En outre, il y eut encore de la besogne pour deux des petits, Iverson et Jenkins. En effet, les outardes, les poules faisanes, les pintades, les tinamous, nécessitèrent l'aménagement d'une basse-cour que Gordon fit disposer dans un coin de l'enclos, et c'est à ces enfants qu'échut la tâche d'en prendre soin — ce qu'ils firent avec beaucoup de zèle.

On le voit, Moko avait maintenant à sa disposition non seulement le lait des vigognes mais aussi les œufs de la gent emplumée. Et certainement, il eût maintes fois confectionné quelque entremets de sa façon, si Gordon ne lui eût recommandé d'économiser le sucre. Ce n'était que les dimanches et certains jours de fête que l'on voyait apparaître sur la table un plat extraordinaire, dont Dole et Costar se régalaient à pleine bouche.

Pourtant, s'il était impossible de fabriquer du sucre, ne pouvait-on trouver une matière propre à le remplacer ? Service — ses *Robinsons* à la main — soutenait qu'il n'y avait qu'à chercher. Gordon chercha donc, et il finit par découvrir, au milieu des fourrés de Trapswoods, un groupe d'arbres qui, trois mois plus tard, aux premiers jours de l'automne, allaient se couvrir d'un feuillage pourpre du plus bel effet.

« Ce sont des érables, dit-il, des arbres à sucre !

— Des arbres en sucre ! s'écria Costar.

— Non, gourmand ! répondit Gordon. J'ai dit : à sucre ! Ainsi, rentre ta langue ! »

C'était là l'une des plus importantes découvertes que les jeunes colons eussent faites depuis leur installation à French-den. En pratiquant une incision dans le tronc de ces érables, Gordon obtint un liquide, produit par la condensation, et cette sève, en se solidifiant, donna une matière sucrée. Quoique inférieure en qualités saccharifères aux sucs de la canne et de la betterave, cette substance n'en était pas moins précieuse pour les besoins de l'office, et meilleure, en tout cas, que les produits similaires que l'on tire du bouleau à l'époque du printemps.

Si l'on avait le sucre, on ne tarda pas à avoir la liqueur. Sur les conseils de Gordon, Moko essaya de traiter par la fermentation les graines de trulca et d'algarobe. Après avoir été préalablement écrasées dans une cuve

au moyen d'un lourd pilon de bois, ces graines fournirent un liquide alcoolique dont la saveur eût suffi à
édulcorer les boissons chaudes, à défaut du sucre d'érable. Quant aux feuilles cueillies sur l'arbre à thé, on
reconnut qu'elles valaient presque l'odorante plante
chinoise. Aussi, pendant leurs excursions dans la forêt,
les explorateurs ne manquèrent-ils jamais d'en faire
une abondante récolte.

Bref, l'île Chairman procurait à ses habitants, sinon
le superflu, du moins le nécessaire. Ce qui faisait défaut
— il y avait lieu de le regretter —, c'étaient les légumes
frais. On dut se contenter des légumes de conserves,
dont il y avait une centaine de boîtes que Gordon ména-
geait le plus possible. Briant avait bien essayé de cultiver
ces ignames revenus à l'état sauvage, et dont le naufragé
français avait semé quelques plants au pied de la falaise.
Vaine tentative. Par bonheur, le céleri — on ne l'a point
oublié — poussait abondamment sur les bords du
Family-lake, et, comme il n'y avait pas lieu de l'économiser, il remplaçait les légumes frais, non sans avantage.

Il va de soi que les fleurons, tendus pendant l'hiver
sur la rive gauche du rio, avaient été transformés en
filets de chasse au retour de la belle saison. On y prit,
entre autres volatiles, des perdrix de petite taille, et
de ces bernicles qui venaient sans doute des terres
situées au large de l'île.

Doniphan, de son côté, aurait bien voulu explorer
la vaste région des South-moors, de l'autre côté du rio
Zealand. Mais il eût été dangereux de se hasarder à
travers ces marais que recouvraient en grande partie
les eaux du lac, mêlées aux eaux de la mer à l'époque
des crues.

Wilcox et Webb capturèrent également un certain
nombre d'agoutis, gros comme des lièvres, dont la

chair blanchâtre, un peu sèche, tient le milieu entre celle du lapin et celle du porc. Certes, il eût été difficile de forcer ces rapides rongeurs à la course — même avec l'aide de Phann. Toutefois, lorsqu'ils se trouvaient au gîte, il suffisait de siffler légèrement pour les attirer à l'orifice et s'en emparer. A différentes reprises encore, les jeunes chasseurs rapportèrent des mouffettes, des gloutons-grisons, des zorillos, à peu près semblables aux martres avec leur belle fourrure noire à raies blanches, mais qui répandaient des émanations fétides.

« Comment peuvent-elles supporter une pareille odeur ? demanda un jour Iverson.

— Bon !... Affaire d'habitude ! » répondit Service.

Si le rio fournissait son contingent de galaxias, Family-lake, peuplé d'espèces plus grandes, donnait, entre autres, de belles truites qui, malgré la cuisson, conservaient un goût un peu saumâtre. On avait toujours, il est vrai, la ressource d'aller pêcher, entre les algues et les fucus de Sloughi-bay, ces sortes de merluches qui s'y réfugiaient par myriades. Et puis, lorsque le moment serait venu où les saumons essayeraient de remonter le cour du rio Zealand, Moko verrait à s'approvisionner de ces poissons, qui, conservés dans le sel, assureraient une excellente nourriture pour la saison d'hiver.

Ce fut à cette époque, sur la demande de Gordon, que Baxter s'occupa de fabriquer des arcs avec d'élastiques branches de frênes, et des flèches de roseaux, armées d'un clou à leur pointe, ce qui permit à Wilcox et Cross — les plus adroits après Doniphan —, d'abattre, de temps à autre, quelque menu gibier.

Cependant, si Gordon se montrait toujours opposé à la dépense de munitions, il survint une circonstance dans laquelle il dut se départir de sa parcimonie habituelle.

Un jour — c'était le 7 décembre —, Doniphan, l'ayant pris à l'écart, lui dit :

« Gordon, nous sommes infestés par les chacals et les renards ! Ils viennent en bandes pendant la nuit et détruisent nos collets en même temps que le gibier qui s'y est laissé prendre !... Il faut en finir, une bonne fois !

— Ne peut-on établir des pièges ? fit observer Gordon, voyant bien où son camarade voulait en venir.

— Des pièges ?... répondit Doniphan, qui n'avait rien perdu de son dédain pour ces vulgaires engins de chasse. Des pièges !... Passe encore, s'il s'agissait de chacals, qui sont assez stupides pour s'y attraper quelquefois. Quant aux renards, c'est autre chose ! Ces bêtes-là sont trop futées et se défient, malgré toutes les précautions que prend Wilcox ! Une nuit ou l'autre, notre enclos sera dévasté, et il ne restera plus rien des volatiles de la basse-cour !...

— Eh bien, puisque cela est nécessaire, répondit Gordon, j'accorde quelques douzaines de cartouches. Surtout, tâchez de ne tirer qu'à coup sûr !...

— Bon !... Gordon, tu peux y compter ! La nuit prochaine, nous nous embusquerons sur la passée de ces animaux, et nous en ferons un tel massacre qu'on n'en verra plus de longtemps ! »

Cette destruction était urgente. Les renards de ces régions, ceux de l'Amérique du Sud particulièrement, sont, paraît-il, encore plus rusés que leurs congénères d'Europe. En effet, aux environs des haciendas, ils font d'incessants ravages, ayant assez d'intelligence pour couper les lanières de cuir qui retiennent les chevaux ou les bestiaux sur les pâturages.

La nuit venue, Doniphan, Briant, Wilcox, Baxter, Webb, Cross, Service, allèrent se poster aux abords d'un « covert » — nom que l'on donne, dans le Royaume-Uni,

Les chasseurs attendirent que les renards fussent réunis.
(Page 276.)

à de larges espaces de terrain semés de buissons et de broussailles. Ce covert était situé près de Traps-woods, du côté du lac.

Phann n'avait point été invité à se joindre aux chasseurs. Il les eût plutôt gênés en donnant l'éveil aux renards. Il n'était pas question, d'ailleurs, de rechercher une piste. Même quand il est échauffé par la course, le renard ne laisse rien de son fumet après lui, ou, du moins, les émanations en sont si légères que les meilleurs chiens ne peuvent les reconnaître.

Il était onze heures, lorsque Doniphan et ses camarades se mirent à l'affût entre les touffes de bruyère sauvage qui bordaient le covert.

La nuit était très sombre.

Un profond silence, que ne troublait même pas le plus léger souffle de brise, permettrait d'entendre le glissement des renards sur les herbes sèches.

Un peu après minuit, Doniphan signala l'approche d'une bande de ces animaux qui traversaient le covert pour venir se désaltérer dans le lac.

Les chasseurs attendirent, non sans impatience, qu'ils fussent réunis au nombre d'une vingtaine — ce qui prit un certain temps, car ils ne s'avançaient qu'avec circonspection, comme s'ils eussent pressenti quelque embûche. Soudain, au signal de Doniphan, plusieurs coups de feu retentirent. Tous portèrent. Cinq ou six renards roulèrent sur le sol, tandis que les autres, affolés, s'élançant à droite, à gauche, furent pour la plupart frappés mortellement.

A l'aube, on trouva une dizaine de ces animaux, étendus entre les herbes du covert. Et, comme ce massacre recommença pendant trois nuits consécutives, la petite colonie fut bientôt délivrée de ces visites dangereuses qui mettaient en péril les hôtes de l'enclos. De plus, cela lui valut une cinquantaine de belles peaux d'un gris argenté, qui, soit à l'état de tapis, soit à l'état de vêtements, ajoutèrent au confort de French-den.

Le 15 décembre, grande expédition à Sloughi-bay. Le temps étant très beau, Gordon décida que tout le monde y prendrait part — ce que les plus jeunes accueillirent avec grandes démonstrations de joie.

Très probablement, en partant dès le point du jour, le retour pourrait s'effectuer avant la nuit. S'il survenait quelque retard, on en serait quitte pour camper sous les arbres.

Cette expédition avait pour principal objectif une chasse aux phoques qui fréquentaient le littoral de Wreck-coast à l'époque des froids. En effet, le luminaire, largement entamé pendant les soirées et les nuits de ce long hiver, était sur le point de manquer. De la provision de chandelles, fabriquées par le naufragé français, il ne restait plus que deux ou trois douzaines. Quant à l'huile, contenue dans les barils du *Sloughi*, et qui servait à l'alimentation des fanaux du hall, la plus grande partie en avait été dépensée, et cela préoccupait sérieusement le prévoyant Gordon.

Sans doute, Moko avait pu mettre en réserve une notable quantité de ces graisses que lui fournissait le gibier, ruminants, rongeurs ou volatiles ; mais il n'était que trop certain qu'elles s'épuiseraient rapidement par la consommation quotidienne. Or, n'était-il pas possible de les remplacer par une substance que la nature fournirait toute préparée ou à peu près ? A défaut d'huile végétale, la petite colonie ne pourrait-elle s'assurer un stock, pour ainsi dire infini, d'huiles animales ?

Oui, évidemment, si les chasseurs parvenaient à tuer un certain nombre de ces phoques, de ces otaries à fourrures, qui venaient s'ébattre sur le banc de récifs de Sloughi-bay pendant la saison chaude. Il fallait même se hâter, car ces amphibies ne tarderaient pas à rechercher des eaux plus méridionales sur les parages de l'océan Antarctique.

Ainsi, l'expédition projetée avait une grande importance, et les préparatifs furent faits de telle sorte qu'elle pût donner de bons résultats.

Depuis quelque temps, Service et Garnett s'étaient appliqués, et avec succès, à dresser les deux guanaques comme bêtes de trait. Baxter leur avait fabriqué un licol d'herbes, engainées dans de la grosse toile à voile, et, si l'on ne les montait pas encore, du moins était-il possible de les atteler au chariot. Cela était préférable que de s'y atteler soi-même.

Ce jour-là, le chariot fut donc chargé de munitions, de provisions et de divers ustensiles, entre autres, une large bassine et une demi-douzaine de barils vides, qui reviendraient remplis d'huile de phoque. En effet, mieux valait dépecer ces animaux sur place que de les rapporter à French-den, où l'air eût été empesté d'odeurs malsaines.

Le départ s'effectua au lever du soleil, et le cheminement se fit sans difficulté pendant les deux premières heures. Si le chariot n'alla pas très vite, c'est que le sol inégal de la rive droite du rio Zealand ne se prêtait que très imparfaitement à la traction des guanaques. Mais, où cela devint assez difficile, ce fut lorsque la petite troupe contourna la fondrière de Bog-woods, entre les arbres de la forêt. Les petites jambes de Dole et de Costar s'en ressentirent. Aussi Gordon, à la demande de Briant, dut-il les autoriser à prendre place sur le chariot, afin de se reposer tout en faisant la route.

Vers huit heures, tandis que l'attelage longeait péniblement les limites de la fondrière, les cris de Cross et

de Webb, qui marchaient un peu en avant, firent accourir
Doniphan d'abord, puis les autres à sa suite.

Au milieu des vases de Bog-woods, à la distance d'une
centaine de pas, se vautrait un énorme animal que le
jeune chasseur reconnut aussitôt. C'était un hippopotame, gras et rose, lequel — heureusement pour lui —
disparut sous les épais fouillis du marécage, avant qu'il
eût été possible de le tirer. A quoi bon, d'ailleurs, un
coup de fusil si inutile !

« Qu'est-ce que c'est, cette grosse bête-là ? demanda
Dole, assez inquiet rien que pour l'avoir entrevue.

— C'est un hippopotame, lui répondit Gordon.

— Un hippopotame, !... Quel drôle de nom !

— C'est comme qui dirait un cheval de fleuve,
répondit Briant.

— Mais ça ne ressemble pas à un cheval ! fit très à
propos observer Costar.

— Non ! s'écria Service, et m'est avis qu'on eût mieux
fait de l'appeler : cochonpotame ! »

Réflexion qui ne manquait pas de justesse et provoqua
le joyeux rire des petits.

Il était un peu plus de dix heures du matin, lorsque
Gordon déboucha sur la grève de Sloughi-bay. Halte
fut faite près de la rive du rio, à l'endroit où avait été
établi le premier campement pendant la démolition du
yacht.

Une centaine de phoques étaient là, gambadant entre
les roches ou se chauffant au soleil. Il y en avait même
qui prenaient leurs ébats sur le sable, en deçà du cordon
de récifs.

Ces amphibies devaient être peu familiarisés avec la
présence de l'homme. Peut-être, après tout, n'avaient-ils
jamais vu d'être humain, puisque la mort du naufragé
français remontait à plus de vingt ans déjà. C'est pour-

quoi, bien que ce soit une mesure de prudence habituelle
à ceux que l'on pourchasse dans les parages arctiques ou
antarctiques, les plus vieux de la bande ne s'étaient point
mis en sentinelle afin de veiller au danger. Pourtant,
il fallait bien se garder de les effrayer prématurément,
car, en quelques instants, ils eussent quitté la place.

Et d'abord, dès qu'ils étaient arrivés en face de
Sloughi-bay, les jeunes colons avaient porté leurs regards
vers cet horizon, si largement découpé entre American-
cape et False-sea-point.

La mer était absolument déserte. Il y avait lieu de le
reconnaître une fois de plus, ces parages semblaient
être situés en dehors des routes maritimes.

Il pouvait se faire, cependant, qu'un navire passât
en vue de l'île. Dans ce cas, un poste d'observation,
établi sur la crête d'Auckland-hill ou même au sommet
du morne de False-sea-point — dans lequel l'un des
canons du schooner eût été hissé — aurait mieux valu
que le mât de signaux pour attirer l'attention. Mais,
c'eût été s'astreindre à rester de garde jour et nuit
dans ce poste, et, par conséquent, loin de French-den.
Gordon regardait donc cette mesure comme impraticable. Briant lui-même, que la question de rapatriement
préoccupait toujours, dut en convenir. Ce qu'il y avait
de regrettable, c'était que French-den ne fût pas situé
de ce côté d'Auckland-hill, en regard de Sloughi-bay.

Après un rapide déjeuner, au moment où le soleil
de midi invitait les phoques à se chauffer sur la grève,
Gordon, Briant, Doniphan, Cross, Baxter, Webb,
Wilcox, Garnett et Service se préparèrent à leur donner
la chasse. Pendant cette opération, Iverson, Jenkins,
Jacques, Dole et Costar devaient rester au campement
sous la garde de Moko — en même temps que Phann,
qu'il importait de ne pas lâcher au milieu du troupeau

Ce plan fut exécuté avec beaucoup de prudence. (Page 282.)

d'amphibies. Ils auraient, d'ailleurs, à veiller sur les deux guanaques, qui se mirent à paître sous les premiers arbres de la forêt.

Toutes les armes à feu de la colonie, fusils et revolvers, avaient été emportées avec des munitions en quantité suffisante, que Gordon n'avait point marchandées, cette fois, car il s'agissait de l'intérêt général.

Couper la retraite aux phoques du côté de la mer, c'est à cela qu'il convenait d'aviser tout d'abord. Doniphan, auquel ses camarades laissèrent volontiers le soin de diriger la manœuvre, les engagea à redescendre le rio jusqu'à son embouchure, en se dissimulant à l'abri de la berge. Puis, cela fait, il serait aisé de filer le long des récifs, de manière à cerner la plage.

Ce plan fut exécuté avec beaucoup de prudence. Les jeunes chasseurs, espacés de trente à quarante pas l'un de l'autre, eurent bientôt formé un demi-cercle entre la grève et la mer.

Alors, à un signal qui fut donné par Doniphan, tous se levèrent à la fois, les détonations éclatèrent simultanément, et chaque coup de feu fit une victime.

Ceux des phoques, qui n'avaient pas été atteints, se redressèrent, agitant leur queue et leurs nageoires. Effrayés surtout par le bruit des détonations, ils se précipitèrent, en bondissant, vers les récifs.

On les poursuivit à coups de revolver. Doniphan, tout entier à ses instincts, faisait merveille, tandis que ses camarades l'imitaient de leur mieux.

Ce massacre ne dura que quelques minutes, bien que les amphibies eussent été traqués jusqu'à l'accore des dernières roches. Au-delà, les survivants disparurent, abandonnant une vingtaine de tués ou de blessés sur la grève.

L'expédition avait pleinement réussi, et les chasseurs,

revenus au campement, s'installèrent sous les arbres, de manière à pouvoir y passer trente-six heures.

L'après-midi fut occupé par un travail qui ne laissait pas d'être fort répugnant. Gordon y prit part en personne, et, comme c'était là une besogne indispensable, tous s'y employèrent résolument. Il fallut d'abord ramener sur le sable les phoques qui étaient tombés entre les récifs. Bien que ces animaux ne fussent que de moyenne taille, cela donna quelque peine.

Pendant ce temps, Moko avait disposé la bassine au-dessus d'un foyer, établi entre deux grosses pierres. Les quartiers de phoques, dépecés en morceaux de cinq à six livres chacun, furent déposés dans cette bassine qui avait été préalablement remplie d'eau douce, puisée au rio à l'heure de la mer basse. Quelques instants suffirent pour que l'ébullition en dégage une huile claire, qui surnagea à la surface, et dont les tonneaux furent successivement remplis.

Ce travail rendait la place véritablement intenable par l'infection qu'il répandait. Chacun se bouchait le nez, mais non les oreilles — ce qui permettait d'entendre les plaisanteries que provoquait cette opération désagréable. Le délicat « lord Doniphan » lui-même ne bouda pas devant la besogne, qui fut reprise le lendemain.

A la fin de cette seconde journée, Moko avait recueilli ainsi plusieurs centaines de gallons d'huile. Il parut suffisant de s'en tenir là, puisque l'éclairage de French-den se trouvait assuré pour toute la durée du prochain hiver. D'ailleurs, les phoques n'étaient point revenus sur les récifs ni sur la grève, et, certainement, ils ne fréquenteraient plus le littoral de Sloughi-bay, avant que le temps n'eût calmé leur frayeur.

Le lendemain matin, le campement fut levé dès l'aube — à la satisfaction générale, on peut l'affirmer. La veille au soir, le chariot avait été chargé des barils, outils et ustensiles. Comme il devait être plus lourd au retour qu'à l'aller, les guanaques ne pourraient pas le traîner très vite, car le sol montait sensiblement dans la direction du Family-lake.

Au moment du départ, l'air était rempli des cris assourdissants de mille oiseaux de proie, busards ou faucons, qui, venus de l'intérieur de l'île, s'acharnaient sur les débris des phoques, dont il ne resterait bientôt plus trace.

Après un dernier salut envoyé au drapeau du Royaume-Uni, qui flottait sur la crête d'Auckland-hill, après un dernier coup d'œil jeté vers l'horizon du Pacifique, la petite troupe se mit en marche en remontant la rive droite du Zealand.

Le retour ne fut marqué par aucun incident. Malgré les difficultés de la route, les guanaques firent si bien leur office, les grands les aidèrent si à propos dans les passages difficiles, que tous étaient rentrés à French-den avant six heures du soir.

Le lendemain et jours suivants furent consacrés aux travaux habituels. On fit l'essai de l'huile de phoque dans les lampes des fanaux, et il fut constaté que la lumière qu'elle donna, quoique de qualité assez médiocre, suffirait à l'éclairage du hall et de Store-room. Donc, plus à craindre d'être plongé dans l'obscurité durant les longs mois d'hiver.

Cependant, le Christmas, si joyeusement fêté chez les Anglo-Saxons, le jour de Noël, approchait. Gordon voulut, non sans raison, qu'il fût célébré avec une certaine solennité. Ce serait comme un souvenir adressé au pays perdu, comme un envoi du cœur vers des familles absentes ! Ah ! si tous ces enfants avaient pu se faire entendre, comme ils auraient crié : « Nous sommes là...

tous ! vivants, bien vivants... Vous nous reverrez !...
Dieu nous ramènera vers vous ! » Oui !... Eux pouvaient
encore garder un espoir que leurs parents n'avaient
plus là-bas, à Auckland — l'espoir de les revoir un jour !

Gordon annonça donc que, les 25 et 26 décembre,
il y aurait congé à French-den. Les travaux seraient
suspendus pendant ces deux jours. Ce premier Christmas serait, sur l'île Chairman, ce qu'est en divers pays
de l'Europe, le premier jour de l'année.

Quel accueil fut fait à cette proposition, on l'imagine
aisément ! Il allait de soi que, le 25 décembre, il y aurait
un festin d'apparat, pour lequel Moko promettait des
merveilles. Aussi, Service et lui ne cessaient-ils de
conférer mystérieusement à ce sujet, tandis que Dole
et Costar, alléchés par avance, cherchaient à surprendre
le secret de leurs délibérations. L'office, d'ailleurs, était
assez bien garni pour fournir les éléments d'un repas
solennel.

Le grand jour arriva. Au-dessus de la porte du hall,
à l'extérieur, Baxter et Wilcox avaient artistement disposé la série des flammes, guidons et pavillons du
Sloughi, ce qui donnait un air de fête à French-den.

Dès le matin, un coup de canon réveilla bruyamment
les joyeux échos d'Auckland-hill. C'était une des deux
pièces, braquée à travers l'embrasure du hall, que
Doniphan venait de faire retentir en l'honneur du
Christmas.

Aussitôt les petits vinrent offrir aux grands leurs
souhaits de nouvel an, qui leur furent paternellement
rendus. Il y eut même à l'adresse du chef de l'île Chairman un compliment que récita Costar et dont il ne se
tira pas trop mal.

Chacun avait revêtu ses plus beaux habits pour la
circonstance. Le temps était magnifique, il y eut, avant

Moko s'était surpassé... (Page 287.)

et après déjeuner, promenade le long du lac, jeux divers sur Sport-terrace, auxquels tous voulurent prendre part. On avait emporté à bord du yacht tous les engins spéciaux si en usage en Angleterre : c'étaient des boules, des balles, des masses, des raquettes, — pour le « golf », qui consiste à envoyer des balles en caoutchouc dans différents trous creusés à longue distance, — pour le « foot-ball », dont le ballon de cuir se lance avec le pied, — pour les « bowls », billes de bois qui se jettent à la main et dont il faut adroitement corriger la déviation due à leur forme ovale, — et enfin pour les « fives », qui rappellent le jeu de la balle au mur.

La journée fut bien remplie. Les petits, surtout, s'en donnèrent à pleine joie. Tout se passa bien. Il n'y eut ni discussions, ni querelles. Il est vrai, Briant s'était plus particulièrement chargé d'amuser Dole, Costar, Iverson et Jenkins — sans avoir pu obtenir que son frère Jacques se joignît à eux — tandis que Doniphan et ses compagnons habituels, Webb, Cross et Wilcox, faisaient bande à part, malgré les observations du sage Gordon. Enfin, lorsque l'heure du dîner fut annoncée par une nouvelle décharge d'artillerie, les jeunes convives vinrent allégrement prendre place au festin, servi dans le réfectoire de Store-room.

Sur la grande table, recouverte d'une belle nappe blanche, un arbre de Noël, planté dans un large pot, entouré de verdure et de fleurs, occupait la place centrale. A ses branches étaient suspendus de petits drapeaux aux couleurs réunies de l'Angleterre, de l'Amérique et de la France.

Vraiment, Moko s'était surpassé pour la confection de son menu, et se montra très fier des compliments qui lui furent adressés, ainsi qu'à Service, son aimable collaborateur. Un agouti en daube, un salmis de tina-

mous, un lièvre rôti, truffé d'herbes aromatiques, une
outarde, ailes relevées, bec en l'air, comme un faisan
en belle vue, trois boîtes de légumes conservés, un
pudding — et quel pudding ! — disposé en forme de
pyramide, avec ses raisins de Corinthe traditionnels
mélangés de fruits d'algarrobe, et qui, depuis plus
d'une semaine, trempait dans un bain de brandy ; puis,
quelques verres de claret, de sherry, des liqueurs, du
thé, du café au dessert, il y avait là, on en conviendra,
de quoi fêter superbement l'anniversaire du Christmas
sur l'île Chairman.

Et alors Briant porta cordialement un toast à Gordon,
qui lui répondit en buvant à la santé de la petite colonie
et au souvenir des familles absentes.

Enfin — ce qui fut très touchant —, Costar se leva, et,
au nom des plus jeunes, il remercia Briant du dévouement dont il avait donné tant de preuves à leur égard.

Briant ne put se défendre d'une profonde émotion,
lorsque les hurrahs retentirent en son honneur —
hurrahs qui ne trouvèrent pas d'écho dans le cœur de
Doniphan.

XVII

Huit jours après commençait l'année 1861, et, pour cette partie de l'hémisphère austral, c'était en plein cœur de l'été que débutait le nouvel an.

Il y avait près de dix mois que les jeunes naufragés du *Sloughi* avaient été jetés sur leur île, à dix-huit cents lieues de la Nouvelle-Zélande !

Pendant cette période, on doit le reconnaître, leur situation s'était peu à peu améliorée. Il semblait même qu'ils fussent désormais assurés de subvenir à tous les besoins de la vie matérielle. Mais c'était toujours l'abandon sur une terre inconnue ! Les secours du dehors — les seuls qu'ils pussent espérer — arriveraient-ils enfin, et arriveraient-ils avant l'achèvement de la belle saison ? La colonie serait-elle condamnée à subir les rigueurs d'un second hiver antarctique ? Jusqu'ici, à la vérité, la maladie ne l'avait point éprouvée. Tous, petits et grands, s'étaient aussi bien portés que possible. Grâce à la prudence de Gordon, qui y tenait la main — ce qui ne laissait pas de provoquer parfois des récriminations contre sa sévérité — aucune imprudence, aucun excès, n'avaient été commis. Pourtant ne fallait-il pas compter avec les affections auxquelles n'échappent que rarement les enfants de cet âge, particulièrement les plus jeunes ? En somme, si le présent était acceptable,

l'avenir restait toujours gros d'inquiétudes. A tout prix
— et c'est à quoi Briant songeait sans cesse — il eût voulu
quitter l'île Chairman ! Or, avec l'unique embarcation
que l'on possédait, avec cette frêle yole, comment se
hasarder à entreprendre une traversée qui pouvait
être longue, si l'île n'appartenait pas à un des groupes
du Pacifique, ou si le continent le plus voisin se trouvait
à quelques centaines de milles ? Lors même que deux ou
trois des plus hardis se fussent dévoués pour aller chercher une terre dans l'est, que de chances il y avait
pour qu'ils ne parvinssent pas à l'atteindre ! Quant à
construire un navire assez grand pour traverser ces
parages du Pacifique, le pouvaient-ils ? Non, assurément ! Cela était au-dessus de leurs forces, et Briant ne
savait qu'imaginer pour le salut de tous !

Donc attendre, attendre encore, et travailler à rendre
plus confortable l'installation de French-den, il n'y
avait que cela à faire. Puis, sinon cet été, parce que la
besogne pressait en prévision de la saison des froids,
du moins l'été prochain, les jeunes colons achèveraient
de reconnaître entièrement leur île.

Chacun se mit résolument à l'ouvrage. L'expérience
avait montré ce qu'étaient les rigueurs de l'hiver sous
cette latitude. Pendant des semaines, pendant des
mois même, les mauvais temps obligeraient à se confiner
dans le hall, et il n'était que prudent de se prémunir
contre le froid et la faim — les deux ennemis qui fussent
le plus à craindre.

Combattre le froid dans French-den, ce n'était qu'une
question de combustible, et l'automne, si court qu'il
fût, ne prendrait pas fin sans que Gordon eût fait emmagasiner assez de bois pour alimenter les poêles jour et
nuit. Mais ne devait-on pas aussi songer aux animaux
domestiques, que renfermaient l'enclos et la basse-

cour ? Les abriter dans Store-room, c'eût été une gêne excessive, et même une imprudence au point de vue hygiénique. Donc, nécessité de rendre plus habitable le hangar de l'enclos, de le défendre contre les basses températures, de le chauffer en y établissant un foyer qui pût toujours en maintenir l'air intérieur à un degré supportable. C'est à quoi s'appliquèrent Baxter, Briant, Service et Moko pendant le premier mois de l'année nouvelle.

Quant à la question non moins grave de l'alimentation pour toute la durée de la période hivernale, Doniphan et ses compagnons de chasse se chargèrent de la résoudre. Chaque jour, ils visitaient les trappes, les pièges, les collets. Ce qui ne servait pas à la consommation quotidienne allait grossir les réserves de l'office sous forme de viandes salées ou fumées que Moko préparait avec son soin habituel. On assurait ainsi la nourriture, si long ou si rigoureux que l'hiver pût être.

Cependant une exploration s'imposait : c'était celle qui aurait pour but, non d'explorer tous les territoires inconnus de l'île Chairman, mais au moins la partie comprise dans l'est du Family-lake. Renfermait-elle des forêts, des marais ou des dunes ? Offrait-elle de nouvelles ressources, qui pourraient être utilisées ?

Un jour Briant conféra avec Gordon à ce sujet, en l'envisageant, d'ailleurs, d'une autre manière.

« Bien que la carte du naufragé Baudoin soit faite avec une certaine exactitude que nous avons pu constater, dit-il, il serait à propos de prendre connaissance du Pacifique dans l'est. Nous avons à notre disposition d'excellentes lunettes que mon compatriote ne possédait point, et qui sait si nous n'apercevrions pas des terres qu'il n'a pu voir ? Sa carte présente l'île Chairman comme isolée dans ces parages, et peut-être ne l'est-elle pas ?

— Tu poursuis toujours ton idée, répondit Gordon,
et il te tarde de partir ?...

— Oui, Gordon, et, au fond, je suis sûr que tu penses
comme moi ! Est-ce que tous nos efforts ne doivent
pas tendre à nous rapatrier dans le plus bref délai ?

— Soit, répondit Gordon, et, puisque tu y tiens, nous
organiserons une expédition...

— Une expédition à laquelle nous prendrions tous
part ?... demanda Briant.

— Non, répondit Gordon. Il me semble que six ou
sept de nos camarades...

— Ce serait encore trop, Gordon ! Etant si nombreux,
ils ne pourraient faire autrement que de tourner le lac
par le nord ou par le sud ; et est-il sûr que cela n'exige-
rait pas beaucoup de temps et de fatigues ?

— Que proposes-tu donc, Briant ?

— Je propose de traverser le lac dans la yole en partant de French-den, afin d'atteindre la rive opposée, et,
pour cela, de n'aller qu'à deux ou trois.

— Et qui conduirait la yole ?

— Moko, répondit Briant. Il connaît la manœuvre
d'une embarcation, et moi-même, je m'y entends un
peu. Avec la voile, si le vent est bon, avec deux avirons,
s'il est contraire, nous enlèverons aisément les cinq ou
six milles que le lac mesure dans la direction de ce cours
d'eau qui, d'après la carte, traverse les forêts de l'est ;
nous descendrons ainsi jusqu'à son embouchure.

— Entendu, Briant, répondit Gordon, j'approuve
ton idée. Et qui accompagnerait Moko ?

— Moi, Gordon, puisque je n'ai point fait partie de
l'expédition au nord du lac. C'est à mon tour de me rendre utile... et je réclame...

— Utile ! s'écria Gordon. Eh ! ne nous as-tu pas déjà
rendu mille services, mon cher Briant ? Ne t'es-tu pas

dévoué plus que tout autre ? Ne te devons-nous pas de la reconnaissance ?

— Allons donc, Gordon ! Nous avons tous fait notre devoir ! — Voyons, est-ce convenu ?

— C'est convenu, Briant. Qui prendras-tu comme troisième compagnon de route ? Je ne te proposerai pas Doniphan, puisque vous n'êtes pas bien ensemble...

— Oh ! je l'accepterais volontiers ! répondit Briant. Doniphan n'a pas mauvais cœur, il est brave, il est adroit, et, n'était son caractère jaloux, ce serait un excellent camarade. D'ailleurs, peu à peu, il se réformera, quand il aura compris que je ne cherche point à me mettre ni en avant ni au-dessus de personne, et nous deviendrons, j'en suis sûr, les meilleurs amis du monde. Mais j'ai songé à un autre compagnon de voyage.

— Lequel ?...

— Mon frère Jacques, répondit Briant. Son état m'inquiète de plus en plus. Evidemment, il a quelque chose de grave à se reprocher qu'il ne veut pas dire. Peut-être, pendant cette excursion, se trouvant seul avec moi...

— Tu as raison, Briant. Emmène Jacques, et, dès aujourd'hui, commence tes préparatifs de départ.

— Ce ne sera pas long, répondit Briant, car notre absence ne durera pas plus de deux ou trois jours. »

Le jour même, Gordon fit part de l'expédition projetée. Doniphan se montra très dépité de ne pas en être, et, comme il s'en plaignit à Gordon, celui-ci lui fit comprendre que, dans les conditions où elle allait se faire, cette expédition n'exigeait que trois personnes, que Briant en ayant eu l'idée, il lui appartenait de la mettre à exécution, etc.

« Enfin, répondit Doniphan, il n'y en a que pour lui, n'est-ce pas, Gordon ?

Briant, Jacques et Moko s'embarquèrent. (Page 295.)

« — Tu es injuste, Doniphan, injuste pour Briant, injuste aussi pour moi ! »

Doniphan n'insista plus et rejoignit ses amis Wilcox, Cross et Webb, près desquels il put, tout à son aise, épancher sa mauvaise humeur.

Lorsque le mousse apprit qu'il allait momentanément échanger ses fonctions de maître coq pour celles de patron de la yole, il ne cacha pas son contentement. L'idée de partir avec Briant doublait encore pour lui le plaisir. Quant à son remplaçant devant le fourneau de Store-room, ce serait naturellement Service, qui se réjouit à l'idée de pouvoir fricoter à sa fantaisie, sans être assisté de qui que ce soit. En ce qui concerne Jacques, cela sembla lui convenir d'accompagner son frère et de quitter French-den durant quelques jours.

La yole fut aussitôt mise en état. Elle gréait une petite voile latine, que Moko envergua et roula le long du mât. Deux fusils, trois revolvers, des munitions en quantité suffisante, trois couvertures de voyage, des provisions liquides et solides, des capotes cirées en cas de pluie, deux avirons avec une paire de rechange, tel était le matériel nécessaire à une expédition dont la durée serait courte, — sans oublier la copie qui avait été faite de la carte du naufragé, et à laquelle de nouveaux noms seraient ajoutés au fur et à mesure des découvertes.

Le 4 février, vers huit heures du matin, après avoir pris congé de leurs camarades, Briant, Jacques et Moko s'embarquèrent à la digue du rio Zealand. Il faisait un joli temps, — une légère brise du sud-ouest. La voile fut hissée, et Moko, placé à l'arrière, saisit la barre, laissant à Briant le soin de tenir l'écoute. Quoique la surface du lac fût à peine ridée de souffles intermittents, la yole sentit plus vivement l'effet de la brise, lorsqu'elle se trouva un peu au large. Sa vitesse s'accé-

léra. Une demi-heure plus tard, Gordon et les autres,
en observation sur la rive de Sport-terrace, n'apercevaient plus qu'un point noir qui allait bientôt disparaître.

Moko étant à l'arrière, Briant au milieu, Jacques
s'était placé à l'avant, au pied du mât. Pendant une
heure, les hautes crêtes d'Auckland-hill leur restèrent
en vue, puis s'abaissèrent sous l'horizon. Cependant
la rive opposée du lac ne se relevait pas encore, bien
qu'elle ne pût être éloignée. Malheureusement, comme
il arrive d'ordinaire lorsque le soleil a acquis de la force,
le vent marqua une tendance à mollir, et, vers midi, ne
se manifesta plus que par quelques volées capricieuses.

« Il est fâcheux, dit Briant, que la brise n'ait pas tenu
toute la journée !...

— Ce serait bien plus fâcheux, monsieur Briant,
répondit Moko, si elle était devenue contraire !

— Tu es philosophe, Moko !

— Je ne sais pas ce que vous entendez par ce mot-là,
répondit le mousse. Pour moi, quoi qu'il arrive, j'ai
l'habitude de ne jamais me dépiter !

— Eh bien, c'est précisément de la philosophie.

— Va pour la philosophie, et mettons-nous aux avirons, monsieur Briant. Il est à désirer que nous ayons
atteint l'autre rive avant la nuit. Après tout, si nous n'y
parvenions pas, il n'y aurait qu'à se résigner.

— Comme tu dis, Moko. Je vais prendre un aviron,
toi l'autre, et Jacques se mettra à la barre.

— C'est cela, répliqua le mousse. Si monsieur Jacques
gouverne bien, nous ferons bonne route.

— Tu me diras comment manœuvrer, Moko, répondit
Jacques, et je suivrai de mon mieux tes indications. »

Moko amena la voile qui ne battait même plus, car
le vent était absolument tombé. Les trois jeunes garçons
se hâtèrent de manger un morceau. Après quoi, le

La yole vint atterrir au pied d ne berge. (Page 298.)

mousse se plaça à l'avant, tandis que Jacques venait s'asseoir à l'arrière, Briant restant au milieu. La yole, vigoureusement enlevée, se dirigea en obliquant un peu vers le nord-est, d'après la boussole.

L'embarcation se trouvait alors au centre de cette vaste étendue d'eau, comme si elle eût été en pleine mer, la surface du lac étant circonscrite par une ligne périphérique de ciel. Jacques regardait attentivement dans la direction de l'est, pour voir si la côte n'apparaissait pas à l'opposé de French-den.

Vers trois heures, le mousse, ayant pris la lunette, put affirmer qu'il reconnaissait des indices de terre. Un peu plus tard, Briant constata que Moko n'avait point fait erreur. A quatre heures, des têtes d'arbres se montraient au-dessus d'une rive assez basse — ce qui expliquait pourquoi, du sommet de False-sea-point, Briant n'avait pu l'apercevoir. Ainsi, l'île Chairman ne renfermait pas d'autres hauteurs que celles d'Auckland-hill, qui l'accidentaient entre Sloughi-bay et Family-lake.

Encore deux milles et demi à trois milles, et la rive orientale serait atteinte. Briant et Moko maniaient leurs avirons avec ardeur, non sans quelque fatigue, car la chaleur était forte. La surface du lac était unie comme un miroir. Le plus souvent, ses eaux, très claires, en laissaient voir à douze ou quinze pieds le fond hérissé d'herbes aquatiques, entre lesquelles se jouaient des myriades de poissons.

Enfin, vers six heures du soir, la yole vint atterrir au pied d'une berge, au-dessus de laquelle se penchait l'épaisse ramure des chênes verts et des pins maritimes. Cette berge, assez élevée, ne se prêtait guère à un débarquement, et on dut la suivre prendant un demi-mille, à peu près, en remontant vers le nord.

« Voilà le rio porté sur la carte », dit alors Briant.

Et il montrait un évasement de la rive, par laquelle s'écoulait le trop-plein des eaux du lac.

« Eh bien, je crois que nous ne pouvons nous dispenser de lui donner un nom, répondit le mousse.

— Tu as raison, Moko. Appelons-le l'East-river, puisqu'il coule à l'orient de l'île.

— Parfait, dit Moko, et, maintenant, nous n'avons plus qu'à prendre le courant de l'East-river et à le descendre pour atteindre son embouchure.

— C'est ainsi que nous procéderons demain, Moko. Mieux vaut passer la nuit en cet endroit. Puis, dès la pointe du jour, nous laisserons dériver la yole, ce qui nous permettra de reconnaître la contrée sur les deux bords du rio.

— Débarquons-nous ?... demanda Jacques.

— Sans doute, répondit Briant, et nous camperons à l'abri des arbres. »

Briant, Moko et Jacques sautèrent sur la berge, qui formait le fond d'une petite crique. Après que la yole eut été solidement amarrée à une souche, ils en retirèrent les armes et les provisions. Un feu de bois sec fut allumé au pied d'un gros chêne vert. On soupa de biscuit et de viande froide, on étendit les couvertures sur le sol, et à ces jeunes garçons il n'en fallait pas davantage pour dormir d'un bon sommeil. A tout événement, les armes avaient été chargées ; mais, si quelques hurlements se firent entendre après la tombée du soir, la nuit s'acheva sans alerte.

« Allons, en route ! » s'écria Briant, qui se réveilla le premier, dès six heures du matin.

En quelques minutes, tous les trois eurent repris place dans la yole et se laissèrent aller au courant du rio.

Ce courant était assez fort — la marée descendait

depuis une demi-heure déjà — pour qu'il ne fût pas nécessaire de recourir aux avirons. Aussi, Briant et Jacques s'étaient-ils assis à l'avant de la yole, tandis que Moko, installé à l'arrière, se servait de l'une des rames comme d'une godille, afin de maintenir la légère embarcation dans le fil des eaux.

« Il est probable, dit-il, qu'une marée suffira pour nous porter jusqu'à la mer, si l'East-river n'a guère que de cinq à six milles, car son courant est plus rapide que celui du rio Zealand.

— C'est à souhaiter, répondit Briant. En revenant nous aurons besoin, je pense, de deux ou trois marées...

— En effet, monsieur Briant, et, si vous le voulez, nous repartirons sans nous attarder...

— Oui, Moko, répondit Briant, dès que nous aurons vu s'il se trouve ou non quelque terre dans les parages à l'est de l'île Chairman. »

Cependant la yole filait avec une vitesse que Moko estimait à plus d'un mille à l'heure. En outre, l'East-river suivait une direction presque rectiligne, qui fut relevée à l'est-nord-est, d'après la boussole. Son lit était plus encaissé que celui du rio Zealand et aussi moins large — une trentaine de pieds seulement — ce qui expliquait la rapidité de son cours. Toute la crainte de Briant était qu'il ne se changeât en rapides, en tourbillons, et ne fût pas navigable jusqu'à la côte. En tout cas, il serait temps d'aviser, s'il se présentait quelque obstacle.

On était en pleine forêt, au milieu d'une végétation assez serrée. Là se retrouvaient à peu près les mêmes essences qu'à Traps-woods, avec cette différence que chênes verts, chênes-lièges, pins et sapins y dominaient.

Entre autres — bien qu'il fût moins familiarisé avec les choses de la botanique que Gordon —, Briant reconnut un certain arbre dont il se rencontre d'assez nombreux échantillons en Nouvelle-Zélande. Cet arbre, qui déployait le parasol de ses branches à une soixantaine de pieds au-dessus du sol portait des fruits coniques, longs de trois à quatre pouces, pointus à leur extrémité et revêtus d'une sorte d'écaille luisante.

« Ce doit être le pin pignon ! s'écria Briant.

— Si vous ne vous trompez pas, monsieur Briant, répondit Moko, arrêtons-nous un instant. Cela en vaut la peine ! »

Un coup de godille dirigea la yole vers la rive gauche. Briant et Jacques s'élancèrent sur la berge. Quelques minutes après, ils rapportaient une ample récolte de ces pignons, dont chacun contient une amande de forme ovale, enveloppée d'une légère pellicule et parfumée comme la noisette. Précieuse trouvaille, pour les gourmands de la petite colonie, mais aussi — ce que Gordon leur apprit après le retour de Briant — parce que ces fruits produisaient une huile excellente.

Il importait également de reconnaître si cette forêt était aussi giboyeuse que les autres forêts, situées à l'occident du Family-lake. Cela devait être, car Briant vit passer entre les fourrés une bande effarée de nandûs et de vigognes, même un couple de guanaques qui filaient avec une merveilleuse rapidité. En fait de volatiles, Doniphan aurait eu là quelques beaux coups de fusil à tirer. Quant à Briant, il s'abstint de dépenser inutilement sa poudre, la yole renfermant des provisions en quantité suffisante.

Vers onze heures, il fut manifeste que l'épais massif des arbres tendait à s'éclaircir. Quelques clairières aéraient les dessous de bois. En même temps, la brise s'imprégnait d'une senteur saline, qui indiquait la proximité de la mer.

Et, quelques minutes plus tard, brusquement, au-delà
d'un groupe de superbes chênes verts, une ligne bleuâtre
apparut à l'horizon.

Le courant entraînait toujours la yole — moins rapidement, il est vrai. Le flot n'allait pas tarder à se faire
sentir sur ce lit de l'East-river, large alors de quarante
à cinquante pieds.

Arrivé près des rochers qui se dressaient sur le littoral,
Moko poussa la yole vers la rive gauche ; puis, portant
son grappin à terre, il l'enfonça solidement dans le
sable, tandis que Briant et son frère débarquaient à
leur tour.

Quel aspect différent de celui que présentait la côte
à l'ouest de l'île Chairman ! Ici, s'ouvrait bien une
baie profonde, et précisément à la hauteur de Slough-
bay ; mais, au lieu d'une large grève de sable, bordée
par un cordon de récifs, limitée par la falaise qui s'élevait à l'arrière-plan de Wreck-coast, c'était un amoncellement de roches au milieu desquelles — Briant s'en
assura bientôt — il eût pu trouver vingt grottes pour une.

Cette côte était donc très habitable, et si le schooner
se fût échoué en cet endroit, si son renflouement eût
été praticable après l'échouage, il aurait pu s'abriter
à l'embouchure de l'East-river, dans un petit port
naturel, auquel l'eau ne manquait pas, même à marée
basse.

Tout d'abord, Briant avait porté ses regards du côté
du large, à l'extrême horizon de cette vaste baie. Développée sur un secteur de quinze milles environ, entre
deux pointes sablonneuses, elle eût mérité le nom
de golfe.

En ce moment, cette baie était déserte — comme toujours, sans doute. Pas un navire en vue, même à son
périmètre, nettement découpé sur le fond du ciel !

De terre ou d'île, pas même l'apparence ! Moko, habitué à reconnaître ces vagues linéaments des hauteurs lointaines qui se confondent souvent avec les vapeurs du large, ne découvrit rien avec la lunette. L'île Chairman semblait être aussi isolée dans les parages de l'est que dans ceux de l'ouest. Et voilà pourquoi la carte du naufragé français n'indiquait aucune terre en cette direction.

Dire que Briant fut très désappointé, ce serait exagérer. Non ! Il s'attendait bien à cela. Aussi, trouva-t-il tout simple de donner à cette échancrure de la côte la dénomination de Deception-bay (baie Déception).

« Allons, dit-il, ce n'est pas encore de ce côté que nous pourrons prendre la route du retour !

— Eh, monsieur Briant, répondit Moko, on s'en va toujours, que ce soit par un chemin ou par un autre ! En attendant, je pense que nous ferons bien de déjeuner...

— Soit, répondit Briant, et faisons vite. — A quelle heure la yole pourra-t-elle remonter l'East-river ?

— Si nous voulions profiter de la marée, il faudrait s'embarquer à l'instant.

— C'est impossible, Moko ! Je tiens à observer l'horizon dans des conditions plus favorables, et du haut de quelque roche qui domine la grève.

— Alors, monsieur Briant, nous serons forcés d'attendre la marée prochaine, qui ne se fera pas sentir dans l'East-river avant dix heures du soir.

— Est-ce que tu ne craindras pas de naviguer pendant la nuit ? demanda Briant.

— Non, et je le ferai sans danger, répondit Moko, car nous aurons pleine lune. D'ailleurs, le cours du rio est si direct qu'il suffira de gouverner à la godille, tant que durera le flot. Puis, lorsque le courant redes-

Désordre véritablement grandiose. (Page 305.)

cendra, nous essaierons de le remonter à l'aviron, ou, s'il est trop fort, nous ferons halte jusqu'au jour.

— Bien, Moko, voilà qui est convenu. Et, puisque nous avons une douzaine d'heures devant nous, profitons-en pour compléter notre exploration. »

Après le déjeuner et jusqu'à l'heure du dîner, tout le temps fut employé à visiter cette partie de la côte, abritée par des massifs d'arbres qui s'avançaient au pied même des roches. Quant au gibier, il semblait être aussi abondant qu'aux environs de French-den, et Briant se permit d'abattre quelques tinamous pour le repas du soir.

Ce qui caractérisait l'aspect de ce littoral, c'était l'entassement des blocs de granit. Désordre véritablement grandiose que cet amoncellement de rochers gigantesques — sorte de champ de Karnak, dont la disposition irrégulière n'était point due à la main de l'homme. Là, se creusaient de ces profondes excavations, que l'on appelle « cheminées » en certains pays celtiques, et il eût été facile de s'installer entre leurs parois. Ni les halls ni les Store-rooms n'eussent manqué pour les besoins de la petite colonie. Rien que sur un espace d'un demi-mille, Briant trouva une douzaine de ces confortables excavations.

Aussi Briant fut-il naturellement conduit à se demander pourquoi le naufragé français ne s'était point réfugié sur cette partie de l'île Chairman. Quant à l'avoir visitée, nul doute à cet égard, puisque les lignes générales de cette côte figuraient exactement sur sa carte. Donc, si l'on ne rencontrait aucune trace de son passage, c'est que très probablement François Baudoin avait élu domicile dans French-den, avant d'avoir poussé son exploration jusqu'aux territoires de l'est, et, là, se trouvant moins exposé aux bourrasques du large, il avait jugé à propos d'y rester. Explication fort plausible, que Briant crut devoir admettre.

Vers deux heures, lorsque le soleil eut dépassé le plus haut point de sa course, le moment parut favorable pour procéder à une rigoureuse observation de la mer, au large de l'île. Briant, Jacques et Moko tentèrent alors d'escalader un massif rocheux qui ressemblait à un ours énorme. Ce massif s'élevait à une centaine de pieds au-dessus du petit port, et ce ne fut pas sans difficultés qu'ils en atteignirent le sommet.

De là, lorsqu'il se reportait en arrière, le regard dominait la forêt qui s'étendait vers l'ouest jusqu'au Family-lake, dont un vaste rideau de verdure cachait la surface. Au sud, la contrée semblait sillonnée de dunes jaunâtres, qu'entrecoupaient quelques noires sapinières, comme dans les arides campines des pays septentrionaux. Au nord, le contour de la baie se terminait par une pointe basse, formant la limite d'une immense plaine sablonneuse, située au-delà. En somme, l'île Chairman n'était véritablement fertile que dans sa partie centrale, où les aux douces du lac lui déversaient la vie, en s'épanchant par les divers rios de ses deux rives.

Briant dirigea sa lunette vers l'horizon de l'est, qui se dessinait alors avec une grande netteté. Toute terre, située dans un rayon de sept à huit milles, eût certainement apparu à travers l'objectif de l'instrument.

Rien dans cette direction !... Rien que la vaste mer, circonscrite par la ligne ininterrompue du ciel !

Pendant une heure, Briant, Jacques et Moko ne cessèrent de l'observer attentivement, et ils allaient redescendre sur la grève, lorsque Moko arrêta Briant.

« Qu'y a-t-il donc là-bas ?... » demanda-t-il en étendant la main vers le nord-est.

Briant braqua sa lunette sur le point indiqué.

Là, en effet, un peu au-dessus de l'horizon, miroitait une tache blanchâtre que l'œil aurait pu confondre avec un nuage, si le ciel n'eût été absolument pur en ce moment. D'ailleurs, après l'avoir longuement tenue dans le champ de sa lunette, Briant put affirmer que cette tache ne se déplaçait pas et que sa forme ne s'altérait en aucune façon.

« Je ne sais ce que cela peut être, dit-il, à moins que ce ne soit une montagne ! Et encore, une montagne n'aurait point cette apparence ! »

Quelques instants après, le soleil s'abaissant de plus en plus vers l'ouest, la tache avait disparu. Existait-il là quelque haute terre, ou plutôt, cette coloration blanchâtre n'était-elle qu'une réflexion lumineuse des eaux ? Ce fut cette dernière hypothèse que Jacques et Moko admirent, bien que Briant crut devoir garder quelques doutes à ce sujet.

L'exploration achevée, tous trois regagnèrent, à l'embouchure de l'East-river, le petit port au fond duquel était amarrée la yole. Jacques ramassa du bois mort sous les arbres ; puis il alluma du feu, tandis que Moko préparait son rôti de tinamous.

Vers sept heures, après avoir mangé avec appétit, Jacques et Briant allèrent se promener sur la grève, en attendant l'heure de la marée pour repartir.

De son côté, Moko remonta la rive gauche du rio, où poussaient des pins pignons dont il voulait cueillir quelques fruits.

Lorsqu'il revint vers l'embouchure de l'East-river, la nuit commençait à tomber. Au large, si la mer s'éclairait encore des derniers rayons solaires qui glissaient à la surface de l'île, le littoral était déjà plongé dans une demi-obscurité.

Au moment où Moko eut rejoint la yole, Briant et

« Pardon... frere... pardon ! » (Page 309.)

son frère n'étaient pas encore de retour. Comme ils ne
pouvaient être éloignés, il n'y avait pas lieu de s'inquiéter.

Mais voilà que Moko fut très surpris d'entendre des
gémissements, et en même temps des éclats de voix.
Il ne se trompait pas : cette voix, c'était celle de Briant.

Les deux frères couraient-ils donc quelque danger ?
Le mousse n'hésita pas à s'élancer vers la grève, après
avoir tourné les dernières roches qui fermaient le petit
port.

Soudain, ce qu'il vit l'empêcha de se porter plus
avant.

Jacques était aux genoux de Briant !... Il semblait
l'implorer, lui demander grâce !... De là, ces gémissements qui étaient arrivés à l'oreille de Moko.

Le mousse aurait voulu se retirer par discrétion...
Il était trop tard !... Il avait tout entendu et tout compris !
Il connaissait maintenant la faute que Jacques avait
commise et dont il venait de s'accuser à son frère !
Et celui-ci s'écriait :

« Malheureux !... Comment, c'est toi... toi qui as
fait cela !... Toi qui es cause...

— Pardon... frère... pardon !

— Voilà donc pourquoi tu te tenais à l'écart de tes
camarades !... Pourquoi tu avais peur d'eux !... Ah !
qu'ils ne sachent jamais !... Non !... Pas un mot... Pas
un mot... à personne ! »

Moko aurait donné beaucoup pour ne rien savoir
de ce secret. Mais, maintenant, feindre de l'ignorer
vis-à-vis de Briant, cela lui eût trop coûté. Aussi, quelques
instants après, lorsqu'il le trouva seul près de la yole :

« Monsieur Briant, dit-il, j'ai entendu...

— Quoi ! tu sais ce que Jacques ?...

— Oui, monsieur Briant... Et il faut lui pardonner...

— Les autres lui pardonneraient-ils ?...

— Peut-être ! répondit Moko. En tout cas, mieux vaut qu'ils n'apprennent rien, et soyez sûr que je me tairai !...

— Ah ! mon pauvre Moko ! » murmura Briant, en serrant la main du mousse.

Pendant deux heures, jusqu'au moment d'embarquer, Briant n'adressa pas la parole à Jacques. Celui-ci, d'ailleurs, resta assis, au pied d'une roche, certainement plus abattu, depuis que, cédant aux instances de son frère, il avait tout avoué.

Vers dix heures, le flot s'étant fait sentir, Briant, Jacques et Moko prirent place dans la yole. Dès qu'elle fut démarrée, le courant l'entraîna rapidement. La lune, s'étant levée un peu après le coucher du soleil, éclairait suffisamment le cours de l'East-river pour que la navigation devînt praticable jusque vers minuit et demi. Le jusant, qui s'établit alors, obligea de prendre les avirons, et, pendant une heure, la yole ne gagna pas d'un mille en amont.

Briant · proposa donc de mouiller jusqu'au jour naissant, afin d'attendre la marée montante — ce qui fut fait. A six heures du matin, on se remit en route, et il était neuf heures, lorsque la yole eut retrouvé les eaux du Family-lake.

Là, Moko rehissa sa voile, et, avec une jolie brise qui prenait par le travers, il mit le cap sur French-den.

Vers six heures du soir, après une heureuse traversée, pendant laquelle Briant ni Jacques n'étaient guère sortis de leur mutisme, la yole fut signalée par Garnett, qui pêchait sur les bords du lac. Quelques instants plus tard, elle accostait la digue, et Gordon accueillait avec empressement le retour de ses camarades.

XVIII

A PROPOS de cette scène, surprise par Moko entre son
frère et lui, Briant avait jugé bon de garder le silence
— même vis-à-vis de Gordon. Quant qu récit de son
expédition, il le fit à ses camarades, alors réunis dans
le hall. Il décrivit la côte orientale de l'île Chairman
sur toute cette partie qui circonscrivait Deception-bay,
le cours de l'East-river à travers les forêts voisines du
lac, si riches en essences d'arbres verts. Il affirma que
l'installation eût été plus aisée sur ce littoral que sur
celui de l'ouest, tout en ajoutant qu'il n'y avait pas
lieu d'abandonner French-den. En ce qui concernait
cette portion du Pacifique, il ne s'y trouvait aucune
terre en vue. Briant mentionna, cependant, cette tache
blanchâtre qu'il avait aperçue au large et dont il ne
s'expliquait pas la présence au-dessus de l'horizon.
Très probablement, ce n'était qu'une volute de vapeurs,
et il serait opportun de s'en assurer, lorsqu'on irait
visiter Deception-bay. En somme — ce qui ne paraissait
que trop certain —, c'est que l'île Chairman n'était
voisine d'aucune terre dans ces parages, et, sans doute,
plusieurs centaines de milles la séparaient du continent
ou des archipels les plus rapprochés.

Il convenait donc de reprendre avec courage la lutte
pour la vie, en attendant que le salut vînt du dehors,
puisqu'il semblait improbable que les jeunes colons

pussent l'avoir jamais dans leurs propres mains. Chacun
se remit au travail. Toutes les mesures tendirent à se
préserver contre les rigueurs du prochain hiver. Briant
s'y appliqua même avec plus de zèle qu'il ne l'avait
fait jusqu'alors. Cependant on sentait qu'il était devenu
moins communicatif et que lui aussi, à l'exemple de
son frère, montrait une propension à se tenir à l'écart.
Gordon, en constatant ce changement de caractère,
observa aussi que Briant cherchait à mettre Jacques
en avant, dans toutes les occasions où il y avait quelque
courage à déployer, quelque danger à courir — ce que
Jacques acceptait d'ailleurs avec empressement. Toutefois, comme Briant ne dit jamais rien qui pût engager
Gordon à l'interroger à ce sujet, celui-ci se tint sur
la réserve, bien qu'il fût porté à croire qu'une explication avait dû avoir lieu entre les deux frères.

Le mois de février s'écoula en travaux de diverses
sortes. Wilcox ayant signalé une remontée de saumons
vers les eaux douces du Family-lake, on en prit un certain
nombre au moyen de filets tendus d'une rive à l'autre du
rio Zealand. La nécessité de les conserver exigeait que
l'on se procurât une assez grande quantité de sel. Cela
occasionna plusieurs voyages à Sloughi-bay, où Baxter
et Briant établirent un petit marais salant — simple
carré, ménagé entre les plis du sable, et dans lequel se
déposait le sel, après que les eaux de la mer s'étaient
évaporées sous l'action des rayons solaires.

Pendant la première quinzaine de mars, trois ou
quatre des jeunes colons purent explorer une partie de
cette contrée marécageuse des South-moors, qui s'étendait sur la rive gauche du rio Zealand. C'est à Doniphan
que vint l'idée de cette exploration, et Baxter, d'après
son conseil, fabriqua quelques paires d'échasses, en utilisant de légers espars pour cet usage. Comme le maré-

Phann ne craignait pas de se mouiller les pattes. (Page 314.)

cage était en certains endroits recouvert d'une mince couche d'eau, ces échasses permettraient de s'aventurer à pied sec jusqu'aux surfaces solides.

Le 17 avril, dès le matin, Doniphan, Webb et Wilcox, ayant traversé le rio dans la yole, débarquèrent sur la rive gauche. Ils portaient leurs fusils en bandoulière. Et même Doniphan s'était armé de la canardière que possédait l'arsenal de French-den, pensant qu'il aurait là une excellente occasion de s'en servir.

Dès que les trois chasseurs eurent pris pied sur la berge, ils chaussèrent leurs échasses, afin de gagner les surélévations du marais, qui émergeaient à mer haute.

Phann les accompagnait. Lui n'avait point besoin d'échasses, et ne craignait pas de se mouiller les pattes en gambadant à travers les flaques d'eau.

Après avoir franchi un mille dans la direction du sud-ouest, Doniphan, Wilcox et Webb atteignirent le sol asséché du marécage. Ils retirèrent alors leurs échasses, afin d'être plus à leur aise pour suivre le gibier.

De cette vaste étendue des South-moors le regard ne voyait pas la fin, si ce n'est vers l'est, où la ligne bleue de la mer s'arrondissait à l'horizon.

Que de gibier à leur surface, bécassines, pilets, canards, râles, pluviers, sarcelles, et, par milliers, de ces macreuses, plus recherchées pour leur duvet que pour leur chair, mais qui, convenablement préparées, fournissent un mets très acceptable. Doniphan et ses deux camarades auraient pu tirer des centaines de ces innombrables oiseaux aquatiques, sans perdre un seul grain de plomb. Mais, ils furent raisonnables et se contentèrent de quelques douzaines de volatiles que Phann allait ramasser jusqu'au milieu des larges mares.

Cependant Doniphan fut vivement tenté d'abattre d'autres animaux, qui, d'ailleurs, n'auraient pu figurer sur la table de Store-room, malgré tout le talent culinaire du mousse. C'étaient des thinocores, appartenant à la famille des échassiers, et des hérons, ornés d'une brillante aigrette de plumes blanches. Si le jeune chasseur se retint pourtant — car c'eût été là brûler de la poudre en pure perte — il n'en fut pas de même lorsqu'il aperçut une troupe de ces flamants aux ailes couleur de feu, qui affectionnent particulièrement les eaux saumâtres, et dont la chair vaut celle de la perdrix. Ces volatiles, rangés en bon ordre, étaient gardés par des sentinelles qui jetèrent comme un appel de trompette, au moment où elles sentirent le danger. A la vue de ces magnifiques échantillons de l'ornithologie de l'île, Doniphan s'abandonna à ses instincts. Au surplus, Wilcox et Webb ne se montrèrent pas plus sages que lui. Les voilà qui se lancent de ce côté — bien inutilement. Ils ignoraient que s'ils s'étaient approchés sans être vus, ils auraient pu tirer ces flamants tout à leur aise, car les détonations ont pour effet de les stupéfier, non de les mettre en fuite.

Ce fut donc en vain que Doniphan, Webb et Wilcox essayèrent de rejoindre ces superbes palmipèdes, qui mesuraient plus de quatre pieds depuis l'extrémité de leur bec jusqu'au bout de leur queue. L'éveil avait été donné, et la bande disparut vers le sud, avant qu'il eût été possible de l'atteindre, même en se servant de la canardière à grande portée.

Néanmoins, les trois chasseurs revinrent avec assez de gibier pour n'avoir rien à regretter de leur promenade à travers les South-moors. Une fois à la limite des flaques d'eau, ils reprirent leurs échasses, et gagnèrent la rive du rio, se promettant de renouveler une excursion que les premiers froids rendraient plus fructueuse encore.

Au surplus, Gordon ne devait pas attendre que l'hiver

fût arrivé pour mettre French-den en état d'en supporter les rigueurs. Il y avait ample provision de combustible à faire, afin d'assurer également le chauffage des étables et celui de la basse-cour. De nombreuses visites furent organisées, dans ce but, à la lisière des Bog-woods. Le chariot, attelé des deux guanaques, descendit et remonta la berge plusieurs fois par jour pendant une quinzaine. Et maintenant, que l'hiver durat six mois et plus, avec un stock considérable de bois et la réserve d'huile de phoques, French-den n'aurait rien à craindre du froid ni de l'obscurité.

Ces travaux n'empêchaient point de suivre le programme qui organisait l'instruction de ce petit monde. A tour de rôle, les grands faisaient la classe aux plus jeunes. Pendant les conférences, qui se tenaient deux fois la semaine, Doniphan continuait à faire un peu trop étalage de sa supériorité — ce qui n'était pas de nature à lui attirer beaucoup d'amis. Aussi, sauf de ses partisans habituels, n'était-il pas bien vu des autres. Et, cependant, avant deux mois, quand finiraient les fonctions de Gordon, il comptait bien lui succéder comme chef de la colonie. Son amour-propre aidant, il se disait que cette situation lui revenait de droit. N'était-ce pas une véritable injustice qu'il n'eût point été élu au premier vote ? Wilcox, Cross, Webb, l'encourageaient maladroitement dans ces idées, tâtaient même le terrain à propos de l'élection future et ne semblaient pas douter du succès.

Pourtant, Doniphan n'avait pas la majorité parmi ses camarades. Les plus jeunes, surtout, ne paraissaient pas devoir se déclarer pour lui — ni pour Gordon, d'ailleurs.

Gordon voyait clairement tout ce manège, et, bien qu'il fût rééligible, ne tenait pas, on le sait, à conserver cette situation. Il le sentait, la sévérité qu'il avait montrée pendant « son année de présidence », n'était pas pour lui rallier des voix. Ses manières un peu dures, son esprit trop pratique peut-être, avaient souvent déplu, et, cette déplaisance, Doniphan espérait qu'elle tournerait à son profit. A l'époque de l'élection, il y aurait sans doute une lutte qui serait intéressante à suivre.

Ce que les petits, principalement, reprochaient à Gordon, c'était son économie, vraiment trop minutieuse au sujet des plats sucrés. En outre, il les grondait lorsqu'ils ne prenaient pas soin de leurs vêtements, quand ils rentraient à French-den avec une tache ou une déchirure et surtout avec des souliers troués — ce qui nécessitait des réparations difficiles, rendant très grave cette question de chaussures. Et, à propos de boutons perdus, que de réprimandes, et parfois que de punitions ! En vérité, cette affaire de boutons de veste ou de culotte revenait sans cesse, et Gordon exigeait que chacun en représentât tous les soirs le chiffre réglementaire, sinon, privé de dessert ou mis aux arrêts. Alors Briant intercédait tantôt pour Jenkins, tantôt pour Dole, et voilà qui lui faisait une popularité ! Puis, les petits savaient bien que les deux fonctionnaires de l'office, Service et Moko, étaient dévoués à Briant, et si celui-ci devenait jamais le chef de l'île Chairman, ils entrevoyaient un avenir savoureux où les friandises ne seraient point épargnées !...

A quoi tiennent les choses en ce monde ! En vérité, cette colonie de jeunes garçons n'était-elle pas l'image de la société, et les enfants n'ont-ils pas une tendance à « faire les hommes », dès le début de la vie ?

Quant à Briant, il ne s'intéressait point à ces questions. Il travaillait sans relâche, n'épargnant pas la besogne à son frère, tous deux les premiers et les derniers à

On grimpait aux arbres. (Page 319.)

l'ouvrage, comme si tous deux avaient eu plus particulièrement un devoir à remplir.

Cependant les journées n'étaient pas consacrées entièrement à l'instruction commune. Le programme avait
réservé quelques heures pour les récréations. C'est une
des conditions de bonne santé que de se retremper dans
les exercices de gymnastique. Petits et grands y prenaient
part. On grimpait aux arbres, en se hissant jusqu'aux
premières branches au moyen d'une corde enroulée
autour du tronc. On sautait de larges espaces en s'aidant
de longues perches. On se baignait dans les eaux du
lac, et ceux qui ne savaient pas nager l'eurent bientôt
appris. On faisait des courses avec récompenses pour
les vainqueurs. On s'exerçait au maniement des bolas
et du lazo.

Il y avait aussi quelques-uns de ces jeux si en usage
chez les jeunes Anglais ; et, outre ceux qui ont été déjà
mentionnés, le crocket, les « rounders », dans lesquels
la balle est chassée au moyen d'un long bâton sur des
chevilles de bois disposées à chacun des angles d'un
vaste pentagone régulier, les « quoits », qui exigent plus
particulièrement la force des bras et la justesse du coup
d'œil. Mais il convient de décrire ce dernier jeu avec
quelque détail, parce que, certain jour, il amena une
scène des plus regrettables entre Briant et Doniphan.

C'était le 25 avril, dans l'après-midi. Répartis en deux
camps, au nombre de huit, Doniphan, Webb, Wilcox et
Cross d'un côté, Briant, Baxter, Gardett et Service de
l'autre, faisaient une partie de quoits sur la pelouse
de Sport-terrace.

A la surface plane de ce terrain, deux chevilles de fer,
deux « hobs », avaient été plantées à cinquante pieds
environ l'une de l'autre. Chacun des joueurs était muni

de deux quoits, sortes de rondelles de métal, percées
d'un trou à leur centre, et plus amincies à leur circonférence qu'en leur milieu.

Dans ce jeu, chaque joueur doit lancer ses quoits
successivement et avec assez d'adresse pour qu'ils puis-
sent s'emboîter, d'abord sur la première cheville, puis
sur la seconde. S'il réussit à atteindre un des hobs,
le joueur compte deux points, et quatre, s'il parvient
à en atteindre deux. Lorsque les quoits ne font que
s'approcher du hob, cela ne vaut que deux points pour
les deux qui sont le plus près du but et un seul point,
s'il n'y a qu'un seul quoit placé en bonne position.

Ce jour-là, l'animation des joueurs était grande, et
par cela même que Doniphan était dans un camp opposé
à celui de Briant, chacun y mettait un amour-propre
extraordinaire.

Deux parties avaient déjà été jouées. Briant, Baxter,
Service et Garnett avaient gagné la première, ayant
marqué sept points, tandis que leurs adversaires n'avaient
gagné la seconde qu'avec six.

Ils étaient alors en train de jouer « la belle ». Or, les
deux camps étant arrivés chacun à cinq points, il ne
restait que deux quoits à lancer.

« A ton tour, Doniphan, dit Webb, et vise bien ! Nous
en sommes à notre dernier quoit, et il s'agit de gagner !

— Sois tranquille ! » répondit Doniphan.

Et il se mit en attitude, les pieds bien placés l'un en
avant de l'autre, la main droite tenant la rondelle, le
corps légèrement incliné, le buste portant sur le flanc
gauche, afin de mieux assurer son jet.

On voyait que ce vaniteux garçon y allait de toute
son âme, comme on dit, les dents serrées, les joues un
peu pâles, le regard vif sous son sourcil froncé.

Après avoir soigneusement visé en balançant sa
rondelle, il la projeta horizontalement et vigoureusement,

car le but était placé à une cinquantaine de pieds.

La rondelle n'atteignit le hob que par son bord externe, et, au lieu d'emboîter la tête de la cheville, elle tomba à terre — ce qui ne donna que six points au total.

Doniphan ne put retenir un geste de dépit et frappa du pied avec colère.

« C'est fâcheux, dit Cross, mais nous n'avons pas perdu pour cela, Doniphan !

— Non certes ! ajouta Wilcox. Ton quoit est au pied même du hob, et, à moins que Briant n'emboîte le sien, je le défie bien de faire mieux ! »

En effet, si la rondelle que Briant allait lancer — c'était son tour de jouer — ne se fichait pas dans le hob, la partie serait perdue pour son camp, car il était presque impossible de la mettre plus près que ne l'avait fait Doniphan.

« Vise bien !... Vise bien ! » s'écria Service.

Briant ne répondit pas, ne songeant point à être désagréable à Doniphan. Il ne voulait qu'une chose : assurer le gain de la partie, encore plus pour ses camarades que pour lui-même.

Il se mit donc en position, et envoya si adroitement son quoit que celui-ci vint s'ajuster dans le hob.

« Sept points ! s'écria triomphalement Service. Gagnée la partie, gagnée ! »

Doniphan venait de s'avancer vivement.

« Non !... La partie n'est pas gagnée ! dit-il.

— Et pourquoi ? demanda Baxter.

— Parce que Briant a triché !

— Triché ? répondit Briant, dont le visage pâlit sous cette accusation.

— Oui !... triché ! reprit Doniphan. Briant n'avait pas ses pieds sur la ligne où ils devaient être !... Il s'était rapproché de deux pas !

Doniphan avait pris l'attitude du boxeur. (Page 323.)

— C'est faux ! s'écria Service.

— Oui, faux ! répondit Briant. En admettant même que ce fût vrai, ce n'aurait jamais été qu'une erreur de ma part, et je ne souffrirai pas que Doniphan m'accuse d'avoir triché !

— Vraiment !... Tu ne souffrirais pas ?... dit Doniphan en haussant les épaules.

— Non, répondit Briant, qui commençait à ne plus être maître de lui. Et d'abord je prouverai que mes pieds étaient exactement placés sur la ligne...

— Oui !... Oui !... s'écrièrent Baxter et Service.

— Non !... Non !... ripostèrent Webb et Cross.

— Voyez l'empreinte de mes souliers sur le sable ! reprit Briant. Et, comme Doniphan n'a pu s'y tromper, je lui dirai moi qu'il en a menti !

— Menti ! » s'écria Doniphan, qui s'approcha lentement de son camarade.

Webb et Cross s'étaient rangés derrière lui, afin de le soutenir, tandis que Service et Baxter se tenaient prêts à assister Briant, s'il y avait lutte.

Doniphan avait pris l'attitude du boxeur, sa jaquette enlevée, ses manches retroussées jusqu'au coude, son mouchoir roulé autour de son poignet.

Briant, qui avait recouvré son sang-froid, restait immobile, comme s'il eût répugné à se battre avec un de ses camarades, à donner un pareil exemple à la petite colonie.

« Tu as eu tort de m'injurier, Doniphan, dit-il, et maintenant tu as tort de me provoquer !...

— En effet, répondit Doniphan du ton du plus profond mépris, on a toujours tort de provoquer ceux qui ne savent pas répondre aux provocations !

— Si je n'y réponds pas, dit Briant, c'est qu'il ne me convient pas d'y répondre !...

« — Si tu n'y réponds pas, riposta Doniphan, c'est parce que tu as peur !

— Peur !... moi !...

— C'est que tu es un lâche ! »

Briant, ayant relevé ses manches, se porta résolument sur Doniphan. Les deux adversaires étaient maintenant en posture, l'un en face de l'autre.

Chez les Anglais, et même dans les pensions anglaises, la boxe fait, pour ainsi dire, partie de l'éducation. On a d'ailleurs remarqué que les jeunes garçons, habiles à cet exercice, montrent plus de douceur et de patience que les autres, et ne cherchent pas querelle à tout propos.

Briant, lui, en sa qualité de Français, n'avait jamais eu de goût pour cet échange de coups de poings qui prennent uniquement la figure pour cible. Il se trouvait donc dans un état d'infériorité vis-à-vis de son adversaire, qui était un très adroit pugiliste, bien que tous deux fussent du même âge, de la même taille et sensiblement égaux en vigueur.

La lutte était sur le point de s'engager, et le premier assaut allait être donné, lorsque Gordon, qui venait d'être prévenu par Dole, se hâta d'intervenir.

« Briant !... Doniphan !... s'écria-t-il.

— Il m'a traité de menteur !... dit Doniphan.

— Après qu'il m'a accusé de tricher et appelé lâche ! » répondit Briant.

En ce moment, tous s'étaient rassemblés autour de Gordon, tandis que les deux adversaires avaient fait quelques pas en arrière, Briant les bras croisés, Doniphan dans l'attitude du boxeur.

« Doniphan, dit alors Gordon d'une voix sévère, je connais Briant !... Ce n'est pas lui qui a dû te chercher querelle !... C'est toi qui as eu les premiers torts!...

— Vraiment, Gordon ! répliqua Doniphan. Je te

reconnais bien là !... Toujours prêt à prendre parti contre moi !

— Oui... quand tu le mérites ! répondit Gordon.

— Soit ! reprit Doniphan. Mais que les torts viennent de Briant ou de moi, si Briant refuse de se battre, il sera un lâche.

— Et toi, Doniphan, répondit Gordon, tu es un méchant garçon, qui donne un exemple détestable à tes camarades ! Quoi ! dans la grave situation où nous sommes, l'un de nous ne cherche qu'à pousser à la désunion ! Il faut qu'il s'en prenne sans cesse au meilleur de tous !...

— Briant, remercie Gordon ! s'écria Doniphan. Et, maintenant, en garde !

— Eh bien, non ! s'écria Gordon. Moi, votre chef, je m'oppose à toute scène de violence entre vous ! Briant, rentre à French-den ! Quant à toi, Doniphan, va passer ta colère où tu voudras, et ne reparais que lorsque tu seras en état de comprendre qu'en te donnant tort, je n'ai fait que mon devoir !

— Oui !... Oui !... s'écrièrent les autres — moins Webb, Wilcox et Cross. Hurrah pour Gordon !... Hurrah pour Briant ! »

Devant cette presque unanimité, il n'y avait plus qu'à obéir. Briant rentra dans le hall, et le soir, lorsque Doniphan revint à l'heure du coucher, il ne manifesta plus aucune velléité de donner suite à cette affaire. Toutefois, on sentait bien qu'une sourde rancune couvait en lui, que son inimitié contre Briant avait grandi encore, et qu'il n'oublierait pas, à l'occasion, la leçon que venait de lui donner Gordon. D'ailleurs, il se refusa aux tentatives de réconciliation que celui-ci voulut faire.

Bien regrettables, en effet, étaient ces fâcheuses dissensions, menaçant le repos de la petite colonie.

Doniphan avait pour lui Wilcox, Cross et Webb, qui subissaient son influence, qui lui donnaient raison à tout propos, et n'y avait-il pas lieu de craindre une scission dans l'avenir ?

Cependant, depuis ce jour, il ne fut plus question de rien. Personne ne fit aucune allusion à ce qui s'était passé entre les deux rivaux, et les travaux habituels continuèrent à s'exécuter en prévision de l'hiver.

Il n'allait pas se faire longtemps attendre. Durant la première semaine de mai, le froid fut assez sensible pour que Gordon donnât l'ordre d'allumer les poêles du hall et de les tenir chargés nuit et jour. Bientôt même, il parut nécessaire de chauffer le hangar de l'enclos et la basse-cour — ce qui rentrait dans les attributions de Service et de Garnett.

A cette époque, certains oiseaux se préparaient à émigrer par bandes. Vers quelles régions s'envolaient-ils ? Evidemment, ce devait être vers les contrées septentrionales du Pacifique ou du continent américain, qui leur offraient un climat moins rigoureux que celui de l'île Chairman.

Parmi ces oiseaux figuraient au premier rang les hirondelles, ces merveilleux migrateurs, capables de se transporter rapidement à des distances considérables. Sous cette préoccupation incessante d'employer tous les moyens pour se rapatrier, Briant eut alors l'idée d'utiliser le départ de ces oiseaux, afin de signaler la situation actuelle des naufragés du *Sloughi*. Rien ne fut plus aisé que d'attraper quelques douzaines de ces hirondelles, de l'espèce des « rustiques », car elles venaient nicher jusque dans l'intérieur de Store-room. On leur mit au cou un petit sac de toile, qui contenait un billet indiquant à peu près dans quelle partie du Pacifique il conviendrait de chercher l'île Chairman, avec prière instante d'en donner avis à Auckland, la capitale de la Nouvelle-Zélande.

Puis, les hirondelles furent lâchées, et ce ne fut pas sans une véritable émotion que les jeunes colons leur envoyèrent un touchant : « Au revoir », à l'instant où elles disparaissaient dans la direction du nord-est !

Chance de salut bien modeste ; mais, si peu probable fût-il qu'un de ces billets pût être recueilli, Briant avait eu raison de ne pas la négliger.

Dès le 25 mai, apparurent les premières neiges, et, par conséquent, quelques jours plus tôt que l'année précédente. De cette précocité de l'hiver devait-on conclure à sa grande rigueur ? C'était à craindre, tout au moins. Heureusement, chaleur, lumière, alimentation, étaient assurées pour de longs mois à French-den, sans compter le produit des South-moors, dont le gibier se rabattait volontiers vers les rives du rio Zealand.

Depuis quelques semaines déjà, des vêtements chauds avaient été distribués, et Gordon veillait à ce que les mesures d'hygiène fussent observées rigoureusement.

Ce fut pendant cette dernière période, que French-den se ressentit d'une secrète agitation qui mit les jeunes têtes en émoi. En effet, l'année pour laquelle Gordon avait été nommé chef de l'île Chairman allait s'achever à la date du 10 juin.

De là, des pourparlers, des conciliabules, on peut dire même des intrigues, qui ne laissaient pas d'agiter sérieusement ce petit monde. Gordon, on le sait, voulait y rester indifférent. Quant à Briant, étant Français d'origine, il ne songeait point à gouverner une colonie de jeunes garçons où les Anglais se trouvaient en majorité.

Au fond et sans trop le montrer, celui qui s'inquiétait surtout de cette élection, c'était Doniphan. Evidemment, avec son intelligence au-dessus de l'ordinaire, son courage dont personne ne doutait, il aurait eu de grandes chances, n'eussent été son caractère hautain, son esprit dominateur et les défauts de sa nature envieuse.

Cependant, soit qu'il se crût assuré de succéder à Gordon, soit que sa vanité l'empêchât de quémander des voix, il affecta de se tenir à l'écart. D'ailleurs, ce qu'il ne fit pas ouvertement, ses amis le firent pour lui. Wilcox, Webb et Cross travaillaient sous main leurs camarades pour qu'ils donnassent leur suffrage à Doniphan, — surtout les petits dont l'appoint était précieux. Or, comme aucun autre nom n'était mis en avant, Doniphan put regarder avec quelque raison son élection comme assurée.

Le 10 juin arriva.

C'était dans l'après-midi qu'on allait procéder au scrutin. Chacun devait écrire sur un bulletin le nom de celui pour lequel il entendait voter. La majorité des suffrages en déciderait. Comme la colonie comptait quatorze membres — Moko, en sa qualité de noir, ne pouvant prétendre et ne prétendant point à exercer le mandat d'électeur —, sept voix, plus une, portées sur le même nom, fixeraient le choix du nouveau chef.

Le scrutin s'ouvrit à deux heures sous la présidence de Gordon, et il s'accomplit avec cette gravité que la race anglo-saxonne apporte dans toutes les opérations de ce genre.

Et, lorsque le dépouillement fut fait, il donna les résultats suivants :

Briant...................... huit voix.
Doniphan................. trois voix.
Gordon.................... une voix.

Ni Gordon ni Doniphan n'avaient voulu prendre part

au scrutin. Quant à Briant, il avait voté pour Gordon.

En entendant proclamer ce résultat, Doniphan ne put cacher son désappointement ni l'irritation profonde qu'il ressentait.

Briant, très surpris d'avoir obtenu la majorité des suffrages, fut d'abord sur le point de refuser l'honneur qu'on lui faisait. Mais, sans doute, une idée lui vint à l'esprit, car, après avoir regardé son frère Jacques :

« Merci, mes camarades, dit-il, j'accepte ! »

A partir de ce jour, Briant était pour une année le chef des jeunes colons de l'île Chairman.

XIX

LE MAT DE SIGNAUX. — GRANDS FROIDS. — LE FLAMANT. — LE PATINAGE. — ADRESSE DE JACQUES. — DESOBEISSANCE DE DONIPHAN ET DE CROSS. — LE BROUILLARD. — JACQUES DANS LES BRUMES. — LES COUPS DE CANON DE FRENCH-DEN. — LES POINTS NOIRS. — ATTITUDE DE DONIPHAN.

Ce que ses compagnons avaient voulu en portant leur choix sur Briant, c'était rendre justice à son caractère serviable, au courage dont il faisait preuve en toutes les occasions d'où dépendait le sort de la colonie, à son infatigable dévouement pour l'intérêt général. Depuis le jour où il avait, pour ainsi dire, pris le commandement du schooner, pendant cette traversée de la Nouvelle-Zélande à l'île Chairman, il n'avait jamais reculé devant le danger ou la peine. Quoiqu'il fût d'une nationalité différente, tous l'aimaient, grands et petits, — ces derniers principalement, dont il s'était incessamment occupé avec tant de zèle, et qui avaient unanimement

voté pour lui. Seuls, Doniphan, Cross, Wilcox et Webb
se refusaient à reconnaître les qualités de Briant ; mais,
au fond, ils savaient parfaitement qu'ils étaient injustes
envers le plus méritant de leurs camarades.

Bien qu'il prévît que ce choix accentuerait encore
la dissidence qui existait déjà, bien qu'il pût craindre
que Doniphan et ses partisans ne prissent quelque
résolution regrettable, Gordon ne ménagea pas ses
félicitations à Briant. D'une part, il avait l'esprit trop
équitable pour ne point approuver le choix qui avait été
fait, et de l'autre, il préférait n'avoir plus à s'occuper
que de la comptabilité de French-den.

Dès ce jour-là, cependant, il fut visible que Doniphan
et ses trois amis étaient résolus à ne point supporter
cet état de choses, quoique Briant se fût promis de ne
leur fournir aucune occasion de se porter à quelque
excès.

Quant à Jacques, ce n'était pas sans une certaine
surprise qu'il avait vu son frère accepter le résultat du
scrutin.

« Tu veux donc ?... lui dit-il, sans achever une pensée
que Briant compléta, en lui répondant à voix basse :

— Oui, je veux être à même de faire encore plus que
nous n'avons fait jusqu'ici pour racheter ta faute !

— Merci, frère, répondit Jacques, et ne m'épargne
pas ! »

Le lendemain recommença le cours de cette existence
que les longs jours de l'hiver allaient rendre si monotone.

Et d'abord, avant que les grands froids eussent interdit
toute excursion à Sloughi-bay, Briant prit une mesure
qui ne laissait pas d'avoir son utilité.

On sait qu'un mât de signaux avait été dressé sur l'une
des plus hautes crêtes d'Auckland-hill. Or, il ne restait
guère que des lambeaux du pavillon hissé en tête de ce

mât, secoué qu'il avait été pendant quelques semaines par les vents du large. Il importait donc de le remplacer par un appareil capable de supporter même les bourrasques hivernales. Sur les conseils de Briant, Baxter fabriqua une sorte de ballon, tressé avec ces joncs flexibles dont les bords du marécage étaient hérissés, et qui pourrait résister, puisque le vent passerait à travers. Ce travail terminé, une dernière excursion fut faite à la baie, dans la journée du 17 juin, et, au pavillon du Royaume-Uni, Briant substitua ce nouveau signal, qui était visible dans un rayon de plusieurs milles.

Cependant le moment n'était plus éloigné où Briant et ses « administrés » allaient être casernés dans Frenchden. Le thermomètre baissait lentement, suivant une progression continue — ce qui indiquait qu'il y aurait persistance des grands froids.

Briant fit mettre la yole à terre, dans l'angle du contrefort. Là, elle fut recouverte d'un épais prélart, afin que la sécheresse n'en fît pas disjoindre les coutures. Puis, Baxter et Wilcox tendirent des collets près de l'enclos, et creusèrent de nouvelles fosses sur la lisière de Traps-woods. Enfin, les fleurons furent dressés le long de la rive gauche du rio Zealand, de manière à retenir dans leurs mailles le gibier d'eau que les violentes brises du sud entraîneraient vers l'intérieur de l'île.

Entre-temps, Doniphan et deux ou trois de ses camarades, montés sur leurs échasses, faisaient des excursions sur les South-moors, d'où ils ne revenaient jamais « bredouilles », tout en ménageant leurs coups de fusil, car, au sujet des munitions, Briant se montrait aussi économe que Gordon.

Pendant les premiers jours de juillet, le rio commença à se prendre. Les quelques glaçons qui se formèrent sur le Family-lake dérivèrent au fil du courant. Bientôt,

par suite de leur accumulation un peu en aval de French-
den, une embâcle s'entassa, et la surface du cours d'eau
n'offrit plus qu'une épaisse croûte glacée. Avec le
maintien du froid, marqué déjà par une douzaine de
degrés au-dessous du zéro centigrade, le lac ne tarderait
pas à se solidifier sur toute son étendue. En effet, après
un violent assaut de rafales qui rendit cette solidification
plus lente, le vent hala le sud-est, le ciel s'éclaircit, et
la température s'abaissa à près de 20° au-dessous du
chiffre de congélation.

Le programme de la vie hivernale fut repris dans les
conditions où il avait été établi l'année précédente.
Briant y tenait la main, sans chercher à faire abus de
son autorité. On lui obéissait volontiers, d'ailleurs, et
Gordon facilitait beaucoup sa tâche en donnant l'exemple
de l'obéissance. Au surplus, Doniphan et ses partisans
ne se mirent jamais en état d'insubordination. Ils
s'occupaient du service quotidien des trappes, pièges,
fleurons et collets, qui leur était plus spécialement
attribué, tout en continuant de vivre entre eux, causant
à voix basse, ne se mêlant que très rarement à la conversation générale, même pendant les repas, même pendant
les veillées du soir. Préparaient-ils quelque machination?
on ne savait. En somme, il n'y avait aucun reproche à
leur adresser, et Briant n'eut point à intervenir. Il se
contentait d'être juste envers tous, prenant le plus
souvent à son compte les besognes pénibles et difficiles,
n'y épargnant point son frère qui rivalisait de zèle avec
lui. Gordon put même observer que le caractère de
Jacques tendait à se modifier, et Moko voyait, non sans
plaisir, que, depuis l'explication qu'il avait eue avec
Briant, le jeune garçon se mêlait plus ouvertement aux
propos et aux jeux de ses camarades.

Les études remplissaient ces longues heures que le

froid obligeait à passer dans le hall. Jenkins, Iverson, Dole et Costar faisaient de sensibles progrès. A les instruire, les grands ne laissaient pas de s'instruire eux-mêmes. Pendant les longues soirées, on lisait à haute voix des récits de voyage, auxquels Service eût certainement préféré la lecture de ses *Robinsons*. Quel-quefois aussi, l'accordéon de Garnett laissait échapper une de ces harmonies écœurantes que le malencontreux mélomane « soufflait » avec une conviction regrettable. D'autres chantaient en chœur quelques chansons de leur enfance. Puis, lorsque le concert avait pris fin, chacun regagnait sa couchette.

Cependant Briant ne cessait de réfléchir au retour en Nouvelle-Zélande. C'était sa grande préoccupation. En cela, il différait de Gordon, qui ne songeait qu'à compléter l'organisation de la colonie sur l'île Chairman. La présidence de Briant devait donc être surtout mar-quée par les efforts qui seraient faits dans le but de se rapatrier. Il pensait toujours à cette tache blanchâtre, aperçue au large de Deception-bay. N'appartenait-elle pas à quelque terre située dans le voisinage de l'île ? se demandait-il. Eh bien, si cela était, serait-il impossible de construire une embarcation avec laquelle on essayerait de gagner cette terre ? Mais, lorsqu'il en causait avec Baxter, celui-ci hochait la tête, comprenant bien qu'un tel travail était au-dessus de leurs forces !

« Ah ! pourquoi ne sommes-nous que des enfants, répétait Briant, oui ! des enfants, quand il faudrait être des hommes ! »

Et c'était là son plus gros chagrin.

Pendant ces nuits d'hiver, bien que la sécurité parût assurée à French-den, quelques alertes s'y produisirent. A plusieurs reprises, Phann jetait de longs aboiements d'alarme, lorsque des bandes de carnassiers — presque

L'animal était déjà étranglé. (Page 335.)

toujours des chacals — venaient rôder autour de l'enclos.
Doniphan et les autres se précipitaient alors par la porte
du hall, et, en lançant des tisons embrasés à ces maudites
bêtes, ils parvenaient à les mettre en fuite.

Deux ou trois fois aussi, plusieurs couples de jaguars
et de couguars se montrèrent aux environs, sans jamais
s'approcher autant que les chacals. Ceux-là, on les
recevait à coups de fusil, quoique de la distance de
laquelle on les tirait, ils ne pussent être mortellement
atteints. En somme, ce ne fut pas sans peine que l'on
parvint à préserver l'enclos.

Le 24 juillet, Moko eut enfin l'occasion de développer
de nouveaux talents culinaires, en accommodant un
gibier, dont tous se régalèrent les uns en gourmets,
les autres en gourmands.

Wilcox — et Baxter qui l'y aidait volontiers — ne
s'étaient pas contentés d'établir des engins pour les
animaux, volatiles ou rongeurs, de petite espèce. En
courbant quelques-uns de ces baliveaux qui poussaient
entre les massifs de Traps-woods, ils avaient pu installer
de véritables collets à nœud coulant pour le gibier de
grande taille. Ce genre de piège est communément
établi en forêt sur les passées de chevreuils, et il n'est
pas rare qu'il produise de bons résultats.

A Traps-woods, ce ne fut point un chevreuil, ce fut
un magnifique flamant qui, dans la nuit du 24 juillet,
vint s'engager à travers l'un de ces nœuds coulants,
dont ses efforts ne purent le délivrer. Le lendemain,
lorsque Wilcox visita ses pièges, l'animal était déjà
étranglé par la boucle que le baliveau, en se relevant,
lui avait serrée à la gorge. Ce flamant, bien plumé, bien
vidé, bien truffé d'herbes aromatiques, rôti à point,
fut déclaré excellent. Tant des ailes que des cuisses,
il y en eut pour tout le monde, et même chacun eut sa

petite part de la langue, qui est bien ce qu'on peut manger de meilleur sous la calotte des cieux !

La première quinzaine du mois d'août fut marquée
par quatre jours d'un froid excessif. Briant ne vit pas
sans appréhension le thermomètre tomber à 30° centi-
grades au-dessous de zéro. La pureté de l'air était incom-
parable, et, ainsi qu'il arrive le plus souvent avec ces
grands abaissements de température, pas un souffle ne
troublait l'atmosphère.

Pendant cette période, on ne pouvait sortir de French-
den sans être instantanément saisi jusqu'à la moelle des
os. Défense fut faite aux petits de s'exposer à l'air, —
même un instant. Les grands, d'ailleurs, ne le faisaient
que dans le cas d'absolue nécessité, principalement
pour alimenter jour et nuit les foyers de l'étable et de
la basse-cour.

Par bonheur, ces froids durèrent peu. Vers le 6 août,
le vent retomba dans l'ouest. Sloughi-bay et le littoral
de Wreck-coast furent alors assaillis par des bourrasques
effroyables qui, après avoir battu de plein fouet le revers
d'Auckland-hill, ricochaient par-dessus avec une incom-
parable violence. Pourtant French-den n'eut point à
en souffrir. Il n'aurait pas fallu moins qu'un tremble-
ment de terre pour disjoindre ses solides parois. Les
rafales les plus irrésistibles, celles qui mettent des
vaisseaux de haut bord à la côte ou renversent des
édifices de pierre, n'avaient pas prise sur l'inébranlable
falaise. Quant aux arbres abattus, s'ils furent nombreux,
c'était autant d'ouvrage épargné aux jeunes bûcherons,
quand il s'agirait de refaire leur provision de combustible.

En somme, ces bourrasques eurent pour résultat de
modifier profondément l'état atmosphérique, en ce
sens qu'elles amenèrent la fin des grands froids. A
partir de cette période, la température se releva constam-

ment, et, dès que ces troubles eurent cessé, elle se maintint à une moyenne de 7 à 8° au-dessous du point de congélation.

La dernière quinzaine d'août fut très supportable, Briant put reprendre les travaux du dehors, à l'exception de la pêche, car une épaisse glace recouvrait encore les eaux du rio et du lac. De nombreuses visites furent faites aux trappes, collets et fleurons, où le gibier de marais donnait abondamment, et l'office ne cessa pas d'être pourvu de venaison fraîche.

Du reste, l'enclos compta bientôt quelques nouveaux hôtes. En outre des couvées d'outardes et de pintades, la vigogne mit bas une portée de cinq petits, auxquels les soins de Service et de Garnett ne manquèrent pas.

Ce fut dans ces circonstances, puisque l'état de la glace le permettait encore, que Briant eut la pensée d'offrir à ses camarades une grande partie de patinage. Avec une semelle de bois et une lame de fer, Baxter parvint à fabriquer quelques paires de patins. Ces jeunes garçons, d'ailleurs, avaient tous plus ou moins l'habitude de cet exercice, qui est très goûté au p.us fort des hivers de la Nouvelle-Zélande, et ils furent enchantés de cette occasion de déployer leurs talents à la surface du Family-lake.

Donc, le 25 août, vers onze heures du matin, Briant, Gordon, Doniphan, Webb, Cross, Wilcox, Baxter, Garnett, Service, Jenkins et Jacques, laissant Iverson, Dole et Costar à la garde de Moko et de Phann, quittèrent French-den afin d'aller chercher un endroit où la couche glacée présenterait une vaste étendue, propice au patinage.

Briant avait pris un des cornets de bord, afin de rappeler sa petite troupe, dans le cas où quelques-uns se laisseraient emporter trop loin sur le lac. Tous avaient déjeuné avant de partir et comptaient bien être de retour pour le dîner.

Il fallut remonter la rive pendant près de trois milles, avant de trouver un emplacement convenable, le Family-lake étant encombré de glaçons aux abords de French-den. Ce fut par le travers de Traps-woods que les jeunes colons s'arrêtèrent devant une surface, uniformément solidifiée, qui se développait à perte de vue du côté de l'est. C'eût été un magnifique champ de manœuvres pour une armée de patineurs.

Il va sans dire que Doniphan et Cross avaient emporté leurs fusils, afin de tirer quelque gibier, si l'occasion s'en présentait. Quant à Briant et à Gordon, qui n'avaient jamais eu de goût pour ce genre de sport, ils n'étaient venus là que dans l'intention d'empêcher les impru-dences.

Sans contredit, les plus adroits patineurs de la colonie étaient Doniphan, Cross, — Jacques surtout qui l'em-portait tant pour sa vitesse de déplacement que pour la précision avec laquelle il traçait des courbes compli-quées.

Avant de donner le signal du départ, Briant réunit ses camarades et leur dit :

« Je n'ai pas besoin de vous recommander d'être sages et de mettre de côté tout amour-propre ! S'il n'y a pas à craindre que la glace se casse, il y a toujours à craindre de se casser un bras ou une jambe ! Ne vous éloignez pas hors de la vue ! Dans le cas où il vous arriverait d'être entraînés trop loin, n'oubliez pas que Gordon et moi, nous vous attendons en cet endroit. Ainsi, lorsque je donnerai le signal avec mon cornet, chacun devra se mettre en mesure de nous rejoindre ! »

Ces recommandations faites, les patineurs s'élancèrent sur le lac, et Briant fut rassuré en les voyant déployer

« Là-bas... dans l'est !... Les vois-tu ? » (Page 340.)

une réelle habileté. S'il y eut d'abord quelques chutes, elles ne provoquèrent que des éclats de rire.

En vérité, Jacques faisait merveille en avant, en arrière, sur un pied, sur deux, debout ou accroupi, décrivant des cercles et des ellipses avec une régularité parfaite. Et quelle satisfaction c'était pour Briant de voir son frère prendre part aux jeux des autres !

Il est probable que Doniphan, le sportsman si passionné pour tous les exercices du corps, ressentait quelque jalousie des succès de Jacques, auquel on applaudissait de bon cœur. Aussi ne tarda-t-il pas à s'éloigner de la rive, malgré les instantes recommandations de Briant. Et même, à un certain moment, il fit signe à Cross de venir le rejoindre.

« Eh ! Cross, lui cria-t-il, j'aperçois une bande de canards... là-bas... dans l'est !... Les vois-tu ?

— Oui, Doniphan !

— Tu as ton fusil !... J'ai le mien !... En chasse !...

— Mais Briant a défendu !...

— Eh ! laisse-moi tranquille avec ton Briant !... En route... à toute vitesse ! »

En un clin d'œil, Doniphan et Cross eurent franchi un demi-mille, poursuivant cette troupe d'oiseaux, qui voletaient sur Family-lake.

« Où vont-ils donc ? dit Briant.

— Ils auront vu là-bas quelque gibier, répondit Gordon, et l'instinct de la chasse...

— Où plutôt l'instinct de la désobéissance ! reprit Briant. C'est encore Doniphan...

— Crois-tu donc, Briant, qu'il y ait quelque chose à craindre pour eux ?...

— Eh ! qui sait, Gordon ?... Il est toujours imprudent de s'éloigner !... Vois comme ils sont loin déjà ! »

Et, de fait, emportés dans une course rapide, Doniphan

et Cross n'apparaissaient déjà plus que comme deux points à l'horizon du lac.

S'ils avaient le temps de revenir, puisque le jour devait durer quelques heures encore, c'était pourtant une imprudence. En effet, à cette époque de l'année, il y avait toujours lieu de redouter un subit changement dans l'état de l'atmosphère. Une modification à la direction du vent eût suffi pour amener des rafales ou des brouillards.

Aussi, que l'on juge de ce que furent les appréhensions de Briant, lorsque, vers deux heures, l'horizon se déroba brusquement sous une épaisse bande de brumes.

A ce moment, Cross et Doniphan n'avaient point encore reparu, et les vapeurs, maintenant accumulées à la surface du lac, en cachaient la rive occidentale.

« Voilà ce que je craignais ! s'écria Briant. Comment retrouveront-ils leur route ?

— Un coup de cornet !... Donne un coup de cornet ! » répondit vivement Gordon.

Par trois fois, le cornet retentit, et sa note cuivrée se prolongea à travers l'espace. Peut-être y serait-il répondu par des coups de fusil, — le seul moyen que Doniphan et Cross eussent de faire connaître leur position.

Briant et Gordon écoutèrent... Aucune détonation n'arriva à leur oreille.

Déjà, cependant, le brouillard avait beaucoup gagné en épaisseur comme en étendue, et ses premières volutes se déroulaient à moins d'un quart de mille de la rive. Or, comme il s'élevait en même temps vers les hautes zones, le lac aurait entièrement disparu avant quelques minutes.

Briant rappela alors ceux de ses camarades qui étaient restés à portée de la vue. Quelques instants après, tous furent réunis sur la rive.

« Que décider ?... demanda Gordon.

— C'est de tout tenter pour retrouver Cross et Doniphan, avant qu'ils soient complètement égarés dans le
brouillard ! Que l'un de nous se porte dans la direction
qu'ils ont prise, et tâche de les rallier à coups de cornet...

— Je suis prêt à partir ! dit Baxter.

— Nous aussi ! ajoutèrent deux ou trois autres.

— Non !... J'irai !... dit Briant.

— Ce sera moi, frère ! répondit Jacques. Avec mes
patins, j'aurai vite fait de rejoindre Doniphan...

— Soit !... répondit Briant. Va, Jacques, et écoute
bien si tu n'entends pas des coups de fusil !... Tiens,
prends ce cornet, qui servira à signaler ta présence !...

— Oui, frère ! »

Un instant après, Jacques était invisible au milieu des
brumes, qui devenaient de plus en plus opaques.

Briant, Gordon et les autres prêtèrent attentivement
l'oreille aux coups de cornet lancés par Jacques ; mais
la distance les éteignit bientôt.

Une demi-heure s'écoula. Aucune nouvelle des absents
ni de Cross, ni de Doniphan, incapables de s'orienter sur
le lac, ni de Jacques, qui s'était porté à leur rencontre.

Et que deviendraient-ils tous trois, au cas où la nuit
arriverait avant qu'ils fussent de retour ?

« Si encore nous avions des armes à feu, s'écria Service,
peut-être...

— Des armes ? répondit Briant. Il y en a à French-
den !... Pas un instant à perdre !... En route ! »

C'était le meilleur parti à prendre, car, avant tout,
il importait d'indiquer aussi bien à Jacques qu'à Doniphan
et à Cross quelle direction il convenait de suivre pour
retrouver la rive du Family-lake. Le mieux était donc de
revenir par le plus court à French-den, où des signaux
pourraient être faits au moyen de détonations successives.

Le coup partit. (Page 344.)

En moins d'une demi-heure, Briant, Gordon et les autres eurent enlevé les trois milles qui les séparaient de Sport-terrace.

En cette occasion, il ne s'agissait plus d'économiser la poudre. Wilcox et Baxter chargèrent deux fusils, qui furent tirés dans la direction de l'est.

Nulle réponse. Ni coup de feu, ni coup de cornet.

Il était déjà trois heures et demie. Le brouillard tendait à s'épaissir à mesure que le soleil s'abaissait derrière le massif d'Auckland-hill. A travers ces lourdes vapeurs, impossible de rien voir à la surface du lac.

« Au canon ! » dit Briant.

Une des deux petites pièces du *Sloughi* — celle qui était braquée à travers l'une des embrasures percées près de la porte du hall — fut traînée au milieu de Sport-terrace, et convenablement pointée vers le nord-est.

On la chargea avec une des gargousses à signaux, et Baxter allait tirer sur la corde de l'étoupille, lorsque Moko suggéra l'idée de mettre une bourre d'herbe enduite de graisse par-dessus la gargousse. Il croyait savoir que cela donnerait plus de force à la détonation, et il ne se trompait pas.

Le coup partit — non sans que Dole et Costar se fussent bouché les oreilles.

Au milieu d'une atmosphère si parfaitement calme, il était inadmissible que cette détonation ne fût pas entendue à une distance de plusieurs milles.

On écouta... Rien !

Pendant une heure encore, la petite pièce fut tirée de dix minutes en dix minutes. Que Doniphan, Cross et Jacques se méprissent sur la signification de ces coups répétés qui indiquaient la position de French-den, cela ne pouvait être. En outre, ces décharges devaient se faire entendre sur toute la surface du Family-lake, car les brouillards sont très propres à la propagation lointaine des sons, et cette propriété s'accroît même avec leur densité.

Enfin, un peu avant cinq heures, deux ou trois coups de fusil, encore éloignés, furent assez distinctement perçus dans la direction du nord-est.

« Ce sont eux ! » s'écria Service.

Et aussitôt, Baxter de répondre par une dernière décharge au signal de Doniphan.

Quelques instants après, deux ombres se dessinèrent à travers les brumes, qui étaient moins épaisses près de la rive que sur le lac. Bientôt des hurrahs se joignirent aux hurrahs qui partaient de Sport-terrace.

C'étaient Doniphan et Cross.

Jacques n'était pas avec eux.

On imagine quelles mortelles angoisses dut éprouver Briant ! Son frère n'avait pu retrouver les deux chasseurs, qui n'avaient même pas entendu ses coups de cornet. A ce moment, en effet, Cross et Doniphan, cherchant à s'orienter, s'étaient déjà rabattus vers la partie méridionale du Family-lake, tandis que Jacques s'enfonçait dans l'est pour essayer de les rejoindre. Eux-mêmes, d'ailleurs, sans les détonations parties de French-den, n'eussent jamais pu retrouver leur route.

Briant, tout à la pensée de son frère égaré au milieu des brumes, ne songeait guère à adresser des reproches à Doniphan, dont la désobéissance risquait d'avoir des conséquences si graves. Que Jacques fût réduit à passer la nuit sur le lac par une température qui allait peut-être s'abaisser à 15° au-dessous de zéro, comment résisterait-il à des froids si intenses !

« C'est moi qui aurais dû aller à sa place... moi ! » répétait Briant, à qui Gordon et Baxter essayaient en vain de donner un peu d'espoir.

Quelques coups de canon furent encore tirés. Evidemment, si Jacques eût été rapproché de Franch-den, il les aurait entendus et n'eût pas manqué de signaler sa présence par des coups de cornet.

Mais, lorsque leurs derniers roulements se perdirent au loin, les détonations restèrent sans réponse.

Et déjà, la nuit commençant à se faire, l'obscurité ne tarderait pas à envelopper toute l'île.

Cependant une circonstance assez favorable vint à se produire alors. Le brouillard semblait avoir une tendance à se dissiper. La brise, qui s'était levée au couchant, comme cela arrivait presque chaque soir après les calmes du jour, repoussait les brumes du côté de l'est en dégageant la surface du Family-lake. Bientôt, la difficulté de retrouver French-den ne serait plus due qu'à l'obscurité de la nuit.

Dans ces conditions, il n'y avait plus qu'une chose à faire : allumer un grand feu sur la rive, afin qu'il pût servir de signal. Et déjà Wilcox, Baxter, Service entassaient du bois sec au centre de Sport-terrace, lorsque Gordon les arrêta.

« Attendez ! » dit-il.

La lunette aux yeux, Gordon regardait attentivement dans la direction du nord-est.

« Il me semble que je vois un point... dit-il, un point qui se déplace... »

Briant avait saisi la lunette et regardait à son tour.

« Dieu soit loué !... C'est lui !... s'écria-t-il. C'est Jacques !... Je l'aperçois !... »

Et tous de pousser des cris à pleins poumons, comme s'ils eussent pu être entendus à une distance qui ne devait pas être évaluée à moins d'un mille !

Toutefois, cette distance diminuait à vue d'œil. Jacques, les patins aux pieds, glissait avec la rapidité d'une flèche

Doniphan s'élança au-devant de Jacques. (Page 348.)

sur la croûte glacée du lac, en se rapprochant de French-
den. Quelques minutes encore, et il serait arrivé.

« On dirait qu'il n'est pas seul ! » s'écria Baxter, qui
ne put retenir un geste de surprise.

En effet, une observation plus attentive fit reconnaître
que deux autres points se mouvaient en arrière de
Jacques, à quelque cent pieds de lui.

« Qu'est-ce donc ?... demanda Gordon.

— Des hommes ?... répondit Baxter.

— Non !... On dirait des animaux !... dit Wilcox.

— Des fauves, peut-être !... » s'écria Doniphan.

Il ne se trompait pas, et, sans hésiter, le fusil à la main,
il s'élança sur le lac au-devant de Jacques.

En quelques instants, Doniphan eut rejoint le jeune
garçon et déchargé ses deux coups sur les fauves,
qui rebroussèrent chemin et eurent bientôt disparu.

C'étaient deux ours, qu'on ne se fût guère attendu à
voir figurer dans la faune chairmanienne ! Puisque ces
redoutables bêtes rôdaient sur l'île, comment se faisait-il
que les chasseurs n'en eussent jamais trouvé trace ?
Fallait-il donc admettre qu'elles ne l'habitaient pas, mais
que, pendant l'hiver, soit en s'aventurant à la surface
de la mer congelée, soit en s'embarquant sur des glaçons
flottants, ces ours se hasardaient jusque sur ces parages ?
Et cela ne semblait-il pas indiquer qu'il y avait quelque
continent dans le voisinage de l'île Chairman ?... Il
y aurait lieu d'y réfléchir.

Quoi qu'il en fût, Jacques était sauvé, et son frère
le pressait dans ses bras.

Les félicitations, les embrassements, les poignées
de main, ne manquèrent pas au brave enfant. Après
avoir vainement « corné » afin de rappeler ses deux
camarades, lui aussi, perdu au plus épais des brumes,

se trouvait dans l'impossibilité de s'orienter, lorsque les premières détonations éclatèrent.

« Ce ne peut être que le canon de French-den ! » se dit-il, en cherchant à saisir d'où venait le son.

Il était alors à plusieurs milles de la rive dans le nord-est du lac. Aussitôt, de toute la vitesse de ses patins, il fila dans la direction qui lui était signalée.

Soudain, au moment où le brouillard commençait à se dissoudre, il se vit en présence de deux ours, qui s'élancèrent vers lui. Malgré le danger, son sang-froid ne l'abandonna pas un instant et, grâce à la rapidité de sa course, il put tenir ces animaux à distance. Mais, s'il avait fait une chute, il eût été perdu.

Et alors, prenant Briant à l'écart, pendant que tous regagnaient French-den :

« Merci, frère, dit-il à voix basse, merci, puisque tu m'as permis de... »

Briant lui serra la main, sans répondre.

Puis, au moment où Doniphan allait franchir la porte du hall, il lui dit :

« Je t'avais défendu de t'éloigner, et, tu le vois, ta désobéissance aurait pu causer un grand malheur ! Pourtant, bien que tu aies eu tort, Doniphan, je ne dois pas moins te remercier d'être allé au secours de Jacques !

— Je n'ai fait que mon devoir », répondit froidement Doniphan.

Et il ne prit même pas la main que lui tendait si cordialement son camarade.

XX

Six semaines après ces événements, vers cinq heures du
soir, quatre des jeunes colons venaient de s'arrêter à
l'extrémité méridionale du Family-lake.

On était au 10 octobre. L'influence de la belle saison
se faisait sentir. Sous les arbres, revêtus d'une verdure
toute fraîche, le sol avait repris sa couleur printanière.
Une jolie brise ridait légèrement la surface du lac,
encore éclairée des derniers rayons du soleil qui effleu-
raient la vaste plaine des South-moors, dont une étroite
grève de sable formait la bordure. De nombreux oiseaux
passaient en bandes criardes, regagnant leurs noc-
turnes abris à l'ombre des bois ou dans les anfractuosités de la falaise. Divers groupes d'arbres à feuilles
persistantes, des pins, des chênes verts, et, non loin,
une sapinière de quelques acres, rompaient seuls la
monotone aridité de cette partie de l'île Chairman. Le
cadre végétal du lac était brisé en cet endroit et, pour
retrouver l'épais rideau des forêts, il eût fallu remonter
pendant plusieurs milles l'une ou l'autre des deux rives
latérales.

En ce moment, un bon feu, allumé au pied d'un pin
maritime, projetait son odorante fumée, que le vent
repoussait au-dessus du marécage. Une couple de
canards rôtissaient devant un foyer flambant, ménagé
entre deux pierres. Après souper, ces quatre garçons
n'auraient plus qu'à s'envelopper de leurs couvertures,

et, tandis que l'un d'eux veillerait, les trois autres dormiraient tranquillement jusqu'au jour.

C'étaient Doniphan, Cross, Webb, Wilcox, et voici dans quelles circonstances ils avaient pris le parti de se séparer de leurs camarades.

Pendant les dernières semaines de ce second hiver que les jeunes colons venaient de passer à French-den, les rapports s'étaient tendus entre Doniphan et Briant. On n'a pas oublié avec quel dépit Doniphan avait vu l'élection se faire au profit de son rival. Devenu plus jaloux, plus irritable encore, il ne se résignait pas sans peine à se soumettre aux ordres du nouveau chef de l'île Chairman. S'il ne lui résista pas ouvertement, c'est que la majorité ne l'aurait pas soutenu, il le savait bien. Pourtant, en diverses occasions, il avait manifesté tant de mauvais vouloir que Briant n'avait pu lui épargner de justes reproches. Depuis les incidents du patinage, où sa désobéissance avait été flagrante, soit qu'il eût été emporté par ses instincts de chasseur, soit qu'il eût voulu en faire à sa tête, son insoumission n'avait cessé de s'accroître, et le moment était arrivé où Briant allait être obligé de sévir.

Jusqu'alors, très inquiet de cet état de choses, Gordon avait obtenu de Briant qu'il se contiendrait. Mais celui-ci sentait bien que sa patience était à bout, et que, dans l'intérêt général, pour le maintien du bon ordre, un exemple serait nécessaire. En vain Gordon avait-il essayé de ramener Doniphan à de meilleurs sentiments. S'il avait eu autrefois sur lui quelque influence, il dut reconnaître qu'elle était entièrement perdue. Doniphan ne lui pardonnait pas d'avoir le plus souvent pris fait et cause pour son rival. Aussi, l'intervention de Gordon n'eut-elle aucun résultat, et ce fut avec un profond chagrin qu'il prévit des complications très prochaines.

De cet état de choses, il résultait donc que le bon accord, si indispensable à la tranquillité des hôtes de French-den, était détruit. On éprouvait une gêne morale, qui rendait très pénible l'existence en commun.

En effet, sauf aux heures des repas, Doniphan et ses partisans, Cross, Webb, Wilcox, qui subissaient de plus en plus sa domination, vivaient à part. Lorsque le mauvais temps les empêchait d'aller à la chasse, ils se réunissaient dans un coin du hall et, là, causaient entre eux à voix basse.

« A coup sûr, dit un jour Briant à Gordon, tous quatre s'entendent pour quelque agissement...

— Pas contre toi, Briant ? répondit Gordon. Essayer de prendre ta place ?... Doniphan n'oserait pas !... Nous serions tous de ton côté, tu le sais, et il ne l'ignore pas !

— Peut-être Wilcox, Cross, Webb et lui songent-ils à se séparer de nous ?...

— C'est à craindre, Briant, et je n'imagine pas que nous ayons le droit de les en empêcher !

— Les vois-tu, Gordon, allant s'établir au loin...

— Ils n'y pensent peut-être pas, Briant ?

— Ils y pensent, au contraire ! J'ai vu Wilcox prendre une copie de la carte du naufragé Baudoin, et c'est évidemment dans le but de l'emporter...

— Wilcox a fait cela ?...

— Oui, Gordon, et, en vérité, je ne sais pas si, pour faire cesser de tels ennuis, il ne vaudrait pas mieux me démettre en faveur d'un autre... de toi, Gordon, ou même de Doniphan !... Cela couperait court à toute rivalité...

— Non, Briant ! répondit Gordon avec force. Non !... Ce serait manquer à tes devoirs envers ceux qui t'ont nommé... à ce que tu te dois à toi-même ! »

Ce fut au cours de ces dissensions fâcheuses que

s'acheva l'hiver. Avec les premiers jours d'octobre, les froids ayant définitivement disparu, la surface du lac et celle du rio s'étaient dégagées entièrement. Et c'est alors — dans la soirée du 9 octobre — que Doniphan fit connaître sa décision de quitter French-den avec Webb, Cross et Wilcox.

« Vous voulez nous abandonner ?... dit Gordon.

— Vous abandonner ?... Non, Gordon ! répondit Doniphan. Seulement, Cross, Wilcox, Webb et moi, nous avons formé le projet d'aller nous fixer en une autre partie de l'île.

— Et pourquoi, Doniphan ?... répliqua Baxter.

— Tout simplement parce que nous désirons vivre à notre gré, et, je le dis franchement, parce qu'il ne nous convient pas de recevoir des ordres de Briant !

— Je voudrais savoir ce que tu as à me reprocher, Doniphan ? demanda Briant.

— Rien... si ce n'est d'être à notre tête ! répondit Doniphan. Nous avons déjà eu un Américain pour chef de la colonie ?... Maintenant, c'est un Français qui nous commande !... Il ne manque plus, vraiment, que de nommer Moko...

— Ce n'est pas sérieusement que tu parles ? demanda Gordon.

— Ce qui est sérieux, répondit Doniphan d'un ton hautain, c'est que, s'il plaît à nos camarades d'avoir pour chef tout autre qu'un Anglais, cela ne plaît ni à mes amis ni à moi !

— Soit ! répondit Briant. Wilcox, Webb, Cross et toi, Doniphan, vous êtes libres de partir et d'emporter la part des objets à laquelle vous avez droit !

— Nous n'en avons jamais douté, Briant, et, dès demain, nous quitterons French-den !

— Puissiez-vous ne point avoir à vous repentir de

votre détermination ! » ajouta Gordon, qui comprit
que toute insistance serait vaine à ce sujet.

Quant au projet que Doniphan avait résolu de mettre
à exécution, le voici :

Quelques semaines avant, en faisant le récit de son
excursion à travers la partie orientale de l'île Chairman,
Briant avait affirmé que la petite colonie aurait pu s'y
installer dans de bonnes conditions. Les masses rocheuses
de la côte renfermaient de nombreuses cavernes, les
forêts au levant du Family-lake confinaient à la grève,
l'East-river fournissait l'eau douce en abondance, le
gibier de poil et de plume pullulait sur ses rives, — enfin,
la vie y devait être aussi aisée qu'à French-den, et beaucoup plus qu'elle ne l'eût été à Sloughi-bay. En outre,
la distance entre French-den et la côte n'était que de
douze milles en ligne droite, dont six pour la traversée
du lac et à peu près autant pour redescendre le cours de
l'East-river. Donc, en cas de nécessité absolue, il serait
aisé de communiquer avec French-den.

C'est après avoir sérieusement réfléchi à tous ces
avantages que Doniphan avait décidé Wilcox, Cross et
Webb à venir s'établir avec lui sur l'autre littoral de
l'île.

Cependant, ce n'était pas par eau que Doniphan se
proposait d'atteindre Deception-bay. Descendre la rive
du Family-lake jusqu'à sa pointe méridionale, contourner cette pointe, remonter la rive opposée, afin d'atteindre l'East-river, en explorant une contrée dont on
ne connaissait rien encore, puis longer le cours d'eau
au milieu de la forêt jusqu'à son embouchure, tel était
l'itinéraire qu'il comptait suivre. Ce serait un assez
long parcours — quinze à seize milles environ —, mais
ses camarades et lui le feraient en chasseurs. De cette
façon, Doniphan éviterait de s'embarquer dans la yole,

dont la manœuvre eût demandé une main plus expérimentée que la sienne. Le halkett-boat qu'il voulait
emporter suffirait pour traverser l'East-river, et, au
besoin, pour franchir d'autres rios, s'il s'en trouvait
dans l'est de l'île.

Au surplus, cette première expédition ne devait
avoir pour objectif que de reconnaître le littoral de
Deception-bay, afin d'y choisir l'endroit où Doniphan
et ses trois amis reviendraient se fixer définitivement.
Aussi, ne voulant point s'embarrasser de bagages, résolurent-ils de ne prendre que deux fusils, quatre revolvers,
deux hachettes, des munitions en quantité suffisante, des
lignes de fond, des couvertures de voyage, une des
boussoles de poche, le léger canot de caoutchouc, et
seulement quelques conserves, ne doutant pas que la
chasse et la pêche ne dussent amplement fournir à
leurs besoins. D'ailleurs, cette expédition — croyaient-ils
— ne durerait que six à sept jours. Lorsqu'ils auraient
fait choix d'une demeure, ils reviendraient à French-den,
ils y prendraient leur part des objets provenant du
Sloughi dont ils étaient légitimes possesseurs, et ils chargeraient le chariot de ce matériel. Lorsqu'il plairait à
Gordon ou à quelque autre de venir les visiter, on leur
ferait bon accueil ; mais, quant à continuer de partager
la vie commune dans les conditions actuelles, ils s'y
refusaient absolument, et, à cet égard, ne consentiraient
point à revenir sur leur détermination.

Le lendemain, dès le lever du soleil, Doniphan, Cross,
Webb et Wilcox prirent congé de leurs camarades, qui
se montrèrent très attristés de cette séparation. Peutêtre eux-mêmes étaient-ils plus émus qu'ils ne le laissaient
paraître, bien qu'ils fussent très fermement décidés à
réaliser leur projet, dans lequel l'entêtement avait une
grande part. Après avoir traversé le rio Zealand avec la

yole que Moko ramena à la petite digue, ils s'éloignèrent sans trop se hâter, examinant à la fois cette partie inférieure du Family-lake, qui se rétrécissait peu à peu vers sa pointe, et l'immense plaine des South-moors, dont on ne voyait la fin ni dans le sud ni dans l'ouest.

Quelques oiseaux furent tués, chemin faisant, sur le bord même du marécage. Doniphan, comprenant qu'il devait ménager ses munitions, s'était contenté du gibier nécessaire pour la nourriture du jour.

Le temps était couvert, sans qu'il y eût menace de pluie, et la brise paraissait fixée au nord-est. Pendant cette journée, les quatre garçons ne firent pas plus de cinq à six milles, et, arrivés vers cinq heures du soir à l'extrémité du lac, ils s'arrêtèrent afin d'y passer la nuit.

Tels sont les faits qui s'étaient accomplis à French-den, entre les derniers jours du mois d'août et le 11 octobre.

Ainsi donc, Doniphan, Cross, Wilcox, Webb étaient maintenant loin de leurs camarades, desquels n'importe quelle considération n'aurait jamais dû les séparer ! Se sentaient-ils isolés déjà ? Oui, peut-être ! Mais, décidés à accomplir leur projet jusqu'au bout, ils ne songeaient qu'à se créer une nouvelle existence en quelque autre point de l'île Chairman.

Le lendemain, après une nuit assez froide qu'un grand feu, entretenu jusqu'à l'aube, avait rendue supportable, tous quatre se préparèrent à partir. La pointe méridionale du Family-lake dessinait un angle très aigu au raccordement des deux rives, dont celle de droite remontait presque perpendiculairement vers le nord. A l'est, la contrée était encore marécageuse, bien que l'eau n'inondât point son sol herbeux, surélevé de quelques pieds au-dessus du lac. Des tumescences, tapissées d'herbes, ombragées de maigres arbres, l'accidentaient.

Comme cette contrée semblait formée principalement de dunes, Doniphan lui donna le nom de Downs-lands (terre des Dunes). Puis, ne voulant pas se lancer à travers l'inconnu, il résolut de continuer à suivre la rive pour atteindre l'East-river et la partie du littoral déjà reconnue par Briant. On verrait plus tard à explorer cette région des Downs-lands jusqu'à la côte.

Cependant ses compagnons et lui discutèrent à ce propos, avant de se mettre en route.

« Si les distances sont exactement marquées sur la carte, dit Doniphan, nous devons rencontrer l'East-river à sept milles au plus de la pointe du lac, et nous pourrons sans trop de fatigue l'atteindre dans la soirée.

— Pourquoi ne pas couper au nord-est, de manière à retrouver le rio vers son embouchure ? fit observer Wilcox.

— En effet, cela nous épargnerait un grand tiers du chemin, ajouta Webb.

— Sans doute, répondit Doniphan, mais à quoi bon s'aventurer au milieu de ces territoires marécageux que nous ne connaissons pas, et s'exposer à revenir en arrière ? Au contraire, en suivant la rive du lac, il y a bien des chances pour qu'aucun obstacle ne nous barre la route !

— Et puis, ajouta Cross, nous avons intérêt à explorer le cours de l'East-river.

— Evidemment, répondit Doniphan, car ce rio établit une communication directe entre la côte et Family-lake. D'ailleurs, en le descendant, ce sera l'occasion de visiter aussi la partie de la forêt qu'il traverse. »

Ceci dit, on se mit en marche et d'un bon pas. Une étroite chaussée dominait de trois à quatre pieds, d'un côté le niveau du lac, de l'autre la longue plaine de dunes qui s'étendait vers la droite. Comme le sol remontait

Doniphan se dirigea vers la rive. (Page 359.)

sensiblement, il était à supposer que l'aspect de la contrée changerait entièrement quelques milles plus loin.

En effet, vers onze heures, Doniphan et ses compagnons s'arrêtaient pour déjeuner au bord d'une petite anse, ombragée de grands hêtres. De là, aussi loin que le regard se portait dans la direction de l'est, ce n'était qu'une masse confuse de verdure qui masquait l'horizon.

Un agouti, abattu dans la matinée par Wilcox, fit les frais du repas, dont Cross, plus spécialement chargé de remplacer Moko comme maître coq, se tira tant bien que mal. Après avoir pris juste le temps de faire quelques grillades sur des charbons ardents, de les dévorer, d'apaiser leur soif en même temps que leur faim, Doniphan et ses compagnons s'engagèrent sur la rive du Family-lake.

Cette forêt, dont le lac suivait la lisière, était toujours formée des mêmes essences que les Traps-woods de la partie occidentale. Seulement, les arbres à feuilles persistantes y poussaient en plus grand nombre. On comptait plus de pins maritimes, de sapins et de chênes verts que de bouleaux ou de hêtres — tous superbes par leurs dimensions.

Doniphan put constater aussi — à sa grande satisfaction — que la faune était non moins variée en cette partie de l'île. Des guanaques et des vigognes se montrèrent à plusieurs reprises, ainsi qu'une troupe de nandûs qui s'éloignait, après s'être désaltérée. Les lièvres maras, les tucutucos, les pécaris et le gibier de plume pullulaient dans les fourrés.

Vers six heures du soir, il fallut faire halte. En cet endroit, la rive était coupée par un cours d'eau, qui servait de déversoir au lac. Ce devait être, et c'était, en effet, l'East-river. Cela fut d'autant plus facile à reconnaître que Doniphan découvrit, sous un groupe d'arbres, au fond d'une étroite crique, des traces récentes de campement, c'est-à-dire les cendres d'un foyer.

C'était là que Briant, Jacques et Moko étaient venus accoster pendant leur excursion à Deception-bay, là qu'ils avaient passé leur première nuit.

Camper en cet endroit, rallumer les charbons éteints, puis, après souper, s'étendre sous les mêmes arbres qui avaient abrité leurs camarades, c'est ce que Doniphan, Webb, Wilcox et Cross avaient de mieux à faire, et c'est ce qu'ils firent.

Huit mois avant, lorsque Briant s'était arrêté à cette place, il ne se doutait guère que quatre de ses compagnons y viendraient à leur tour, avec l'intention de vivre séparément dans cette partie de l'île Chairman !

Et peut-être, en se voyant là, loin de cette confortable demeure de French-den où il n'aurait tenu qu'à eux de rester, Cross, Wilcox et Webb eurent-ils quelques regrets de ce coup de tête ! Mais leur sort était maintenant lié à celui de Doniphan, et Doniphan avait trop de vanité pour reconnaître ses torts, trop d'entêtement pour renoncer à ses projets, trop de jalousie pour consentir à plier devant son rival.

Le jour venu, Doniphan proposa de traverser immédiatement l'East-river.

« Ce sera autant de fait, dit-il, et la journée nous suffira pour atteindre l'embouchure, qui n'est pas à plus de cinq à six milles !

— Et puis, fit observer Cross, c'est sur la rive gauche que Moko a fait sa récolte de pignons, et nous en ferons provision pendant la route. »

Le halkett-boat fut alors déroulé, et, dès qu'il eut été mis à l'eau, Doniphan se dirigea vers la berge opposée, en filant une corde par l'arrière. Avec quelques coups de pagaie, il eut bientôt franchi les trente à quarante pieds de largeur que le rio mesurait à cette place. Puis, halant la corde dont ils avaient gardé le bout, Wilcox, Webb et Cross ramenèrent à eux le léger canot, dans lequel ils passèrent successivement sur l'autre rive.

Cela fait, Wilcox détendit le halkett-boat, il le referma comme un sac de voyage, il le replaça sur son dos, et l'on se remit en route. Sans doute, il eût été moins fatigant de s'abandonner dans la yole au courant de l'East-river, ainsi que Briant, Jacques et Moko l'avaient fait ; mais le canot de caoutchouc ne pouvant porter qu'une seule personne à la fois, on avait dû renoncer à ce mode de locomotion.

Cette journée fut très pénible. L'épaisseur de la forêt, son sol, le plus souvent hérissé d'épaisses herbes, semé de branches abattues par les dernières bourrasques, plusieurs fondrières qu'il fallut contourner non sans peine, retardèrent l'arrivée au littoral. Chemin faisant, Doniphan put constater que le naufragé français ne semblait pas avoir laissé des traces de son passage en cette partie de l'île, comme sous les massifs de Traps-woods. Et pourtant, il n'était pas douteux qu'il l'eût explorée, puisque sa carte indiquait exactement le cours de l'East-river jusqu'à Deception-bay.

Un peu avant midi, halte fut faite pour le déjeuner, précisément à l'endroit où poussaient les pins-pignons. Cross cueillit une certaine quantité de ces fruits, dont tous se régalèrent. Puis, pendant deux milles encore, il y eut lieu de se glisser entre ces halliers touffus et même de se frayer un passage à la hache, afin de ne point s'éloigner du cours d'eau.

Par suite de ces retards, l'extrême limite de la forêt ne fut dépassée que vers sept heures du soir. La nuit venant, Doniphan ne put rien reconnaître de la disposition du littoral. Toutefois, s'il ne vit qu'une ligne

écumante, il entendit le long et grave mugissement de
le mer qui déferlait sur la grève.

Il fut décidé que l'on s'arrêterait en cet endroit, afin
de coucher à la belle étoile. Pour la nuit prochaine, nul
doute que la côte n'offrît un meilleur abri dans une des
cavernes, non loin de l'embouchure du rio.

Le campement organisé, le dîner ou plutôt, vu l'heure
avancée, le souper se composa de quelques grouses
qui furent rôties à la flamme d'un foyer de branches
mortes et de pommes de pin, ramassées sous les arbres.

Par prudence, il avait été convenu que ce feu serait
entretenu jusqu'au jour, et, pendant les premières
heures, ce fut Doniphan qui se chargea de ce soin.

Wilcox, Cross et Webb, étendus sous la ramure d'un
large pin parasol, et très fatigués de cette longue journée
de marche, s'endormirent immédiatement.

Doniphan eut grand-peine à lutter contre le sommeil.
Il résista pourtant ; mais, le moment venu où il devait
être remplacé par un de ses compagnons, tous étaient
plongés dans un si bon sommeil qu'il ne put se décider
à réveiller personne.

D'ailleurs, la forêt était tellement tranquille aux
abords du campement que la sécurité ne devait pas y
être moindre qu'à French-den.

Aussi, après avoir jeté quelques brassées de bois dans
le foyer, Doniphan vint-il s'étendre au pied de l'arbre.
Là, ses yeux se fermèrent aussitôt pour ne se rouvrir
qu'au moment où le soleil montait sur un large horizon
de mer qui se dessinait à l'affleurement du ciel.

XXI

Le premier soin de Doniphan, de Wilcox, de Webb et
de Cross fut de descendre la rive du cours d'eau jusqu'à
son embouchure. De là, leurs regards se promenèrent
avidement sur cette mer qu'ils voyaient pour la première
fois. Elle était non moins déserte que sur le littoral
opposé.

« Et cependant, fit observer Doniphan, si, comme nous
avons lieu de le croire, l'île Chairman n'est pas éloignée
du continent américain, les navires, qui sortent du
détroit de Magellan et remontent vers les ports du
Chili et du Pérou, doivent passer dans l'est ! Raison de
plus pour nous fixer sur la côte de Deception-bay, et,
quoique Briant l'ait nommée ainsi, j'espère bien qu'elle
ne justifiera pas longtemps ce nom de mauvais augure ! »

Peut-être, en faisant cette remarque, Doniphan
cherchait-il des excuses ou au moins des prétextes à
sa rupture avec ses camarades de French-den. Tout
bien considéré, d'ailleurs, c'était sur cette partie du
Pacifique, à l'orient de l'île Chairman, que devaient
plutôt paraître des navires à destination des ports du
Sud-Amérique.

Après avoir observé l'horizon avec sa lunette, Doniphan
voulut visiter l'embouchure de l'East-river. Ainsi que
l'avait fait Briant, ses compagnons et lui constatèrent
que la nature avait créé là un petit port, très abrité

contre le vent et la houle. Si le schooner eût accosté
l'île Chairman en cet endroit, il n'aurait pas été impossible
de lui éviter l'échouage et de le garder intact pour le
rapatriement des jeunes colons.

En arrière des roches formant le port, se massaient
les premiers arbres de la forêt, qui se développait non-
seulement jusqu'au Family-lake, mais aussi vers le nord,
où le regard ne rencontrait qu'un horizon de verdure.
Quant aux excavations, creusées dans les masses granitiques du littoral, Briant n'avait point exagéré. Doniphan n'aurait que l'embarras du choix. Toutefois, il
lui parut convenable de ne pas s'éloigner des rives de
l'East-river, et il eut bientôt trouvé une « cheminée »,
tapissée d'un sable fin, avec coins et recoins, dans
laquelle le confort ne serait pas moins assuré qu'à
French-den. Cette caverne eût même pu suffire à toute
la colonie, car elle comprenait une série de cavités
annexes, dont on eût fait autant de chambres distinctes,
au lieu de n'avoir à sa disposition que le hall et Store-
room.

Cette journée fut employée à visiter la côte sur l'étendue
d'un à deux milles. Entre-temps, Doniphan et Cross
tirèrent quelques tinamous, tandis que Wilcox et Webb
tendaient une ligne de fond dans les eaux de l'East-river,
à une centaine de pas au-dessus de l'embouchure. Une
demi-douzaine de poissons furent pris, du genre de
ceux qui remontaient le cours du rio Zealand — entre
autres deux perches d'assez belle grosseur. Les coquillages fourmillaient aussi dans les innombrables trous
des récifs qui, au nord-est, couvraient le port contre
la houle du large. Les moules, les patènes y étaient abon-
dantes et de bonne qualité. On aurait donc ces mollusques
à portée de la main, ainsi que les poissons de mer, qui
se glissaient entre les grands fucus, noyés au pied du

banc, sans qu'il fût nécessaire d'aller les chercher à quatre ou cinq milles.

On ne l'a pas oublié, lors de son exploration à l'embouchure de l'East-river, Briant avait fait l'ascension d'une haute roche, qui ressemblait à un ours gigantesque. Doniphan fut également frappé de sa forme singulière. C'est pourquoi, en prise de possession, il donna le nom de Bear-rock-harbour (port du roc de l'Ours) au petit port que dominait cette roche, et c'est ce nom qui figure maintenant sur la carte de l'île Chairman.

Pendant l'après-midi, Doniphan et Wilcox gravirent Bear-rock, afin de prendre une large vue de la baie. Mais ni navire ni terre ne leur apparurent au levant de l'île. Cette tache blanchâtre, qui avait attiré l'attention de Briant dans le nord-est, ils ne l'aperçurent même pas, soit que le soleil fût trop bas déjà sur l'horizon opposé, soit que cette tache n'existât point et que Briant eût été dupe d'une illusion d'optique.

Le soir venu, Doniphan et ses compagnons prirent leur repas sous un groupe de superbes micocouliers, dont les basses branches s'étendaient au-dessus du cours d'eau. Puis, cette question fut traitée : Convenait-il de retourner immédiatement à French-den, afin d'en rapporter les objets nécessaires à une installation définitive dans la caverne de Bear-rock.

« Je pense, dit Webb, que nous ne devons pas tarder, car de refaire le trajet par le sud du Family-lake, cela demandera quelques jours !

— Mais, fit observer Wilcox, lorsque nous reviendrons ici, ne vaudrait-il pas mieux traverser le lac, afin de redescendre l'East-river jusqu'à son embouchure ? Ce que Briant a déjà fait avec la yole, pourquoi ne le ferions-nous pas ?

— Ce serait du temps de gagné, et cela nous épargnerait bien des fatigues ! ajouta Webb.

— Qu'en penses-tu, Doniphan ? » demanda Cross.

Doniphan réfléchissait à cette proposition qui offrait
de réels avantages.

« Tu as raison, Wilcox, répondit-il, et, en s'embarquant
dans la yole que conduirait Moko...

— A la condition que Moko y consentît, fit observer
Webb d'un ton dubitatif.

— Et pourquoi n'y consentirait-il pas ? répondit
Doniphan. N'ai-je pas le droit de lui donner un ordre
comme Briant ? D'ailleurs, il ne s'agirait que de nous
piloter à travers le lac...

— Il faudra bien qu'il obéisse ! s'écria Cross. Si nous
étions obligés de transporter par terre tout notre matériel,
cela n'en finirait pas ! J'ajoute que le chariot ne trouverait peut-être point passage à travers la forêt ? Donc,
servons-nous de la yole...

— Et si l'on refuse de nous la donner, cette yole ?
reprit Webb en insistant.

— Refuser ? s'écria Doniphan. Et qui refuserait ?...

— Briant !... N'est-il pas le chef de la colonie !

— Briant !... refuser !... répéta Doniphan. Est-ce que
cette embarcation lui appartient plus qu'à nous ?... Si
Briant se permettait de refuser... »

Doniphan n'acheva pas ; mais on sentait que, ni sur
ce point ni sur aucun autre, l'impérieux garçon ne se
soumettrait aux injonctions de son rival.

Au surplus, ainsi que le fit observer Wilcox, il était
inutile de discuter à ce sujet. Dans son opinion, Briant
laisserait à ses camarades toute facilité pour s'installer
à Bear-rock, et ce n'était pas la peine de se monter la
tête. Restait à décider si l'on retournerait immédiatement
à French-den.

« Cela me paraît indispensable ! dit Cross.

— Alors, dès demain ?... demanda Webb.

— Non, répondit Doniphan. Avant de partir, je voudrais pousser une pointe au-delà de la baie, afin de reconnaître la partie nord de l'île. En quarante-huit heures, nous pouvons être revenus à Bear-rock, après avoir atteint la côte septentrionale. Qui sait s'il n'y a pas dans cette direction quelque terre que le naufragé français n'a pu apercevoir, ni, par conséquent, indiquer sur sa carte. Il serait peu raisonnable de se fixer ici, sans savoir à quoi s'en tenir. »

L'observation était juste. Aussi, bien que ce projet dût prolonger l'absence de deux ou trois jours, fut-il décidé qu'il serait mis à exécution sans retard.

Le lendemain, 14 octobre, Doniphan et ses trois amis partirent dès l'aube, et prirent la direction du nord, sans quitter le littoral.

Sur une longueur de trois milles environ, les masses rocheuses se développaient entre la forêt et la mer, ne laissant à leur base qu'une grève sablonneuse, large au plus d'une centaine de pieds.

Ce fut à midi que les jeunes garçons, après avoir dépassé la dernière roche, s'arrêtèrent pour déjeuner.

En cet endroit, un second cours d'eau se jetait dans la baie ; mais, à sa direction, qui était sud-est et nord-ouest, il y avait lieu de supposer qu'il ne sortait point du lac. Les eaux, déchargées par lui dans une anse étroite, devaient être celles qu'il recueillait en traversant la région supérieure de l'île. Doniphan le nomma North-creek (ruisseau du Nord), et, en réalité, il ne méritait pas la qualification de rivière.

Quelques coups de pagaie suffirent au halkett-boat pour le franchir, et il n'y eut qu'à côtoyer la forêt, dont sa rive gauche formait la limite.

C'était un animal de forte taille. (Page 369.)

Chemin faisant, deux coups de fusil furent tirés par Doniphan et Cross dans les circonstances que voici :

Il était trois heures environ. En suivant le cours du North-creek, Doniphan avait été rejeté vers le nord-ouest plus qu'il ne convenait, puisqu'il s'agissait d'atteindre la côte septentrionale. Il allait donc reprendre direction sur sa droite, lorsque Cross, l'arrêtant, s'écria soudain :

« Regarde, Doniphan, regarde ! »

Et il indiquait une masse rougeâtre, qui s'agitait très visiblement entre les grandes herbes et les roseaux du creek, sous le berceau des arbres.

Doniphan fit signe à Webb et à Wilcox de ne plus bouger. Puis, accompagné de Cross, son fusil prêt à être épaulé, il se glissa sans bruit vers la masse en mouvement.

C'était un animal de forte taille, et qui aurait ressemblé à un rhinocéros, si sa tête eût été armée de cornes, et si sa lèvre inférieure se fût allongée démesurément.

A cet instant, un coup de feu éclata, qui fut aussitôt suivi d'une seconde détonation. Doniphan et Cross avaient tiré presque ensemble.

Sans doute, à cette distance de cent cinquante pieds, le plomb n'avait produit aucun effet sur la peau épaisse de l'animal, car celui-ci, s'élançant hors des roseaux, franchit rapidement la rive et disparut dans la forêt.

Doniphan avait eu le temps de le reconnaître. C'était un amphibie, parfaitement inoffensif, d'ailleurs, un « anta », au pelage de couleur brune, autrement dit, un de ces énormes tapirs qui se rencontrent le plus habituellement dans le voisinage des fleuves du Sud-Amérique. Comme on n'aurait pu rien faire de cet animal, il n'y eut point à regretter sa disparition — si ce n'est au point de vue de l'amour-propre cynégétique.

De ce côté de l'île Chairman, se développaient encore à perte de vue des masses verdoyantes. La végétation s'y serrait prodigieusement, et, comme les hêtres poussaient par milliers, le nom de Beechs-forest (forêt des Hêtres) lui fut donné par Doniphan et porté sur la carte, avec les dénominations de Bear-rock et de North-creek, antérieurement admises.

Le soir venu, neuf milles avaient été franchis. Encore autant, et les jeunes explorateurs auraient atteint le nord de l'île. Ce serait la tâche du lendemain.

La marche fut reprise au soleil levant. Il y avait quelques raisons de se hâter. Le temps menaçait de changer. Le vent, qui halait l'ouest, manifestait une tendance à fraîchir. Déjà les nuages chassaient du large, en se tenant dans une zone encore élevée, il est vrai — ce qui permettait d'espérer qu'ils ne se résoudraient pas en pluie. Braver le vent, même s'il soufflait en tempête, cela n'était point pour effrayer des garçons résolus. Mais la rafale, avec son accompagnement ordinaire d'averses torrentielles, les aurait fort gênés, et ils eussent été contraints de suspendre leur expédition, afin de regagner l'abri de Bear-rock.

Ils pressèrent donc le pas, bien qu'ils eussent à lutter contre la bourrasque qui les prenait de flanc. La journée fut extrêmement pénible et annonçait une nuit très mauvaise. En effet, ce n'était rien moins qu'une tempête qui assaillit l'île, et, à cinq heures du soir, de longs roulements de foudre se firent entendre au milieu de l'embrasement des éclairs.

Doniphan et ses camarades ne reculèrent point. L'idée qu'ils touchaient au but les encourageait. D'ailleurs, les massifs de Beechs-forest s'allongeaient encore dans cette direction, et ils auraient toujours la ressource de pouvoir se blottir sous les arbres. Le vent se déchaî-

Wilcox montrait deux corps. (Page 372.)

nait avec trop de violence pour que la pluie fût à craindre. En outre, la côte ne devait pas être éloignée.

Vers huit heures, le sonore mugissement du ressac se fit entendre — ce qui indiquait la présence d'un banc de récifs au large de l'île Chairman.

Cependant le ciel, déjà voilé par d'épaisses vapeurs, s'assombrissait peu à peu. Pour que le regard pût se porter au loin sur la mer, tandis que les dernières lueurs éclairaient encore l'espace, il importait de hâter la marche. Au-delà de la lisière d'arbres s'étendait une grève, large d'un quart de mille, sur laquelle les lames, blanches d'écume, déferlaient, après s'être choquées contre les brisants du nord.

Doniphan, Webb, Cross, Wilcox, bien que très fatigués, eurent encore la force de courir. Ils voulaient au moins entrevoir cette partie du Pacifique, pendant qu'il restait un peu de jour. Etait-ce une mer sans limite ou seulement un étroit canal, qui séparaient cette côte d'un continent ou d'une île ?

Soudain, Wilcox, qui s'était porté un peu en avant, s'arrêta. De la main, il montrait une masse noirâtre, qui se dessinait à l'accore de la grève. Y avait-il là un animal marin, un de ces gros cétacés, tels que baleineau ou baleine, échoué sur le sable ? N'était-ce pas, plutôt, une embarcation, qui s'était mise au plein, après avoir été drossée au-delà des récifs ?

Oui ! c'était une embarcation, gîtée sur son flanc de tribord. Et, en deçà, près du cordon des varechs enroulés à la limite de la marée montante, Wilcox montrait deux corps, couchés à quelques pas de l'embarcation.

Doniphan, Webb et Cross avaient tout d'abord suspendu leur course. Puis, sans réfléchir, ils s'élancèrent à travers la grève et arrivèrent devant les deux corps, étendus sur le sable — des cadavres peut-être !...

Ce fut alors, que, pris d'épouvante, n'ayant même pas la pensée qu'il pouvait rester un peu de vie à ces corps, qu'il importait de leur donner des soins immédiats, ils revinrent précipitamment chercher un refuge sous les arbres.

La nuit était déjà obscure, bien qu'elle fût encore illuminée de quelques éclairs, qui ne tardèrent pas à s'éteindre. Au milieu de ces profondes ténèbres, les hurlements de la bourrasque se doublaient du fracas d'une mer démontée.

Quelle tempête! Les arbres craquaient de toutes parts, et ce n'était pas sans danger pour ceux qu'ils abritaient; mais il eût été impossible de camper sur la grève, dont le sable, enlevé par le vent, cinglait l'air comme une mitraille.

Pendant toute la nuit Doniphan, Wilcox, Webb et Cross restèrent à cette place, et ne purent fermer les yeux un seul instant. Le froid les fit cruellement souffrir, car ils n'avaient pu allumer un feu, qui se fût aussitôt dispersé, en risquant d'incendier les branches mortes accumulées sur le sol.

Et puis l'émotion les tenait en éveil. Cette barque, d'où venait-elle?... Ces naufragés, à quelle nation appartenaient-ils?... Y avait-il donc des terres dans le voisinage, puisqu'une embarcation avait pu accoster l'île?... A moins qu'elle ne provînt de quelque navire, qui venait de sombrer dans ces parages au plus fort de la bourrasque?

Ces diverses hypothèses étaient admissibles, et, pendant les rares instants d'accalmie, Doniphan et Wilcox, pressés l'un contre l'autre, se les communiquaient à voix basse.

En même temps, leur cerveau en proie aux hallucinations, ils s'imaginaient entendre des cris lointains, lorsque le vent mollissait quelque peu, et, prêtant l'oreille, ils se demandaient si d'autres naufragés n'erraient pas sur la plage ? Non ! ils étaient dupes d'une illusion de leurs sens. Aucun appel désespéré ne retentissait au milieu des violences de la tempête. Maintenant, ils se disaient qu'ils avaient eu tort de céder à ce premier mouvement d'épouvante !... Ils voulaient s'élancer vers les brisants, au risque d'être renversés par la rafale !... Et pourtant, au milieu de cette nuit noire, à travers une grève découverte que balayaient les embruns de la marée montante, comment auraient-ils pu retrouver l'endroit où s'était échouée l'embarcation chavirée, la place où les corps gisaient sur le sable ?

D'ailleurs, la force morale et la force physique leur manquaient à la fois. Depuis si longtemps qu'ils étaient livrés à eux-mêmes, après s'être peut-être crus des hommes, ils se sentaient redevenir des enfants en présence des premiers êtres humains qu'ils eussent rencontrés depuis le naufrage du *Sloughi*, et que la mer avait jetés à l'état de cadavres sur leur île !

Enfin, le sang-froid reprenant le dessus, ils comprirent ce que le devoir leur commandait de faire.

Le lendemain, dès que le jour aurait paru, ils retourneraient à l'accore de la grève, ils creuseraient une fosse dans le sable, ils enterreraient les deux naufragés, après avoir dit une prière pour le repos de leur âme.

Combien cette nuit leur parut interminable ! Il semblait, vraiment, que l'aube ne viendrait jamais en dissiper les horreurs !

Et encore, s'ils avaient pu se rendre compte du temps écoulé en consultant leur montre ! Mais il fut impossible d'enflammer une allumette — même en l'abritant sous les couvertures. Cross, qui l'essaya, dut y renoncer.

Alors Wilcox eut l'idée de recourir à un autre moyen pour savoir à peu près l'heure. Sa montre se remontait en faisant avec son remontoir douze tours par vingt-quatre heures — soit un tour pour deux heures. Or, puisqu'il l'avait remontée, ce soir-là, à huit heures, il lui suffirait de compter le nombre de tours qui resteraient pour le nombre d'heures écoulées. C'est ce qu'il fit, et, n'ayant eu que quatre tours à donner, il en conclut qu'il devait être environ quatre heures du matin. Le jour n'allait donc pas tarder à paraître.

En effet, bientôt après, les premières blancheurs du matin se dessinèrent dans l'est. La bourrasque ne s'était point apaisée, et, comme les nuages s'abaissaient vers la mer, la pluie était à craindre avant que Doniphan et ses compagnons eussent pu atteindre le port de Bear-rock.

Mais, tout d'abord, ils avaient à rendre les derniers devoirs aux naufragés. Aussi, dès que l'aube eut filtré à travers la masse des vapeurs accumulées au large, ils se traînèrent sur la grève, en luttant, non sans peine, contre la poussée des rafales. A plusieurs reprises, ils durent se soutenir mutuellement pour ne point être renversés.

L'embarcation était échouée près d'un léger renflement du sable. On voyait, à la disposition du relais de mer, que le flot de marée, accru par le vent, avait dû la dépasser.

Quant aux deux corps, ils n'étaient plus là...

Doniphan et Wilcox s'avancèrent d'une vingtaine de pas sur la grève...

Rien !... Pas même des empreintes que, d'ailleurs, le reflux aurait certainement effacées.

« Ces malheureux, s'écria Wilcox, étaient donc vivants, puisqu'ils ont pu se relever !...

L'embarcation était vide. (Page 377.)

« — Où sont-ils ?... demanda Cross.

— Où ils sont ?... répondit Doniphan, en montrant la mer qui déferlait avec furie. Là où la marée descendante les a emportés ! »

Doniphan rampa alors jusqu'à la lisière du banc de récifs, et promena sa lunette à la surface de la mer...

Pas un cadavre !

Les corps des naufragés avaient été entraînés au large !

Doniphan rejoignit Wilcox, Cross et Webb, qui étaient restés près de l'embarcation.

Peut-être s'y trouvait-il quelque survivant de cette catastrophe ?...

L'embarcation était vide.

C'était une chaloupe de navire marchand, pontée à l'avant, et dont la quille mesurait une trentaine de pieds. Elle n'était plus en état de naviguer, son bordage de tribord ayant été défoncé à la ligne de flottaison par les chocs de l'échouage. Un bout de mât, brisé à l'emplanture, quelques lambeaux de voile accrochés aux taquets du plat-bord, des bouts de cordages, c'était tout ce qui restait de son gréement. Quant à des provisions, à des ustensiles, à des armes, rien dans les coffres, rien sous le petit gaillard de l'avant.

A l'arrière, deux noms indiquaient à quel navire elle avait appartenu ainsi que son port d'attache :

Severn — San Francisco

San Francisco ! Un des ports du littoral californien !... Le navire était de nationalité américaine !

Quant à cette partie de la côte, sur laquelle les naufragés du *Severn* avaient été jetés par la tempête, c'était la mer qui en limitait l'horizon.

ON n'a point oublié dans quelles conditions Doniphan,
Webb, Cross et Wilcox avaient quitté French-den.
Depuis leur départ, la vie des jeunes colons était devenue
bien triste. Avec quel profond chagrin tous avaient vu
se produire cette séparation, dont les conséquences
pouvaient être si fâcheuses dans l'avenir ! Certes, Briant
n'avait rien à se reprocher, et, cependant, peut-être
était-il plus affecté que les autres, puisque c'était à son
sujet que la scission avait eu lieu.

En vain Gordon cherchait-il à le consoler en lui
disant :

« Ils reviendront, Briant, et plus tôt qu'ils ne le pensent ! Si entêté que soit Doniphan, les circonstances
seront plus fortes que lui ! Avant la mauvaise saison,
je parierais qu'ils nous auront rejoints à French-den ! »

Briant, secouant la tête, n'osait rien répondre. Que
des circonstances eussent pour résultat de ramener
les absents, oui, peut-être ! Mais, alors, c'est que ces
circonstances seraient devenues bien graves !

« Avant le retour de la mauvaise saison ! » avait dit
Gordon. Les jeunes colons étaient-ils donc condamnés
à passer un troisième hiver sur l'île Chairman ? Aucun
secours ne leur arriverait-il d'ici là ? Ces parages du Pacifique n'étaient-ils point fréquentés, pendant l'été,
par quelques bâtiments de commerce, et le ballon-

signal, hissé sur la crête d'Auckland-hill, ne serait-il pas enfin aperçu ?

Ce ballon, il est vrai, dressé à deux cents pieds seulement au-dessus du niveau de l'île, ne devait être visible que dans un rayon assez restreint. Aussi, après avoir vainement essayé avec Baxter d'établir le plan d'une embarcation qui eût été capable de tenir la mer, Briant fut-il conduit à chercher le moyen d'élever quelque signal à une plus grande hauteur. Souvent il en parlait, et, un jour, il dit à Baxter qu'il ne croyait pas impossible d'employer un cerf-volant à cet usage.

« Ni la toile ni la corde ne nous manquent, ajouta-t-il, et, en donnant à cet appareil des dimensions suffisantes, il planerait dans une zone élevée — à mille pieds, par exemple !

— Excepté les jours où il n'y aurait pas un souffle de vent ! fit observer Baxter.

— Ces jours-là sont rares, répondit Briant, et, par les temps calmes, nous en serions quittes pour ramener notre machine à terre. Mais, sauf dans ce cas, après avoir été fixée au sol par l'extrémité de sa corde, elle suivrait d'elle-même les changements de brise, et nous n'aurions point à nous inquiéter de sa direction.

— C'est à essayer, dit Baxter.

— De plus, répliqua Briant, si ce cerf-volant était visible pendant le jour à une grande distance — peut-être une soixantaine de milles — il le serait aussi pendant la nuit, si nous attachions un de nos fanaux à sa queue ou à sa carcasse ! »

En somme, l'idée de Briant ne laissait pas d'être pratique. Quant à son exécution, ce n'était pas pour embarrasser de jeunes garçons, qui avaient maintes fois enlevé des cerfs-volants dans les prairies de la Nouvelle-Zélande.

Nous lui enverrons des postillons. (Page 381.)

Aussi, lorsque le projet de Briant fut connu, causa-t-il une joie générale. Les petits surtout, Jenkins, Iverson, Dole et Costar, prirent la chose par le côté amusant et s'ébaudirent à la pensée d'un cerf-volant, qui dépasserait tout ce qu'ils avaient vu jusqu'alors. Quel plaisir ce serait de tirer sur la corde bien tendue, tandis qu'il se balancerait dans les airs !

« On lui mettra une longue queue ! disait l'un.

— Et de grandes oreilles ! répétait l'autre.

— On peindra dessus un magnifique « punch »[1] qui gigotera joliment là-haut !

— Et nous lui enverrons des postillons ! »

C'était une vraie joie ! Et, de fait, là où ces enfants ne voyaient qu'une distraction, il y avait une idée très sérieuse, et il était permis d'espérer qu'elle produirait d'heureux résultats.

Baxter et Briant se mirent donc à l'œuvre, le surlendemain même du jour où Doniphan et ses trois compagnons avaient abandonné French-den.

« Par exemple, s'écria Service, ce seront eux qui ouvriront l'œil, lorsqu'ils apercevront une pareille machine ! Quel malheur que mes Robinsons n'aient jamais eu la pensée de lancer un cerf-volant dans l'espace !

— Est-ce qu'on pourra l'apercevoir de tous les points de notre île ? demanda Garnett.

— Non seulement de notre île, répondit Briant, mais d'une grande distance sur les parages environnants.

— Le verra-t-on d'Auckland ?... s'écria Dole.

— Hélas, non ! répondit Briant en souriant de la réflexion. Après tout, quand Doniphan et les autres le verront, peut-être cela les engagera-t-il à revenir ! »

On le voit, le brave garçon ne songeait qu'aux absents

(1) Polichinelle.

et ne désirait qu'une chose, c'est que cette funeste séparation prît fin au plus vite.

Ce jour-là et les jours suivants furent employés à la construction du cerf-volant, auquel Baxter proposa de donner une forme octogone. L'armature, légère et résistante, fut faite avec une sorte de roseaux très rigides qui poussaient sur les bords du Family-lake. Elle était assez forte pour supporter l'effort d'une brise ordinaire. Sur cette armature, Briant fit tendre une des légères toiles, enduites de caoutchouc, qui servaient à recouvrir les claires-voies du schooner — toiles si imperméables que le vent ne pourrait filtrer à travers leur tissu. Quant à la corde, on emploierait une « ligne » longue d'au moins deux mille pieds, à torons très serrés, dont on faisait usage pour mettre le loch à la traîne et qui était capable de supporter une tension considérable.

Il va sans dire que l'appareil serait orné d'une queue magnifique, destinée à le maintenir en équilibre, lorsqu'il serait incliné sur la couche d'air. Il était si solidement construit qu'il eût pu, sans trop de danger, enlever n'importe lequel des jeunes colons dans les airs ! Mais il n'était point question de cela, et il suffisait qu'il fût assez solide pour résister à de fraîches brises, assez vaste pour atteindre une certaine hauteur, assez grand pour être aperçu dans un rayon de cinquante à soixante milles.

Il va de soi que ce cerf-volant ne devait pas être tenu à la main. Sous la poussée du vent, il aurait entraîné tout le personnel de la colonie, et plus vite qu'il ne l'eût voulu. Aussi la corde devait-elle être enroulée sur l'un des virevaux du schooner. Ce petit treuil horizontal fut donc apporté au milieu de Sport-terrace, et fortement fixé au sol, afin de résister à la traction du « Géant des airs » — nom que les petits admirent d'un commun accord.

Cette besogne ayant été achevée le 15 au soir, Briant

remit au lendemain, dans l'après-midi, le lancement auquel assisteraient tous ses camarades.

Or, le lendemain, voilà qu'il fut impossible de procéder à l'expérience. Une tempête s'était déchaînée, et l'appareil eût été immédiatement mis en pièces, s'il avait donné prise au vent.

C'était cette même tempête qui avait assailli Doniphan et ses compagnons dans la partie septentrionale de l'île, en même temps qu'elle drossait la chaloupe et les naufragés américains contre les récifs du nord, auxquels on attribua plus tard le nom de Severn-shores (écueils du *Severn*).

Le lendemain — 16 octobre —, bien qu'une certaine accalmie se fût produite, la brise était trop violente encore pour que Briant voulût lancer son appareil aérien. Mais, comme le temps se modifia dans l'après-midi, grâce à la direction du vent, qui mollit très sensiblement en passant au sud-est, on remit l'expérience au jour suivant.

C'était le 17 octobre — date qui allait prendre une place importante dans les annales de l'île Chairman.

Bien que ce jour-là fût un vendredi, Briant ne crut pas devoir — par superstition — attendre vingt-quatre heures. D'ailleurs, le temps était devenu propice, avec une jolie brise, constante et régulière, de nature à bien soutenir le cerf-volant. Grâce à l'inclinaison que lui assurait son balancier sur le lit du vent, il s'élèverait à une grande hauteur, et, le soir venu, on le ramènerait pour y attacher un fanal, dont la lueur resterait visible toute la nuit.

La matinée fut consacrée aux derniers préparatifs, qui durèrent plus d'une heure après le déjeuner. Puis, tous se rendirent sur Sport-terrace.

« Quelle bonne idée Briant avait eue de construire

cette machine ! » répétaient Iverson et les autres en battant des mains.

Il était une heure et demie. L'appareil, étendu sur le sol, sa longue queue déployée, allait être livré à l'action de la brise, et on n'attendait plus que le signal de Briant. lorsque celui-ci suspendit la manœuvre.

A ce moment, en effet, son attention venait d'être détournée par Phann, qui s'élançait précipitamment du côté de la forêt, en faisant entendre des aboiements si plaintifs, si étranges, qu'il y avait lieu d'en être surpris.

« Qu'a donc Phann ? demanda Briant.

— Est-ce qu'il a senti quelque animal sous les arbres ? répondit Gordon.

— Non !... Il aboierait autrement !

— Allons voir !... s'écria Service.

— Pas sans être armés ! » ajouta Briant.

Service et Jacques coururent à French-den, d'où ils revinrent chacun avec un fusil chargé.

« Venez », dit Briant.

Et tous trois, accompagnés de Gordon, se dirigèrent vers la lisière de Traps-woods. Phann l'avait franchie déjà, et, si on ne le voyait plus, on l'entendait toujours.

Briant et ses camarades avaient fait cinquante pas à peine, lorsqu'ils aperçurent le chien arrêté devant un arbre, au pied duquel gisait une forme humaine.

Une femme était étendue là, immobile comme une morte, une femme dont les vêtements — jupe de grosse étoffe, corsage pareil, châle de laine brune, noué à sa ceinture — paraissaient encore en assez bon état. Sa figure portait des traces d'excessives souffrances, bien qu'elle fût de constitution robuste, n'étant d'ailleurs âgée que de quarante à quarante-cinq ans. Epuisée de fatigues, de faim peut-être, elle avait perdu connaissance, mais un léger souffle s'exhalait de ses lèvres.

La femme fit un mouvement. (Page 386.)

Que l'on juge de l'émotion des jeunes colons en présence de la première créature humaine qu'ils eussent rencontrée depuis leur arrivée sur l'île Chairman !

« Elle respire !... Elle respire ! s'écria Gordon. Sans doute, la faim, la soif... »

Aussitôt Jacques courut vers French-den, d'où il rapporta un peu de biscuit avec une gourde de brandy.

Alors, Briant, penché sur cette femme, entrouvrit ses lèvres, étroitement serrées, et parvint à y introduire quelques gouttes de la réconfortante liqueur.

La femme fit un mouvement, releva ses paupières. Tout d'abord, son regard s'anima à la vue de ces enfants, réunis autour d'elle... Puis, ce morceau de biscuit que lui présentait Jacques, elle le porta avidement à sa bouche.

On le voyait, cette malheureuse se mourait de besoin plus que de fatigue.

Mais quelle était cette femme ? Serait-il possible d'échanger quelques paroles avec elle et de la comprendre ?...

Briant fut aussitôt fixé à cet égard.

L'inconnue s'était redressée, et elle venait de prononcer ces mots en anglais :

« Merci... mes enfants... merci ! »

Une demi-heure plus tard, Briant et Baxter l'avaient déposée dans le hall. Là, aidés de Gordon et de Doniphan, ils lui donnaient tous les soins que réclamait son état.

Dès qu'elle se sentit un peu remise, elle s'empressa de raconter son histoire.

Voici ce qu'elle dit, et l'on verra combien le récit de ses aventures devait intéresser les jeunes colons.

Elle était d'origine américaine, avait longtemps vécu sur les territoires du Far-West aux Etats-Unis. Elle se nommait Catherine Ready, ou plus simplement Kate. Depuis plus de vingt ans, elle remplissait les fonctions de femme de confiance, au service de la famille William R. Penfield, qui habitait Albany, capitale de l'Etat de New York.

Il y avait un mois, Mr. et Mrs. Penfield, voulant se rendre au Chili, où demeurait un de leurs parents, étaient venus à San Francisco, le principal port de la Californie, pour s'embarquer sur le navire de commerce, le *Severn*, commandé par le capitaine John F. Turner. Ce navire était à destination de Valparaiso, Mr. et Mrs. Penfield y prirent passage avec Kate, qui faisait pour ainsi dire partie de leur famille.

Le *Severn* était un bon navire, et il eût fait, sans doute, une excellente traversée, si les huit hommes de son équipage, nouvellement recrutés, n'eussent été des misérables de la pire espèce. Neuf jours après le départ, l'un d'eux, Walston, aidé de ses compagnons, Brandt, Rock, Henley, Cook, Forbes, Cope et Pike, provoqua une révolte dans laquelle le capitaine Turner et son second furent tués, en même temps que Mr. et Mrs. Penfield.

Le but des meurtriers, après s'être emparés du navire, était de l'employer à la traite, qui s'opérait encore avec quelques provinces du Sud-Amérique.

Deux personnes à bord avaient été seules épargnées : Kate, en faveur de laquelle avait réclamé le matelot Forbes — moins cruel que ses complices —, puis le master du *Severn*, un homme d'une trentaine d'années, nommé Evans, auquel il était nécessaire de s'en remettre pour diriger le bâtiment.

Ces horribles scènes avaient eu lieu dans la nuit du 7 au 8 octobre, alors que le *Severn* se trouvait à deux cents milles environ de la côte chilienne.

Sous peine de mort, Evans fut contraint à manœuvrer, de manière à doubler le cap Horn, afin d'atteindre les parages à l'ouest de l'Afrique.

Mais, quelques jours après — on ne sut jamais à quelle cause l'attribuer —, un incendie se déclara à bord. En peu d'instants, sa violence fut telle que Walston et ses compagnons essayèrent vainement de sauver le *Severn* d'une destruction complète. L'un d'entre eux, Henley, périt même en se précipitant à la mer pour échapper au feu. Il fallut abandonner le navire, jeter à la hâte dans la chaloupe quelques provisions, quelques munitions, quelques armes, et s'éloigner au moment où le *Severn* sombrait au milieu des flammes.

La situation des naufragés était extrêmement critique, puisque deux cents milles les séparaient des terres les plus rapprochées. Ce n'aurait été que justice, en vérité, que la chaloupe eût péri avec les scélérats qu'elle portait, si Kate et le master Evans n'avaient été à bord.

Le surlendemain, une violente tempête s'éleva — ce qui rendit la situation plus terrible. Mais, comme le vent soufflait du large, l'embarcation, son mât brisé, sa voile en lambeaux, fut poussée vers l'île Chairman. On sait comment, dans la nuit du 15 au 16, après avoir été roulée à la surface des brisants, elle vint s'échouer sur la grève, ayant sa membrure en partie fracassée et son bordage entrouvert.

Walston et ses compagnons, épuisés par une longue lutte contre la tempête, leurs provisions en partie consommées, n'en pouvaient plus de froid et de fatigue. Aussi étaient-ils à peu près inanimés, lorsque la chaloupe aborda les récifs. Un coup de mer enleva alors cinq d'entre eux, un peu avant l'échouage, et, quelques instants après, les deux autres furent projetés sur le sable, tandis que Kate tombait du côté opposé de l'embarcation.

Ces deux hommes restèrent assez longtemps évanouis, comme Kate l'était elle-même. Ayant bientôt repris connaissance, Kate eut soin de rester immobile, bien qu'elle dût penser que Walston et les autres eussent péri. Elle attendait le jour pour aller chercher assistance sur cette terre inconnue, quand, vers trois heures du matin, des pas firent craquer le sable près de la chaloupe.

C'étaient Walston, Brandt et Rock, qui, non sans peine, avaient pu se sauver du coup de mer, avant l'échouage de l'embarcation. Ayant traversé le banc des récifs et atteint l'endroit où gisaient leurs compagnons, Forbes et Pike, ils s'empressèrent de les ramener à la vie ; puis ils délibérèrent pendant que le master Evans les attendait à quelques centaines de pas de là, sous la garde de Cope et de Rock.

Et voici les propos qui furent échangés — propos que Kate entendit très distinctement :

« Où sommes-nous ? demanda Rock.

— Je ne sais ! répondit Walston. Peu importe ! Ne restons pas ici et descendons vers l'est ! Nous verrons à nous débrouiller, quand le jour sera venu !

— Et nos armes ?... dit Forbes.

— Les voici, avec nos munitions qui sont intactes ! » répondit Walston.

Et il sortit du coffre de la chaloupe cinq fusils et plusieurs paquets de cartouches.

« C'est peu, ajouta Rock, pour se tirer d'affaire dans ces pays de sauvages !

— Où est Evans ?... demanda Brandt.

— Evans est là, répondit Walston, surveillé par Cope et Rock. Il faudra bien qu'il nous accompagne, bon gré mal gré, et, s'il résiste, je me charge de le mettre à la raison !

Walston et ses compagnons, soutenant Forbes et Pike. (Page 391.)

— Qu'est devenue Kate ?... dit Rock. Est-ce qu'elle serait parvenue à se sauver ?...

— Kate ?... répondit Walston. Plus rien à craindre d'elle ! Je l'ai vue passer par-dessus le bord, avant que la chaloupe se soit mise au plein, et elle est par le fond !

— Bon débarras, après tout !... répondit Rock. Elle en savait un peu trop long sur notre compte.

— Elle ne l'aurait pas su longtemps ! » ajouta Walston, sur les intentions duquel il n'y avait point à se tromper.

Kate, qui avait tout entendu, était bien résolue à s'enfuir, après le départ des matelots du *Severn*.

Quelques instants à peine écoulés, Walston et ses compagnons, soutenant Forbes et Pike, dont les jambes n'étaient guère solides, emportaient leurs armes, leurs munitions, ce qui restait de provisions dans les coffres de la chaloupe — c'est-à-dire cinq à six livres de viande salée, un peu de tabac et deux ou trois gourdes de gin. Ils s'éloignaient, au moment où la bourrasque était dans toute sa violence.

Dès qu'ils furent à bonne distance, Kate se releva. Il était temps, car la marée montante atteignait déjà la grève, et, bientôt elle eût été entraînée par le flot.

On comprend maintenant pourquoi Doniphan, Wilcox, Webb et Cross, lorsqu'ils revinrent, pour rendre les derniers devoirs aux naufragés, trouvèrent la place vide. Déjà Walston et sa bande avaient descendu dans la direction de l'est, tandis que Kate, prenant à l'opposé, se dirigeait, sans le savoir, vers la pointe septentrionale du Family-lake.

Ce fut là qu'elle arriva dans l'après-midi du 16, épuisée de fatigue et de faim. Quelques fruits sauvages, c'était tout ce qu'elle avait eu pour se réconforter. Elle suivit alors la rive gauche, marcha toute la nuit, toute la

matinée du 17, et vint tomber à l'endroit où Briant
l'avait relevée à demi morte.

Tels étaient les événements dont Kate fit le récit —
événements d'une extrême gravité. En effet, sur l'île
Chairman, où les jeunes colons avaient vécu en complète
sécurité jusqu'alors, sept hommes, capables de tous les
crimes, avaient pris terre. S'ils découvraient French-den,
hésiteraient-ils à l'attaquer ? Non ! Ils avaient un intérêt
trop réel à s'emparer de son matériel, à enlever ses provisions, ses armes, ses outils surtout, sans lesquels il
leur serait impossible de mettre la chaloupe du *Severn* en
état de reprendre la mer. Et, dans ce cas, quelle résistance pourraient opposer Briant et ses camarades,
dont les plus grands comptaient alors une quinzaine
d'années au plus et les plus petits dix ans à peine !
N'étaient-ce pas là d'effrayantes éventualités ? Si Walston
demeurait sur l'île, nul doute qu'il ne fallût s'attendre
à quelque agression de sa part !

Avec quelle émotion tous écoutèrent le récit de Kate,
il n'est que trop facile de l'imaginer.

Et, en l'entendant, Briant ne songeait qu'à ceci :
c'est que, si l'avenir offrait de tels dangers, Doniphan,
Wilcox, Webb et Cross étaient les premiers menacés.
En effet, comment se tiendraient-ils sur leurs gardes,
s'ils ignoraient la présence des naufragés du *Severn* sur
l'île Chairman, et précisément sur cette partie du littoral
qu'ils exploraient en ce moment ? Ne suffirait-il pas
d'un coup de fusil, tiré par l'un d'eux, pour que leur
situation fût révélée à Walston ? Et alors, tous quatre
tomberaient entre les mains de scélérats, dont ils n'auraient aucune pitié à attendre !

« Il faut aller à leur secours, dit Briant, et qu'ils
aient été prévenus avant demain...

— Et ramenés à French-den ! ajouta Gordon. Plus

que jamais, il importe que nous soyons réunis, afin de
prendre des mesures contre une attaque de ces malfaiteurs !

— Oui ! reprit Briant, et puisqu'il est nécessaire que
nos camarades reviennent, ils reviendront !... J'irai
les chercher !

— Toi, Briant ?

— Moi, Gordon !

— Et comment ?...

— Je m'embarquerai dans la yole avec Moko. En
quelques heures, nous aurons traversé le lac et descendu
l'East-river, comme nous l'avons fait déjà. Toutes les
chances sont pour que nous rencontrions Doniphan à
l'embouchure...

— Quand comptes-tu partir ?...

— Dès ce soir, répondit Briant, lorsque l'obscurité
nous permettra de traverser le lac sans être aperçus.

— Irai-je avec toi, frère ?... demanda Jacques.

— Non, répliqua Briant. Il est indispensable que
nous puissions tous revenir dans la yole, et nous aurons
bien de la peine à y trouver place pour six !

— Ainsi, c'est décidé ?... demanda Gordon.

— Décidé ! » lui dit Briant.

En réalité, c'était le meilleur parti à prendre — non
seulement dans l'intérêt de Doniphan, de Wilcox, de
Cross et de Webb, mais aussi dans l'intérêt de la petite
colonie. Quatre garçons de plus, et non des moins vigoureux, ce secours ne serait pas à dédaigner en cas
d'agression. D'autre part, il n'y avait pas une heure
à perdre, si l'on voulait que tous fussent réunis à French-
den avant vingt-quatre heures.

Comme on le pense, il ne pouvait plus être question
d'enlever le cerf-volant dans les airs. C'eût été de la
dernière imprudence. Ce n'est pas à des navires — s'il

en passait au large de l'île — qu'il eût signalé la présence des jeunes colons, c'est à Walston, à ses complices.
A ce propos même, Briant jugea convenable de faire
abattre le mât de signaux, élevé sur la crête d'Auckland-
hill.

Jusqu'au soir, tous restèrent enfermés dans le hall.
Kate avait entendu le récit de leurs aventures. L'excellente femme ne pensait plus à elle pour ne penser qu'à
eux. S'ils devaient rester ensemble sur l'île Chairman,
elle serait leur servante dévouée, elle les soignerait,
elle les aimerait comme une mère. Et déjà, aux petits,
à Dole, à Costar, elle donnait ce nom caressant de
« papooses », par lequel on désigne les babys anglais
dans les territoires du Far-West.

Déjà aussi, en souvenir de ses romans de prédilection,
Service avait proposé de l'appeler Vendredine — ainsi
que Crusoé avait fait de son compagnon, d'impérissable
mémoire — puisque c'était précisément un vendredi
que Kate était arrivée à French-den.

Et il ajouta :

« Ces malfaiteurs, c'est comme qui dirait les sauvages
de Robinson ! Il y a toujours un moment où les sauvages
arrivent et, toujours un moment où l'on en vient à
bout ! »

A huit heures, les préparatifs de départ étaient
achevés. Moko, dont le dévouement ne reculait devant
aucun danger, se réjouissait d'accompagner Briant
dans cette expédition.

Tous deux s'embarquèrent, munis de quelques provisions et armés chacun d'un revolver et d'un coutelas.
Après avoir dit adieu à leurs camarades, qui ne les virent
pas s'éloigner sans un serrement de cœur, ils eurent
bientôt disparu au milieu des ombres du Family-lake.
Au coucher du soleil, une petite brise s'était levée, qui

soufflait du nord, et, si elle se maintenait, elle servirait la yole à l'aller comme au retour.

En tout cas, cette brise resta favorable pour la traversée de l'ouest à l'est. La nuit était très obscure — circonstance heureuse pour Briant qui voulait passer inaperçu. En se dirigeant au moyen de la boussole, il avait la certitude d'atteindre la rive opposée qu'il suffirait de remonter ou de descendre, suivant que la légère embarcation l'accosterait en dessus ou en dessous du cours d'eau. Toute l'attention de Briant et de Moko se portait dans cette direction, où ils craignaient d'apercevoir quelque feu — ce qui eût très probablement indiqué la présence de Walston et de ses compagnons, car Doniphan devait plutôt être campé sur le littoral, à l'embouchure de l'East-river.

Six milles furent enlevés en deux heures. La yole n'avait pas trop souffert de la brise, bien que celle-ci eût quelque peu fraîchi. L'embarcation accosta près de l'endroit où elle avait atterri la première fois, et dut longer la rive pendant un demi-mille, afin de gagner l'étroite crique par laquelle les eaux du lac s'écoulaient dans le rio. Cela prit un certain temps. Le vent étant debout alors, il fut nécessaire de marcher à l'aviron. Tout paraissait tranquille sous le couvert des arbres, penchés au-dessus des eaux. Pas un glapissement ni un hurlement dans les profondeurs de la forêt, pas un feu suspect sous les noirs massifs de verdure.

Pourtant, vers dix heures et demie, Briant, qui était assis à l'arrière de la yole, arrêta le bras de Moko. A quelques centaines de pieds de l'East-river, sur la rive droite, un foyer à demi éteint jetait sa lueur mourante à travers l'ombre. Qui était campé là ?... Walston ou Doniphan ?... Il importait de le reconnaître, avant de s'engager dans le courant du rio.

Briant se précipita sur le fauve. (Page 397.)

« Débarque-moi, Moko, dit Briant.

— Vous ne voulez pas que je vous accompagne, monsieur Briant ? répondit le mousse à voix basse.

— Non ! Mieux vaut que je sois seul ! Je risquerai moins d'être vu en approchant ! »

La yole rangea la berge et Briant sauta à terre, après avoir recommandé à Moko de l'attendre. Il avait à la main son coutelas, à la ceinture son revolver dont il était bien décidé à ne se servir qu'à la dernière extrémité, afin d'agir sans bruit.

Après avoir gravi la berge, le courageux garçon se glissa sous les arbres.

Tout à coup, il s'arrêta. A une vingtaine de pas, dans la demi-clarté que le foyer répandait encore, il lui semblait entrevoir une ombre, qui rampait entre les herbes comme il l'avait fait lui-même.

En ce moment, éclata un rugissement formidable. Puis, une masse bondit en avant.

C'était un jaguar de grande taille. Aussitôt ces cris de se faire entendre :

« A moi !... A moi ! »

Briant reconnut la voix de Doniphan. C'était lui, en effet. Ses compagnons étaient restés à leur campement établi près de la rive du rio.

Doniphan, renversé par le jaguar, se débattait, sans pouvoir faire usage de ses armes.

Wilcox, réveillé par ses cris, accourut, son fusil épaulé, prêt à faire feu...

« Ne tire pas !... Ne tire pas !... » cria Briant.

Et, avant que Wilcox eût pu l'apercevoir, Briant se précipita sur le fauve, qui se retourna contre lui, tandis que Doniphan se relevait lestement.

Par bonheur, Briant put se jeter de côté, après avoir frappé le jaguar de son coutelas. Cela fut fait si rapi-

dement que ni Doniphan ni Wilcox n'eurent le temps
d'intervenir. L'animal, atteint mortellement, était tombé,
à l'instant où Webb et Cross s'élançaient au secours de
Doniphan.

Mais la victoire avait failli coûter cher à Briant, dont
l'épaule saignait, déchirée d'un coup de griffes.

« Comment es-tu ici ? s'écria Wilcox...

— Vous le saurez plus tard ! répondit Briant. Venez !...
venez !

— Pas avant que je ne t'aie remercié, Briant ! dit
Doniphan. Tu m'as sauvé la vie...

— J'ai fait ce que tu aurais fait à ma place ! répondit
Briant. Ne parlons plus de cela, et suivez-moi !... »

Cependant, bien que la blessure de Briant ne fût pas
grave, il fallut la bander fortement avec un mouchoir,
et, tandis que Wilcox le pansait, le brave garçon put
mettre ses camarades au courant de la situation.

Ainsi, ces hommes que Doniphan croyait avoir été
emportés, à l'état de cadavres, par la marée montante,
étaient vivants ! Ils erraient à travers l'île ! C'étaient
des malfaiteurs, souillés de sang ! Une femme avait
fait naufrage avec eux dans la chaloupe du *Severn*, et
cette femme était à French-den ?... A présent, plus de
sécurité sur l'île Chairman !... Voilà pourquoi Briant
avait crié à Wilcox de ne pas faire feu sur le jaguar,
de peur que la détonation fût entendue, pourquoi
Briant n'avait voulu se servir que de son coutelas pour
frapper le fauve !

« Ah ! Briant, tu vaux mieux que moi ! s'écria Doniphan
avec une vive émotion et dans un élan de reconnaissance qui l'emportait sur son caractère si hautain.

— Non, Doniphan, non, mon camarade, répondit
Briant, et, puisque je tiens ta main, je ne la lâcherai
que lorsque tu auras consenti à revenir là-bas...

— Oui, Briant, il le faut ! répondit Doniphan. Compte sur moi ! Désormais, je serai le premier à t'obéir ! Demain... au point du jour... nous partirons...

— Non, tout de suite, répondit Briant, afin d'arriver, sans risquer d'être vus !

— Et comment ?... demanda Cross.

— Moko est là ! Il nous attend avec la yole ! Nous allions nous engager dans l'East-river, lorsque j'ai aperçu la lueur d'un feu, qui était le vôtre.

— Et tu es arrivé à temps pour me sauver !... répéta Doniphan.

— Et aussi pour te ramener à French-den ! »

Maintenant, pourquoi Doniphan, Wilcox, Webb et Cross étaient-ils campés en cet endroit et non à l'embouchure de l'East-river ? L'explication en fut donnée en quelques mots.

Après avoir quitté la côte des Severn-shores, tous quatre étaient revenus au port de Bear-rock dans la soirée du 16. Dès le lendemain matin, comme il était convenu, ils avaient remonté la rive gauche de l'East-river jusqu'au lac, où ils s'étaient établis en attendant le jour pour regagner French-den.

Dès l'aube, Briant et ses camarades avaient pris place dans la yole, et, comme elle était bien étroite pour six, il fallut manœuvrer avec précaution.

Mais la brise était favorable, et Moko dirigea si adroitement son embarcation que la traversée se fit sans accidents.

Avec quelle joie Gordon et les autres acceillirent les absents, quand, vers quatre heures du matin, ils débarquèrent à la digue du rio Zealand ! Si de grands dangers les menaçaient, du moins ils étaient tous à French-den !

XXIII

La colonie était donc au complet, et même accrue d'un
nouveau membre — cette bonne Kate, jetée à la suite
d'un effroyable drame de mer sur les grèves de l'île
Chairman. De plus, l'accord allait maintenant régner
à French-den — accord que rien ne devait désormais
troubler. Si Doniphan éprouvait encore quelque regret
de ne point être le chef des jeunes colons, du moins
leur était-il revenu tout entier. Oui, cette séparation de
deux ou trois jours avait porté ses fruits. Plus d'une
fois déjà, sans rien dire à ses camarades, sans vouloir
avouer ses torts, alors que l'amour-propre parlait chez
lui plus haut que l'intérêt, il n'en avait pas moins compris
à quelle sottise le menait son entêtement. D'autre part,
Wilcox, Cross et Webb n'étaient pas sans éprouver la
même impression. Aussi, après le dévouement dont
Briant avait fait preuve envers lui, Doniphan s'était-il
abandonné à ses bons sentiments, dont il ne devait plus
jamais se départir.

D'ailleurs, de très sérieux dangers menaçaient French-
den, exposé aux attaques de sept malfaiteurs, vigoureux
et armés. Sans doute, l'intérêt de Walston était de chercher à quitter promptement l'île Chairman ; mais,
s'il venait à soupçonner l'existence d'une petite colonie,
bien pourvue de tout ce qui lui manquait, il ne reculerait
pas devant une agression où toutes les chances seraient

pour lui. Les jeunes colons durent s'astreindre à prendre
de minutieuses précautions, à ne plus s'éloigner du rio
Zealand, à ne pas se hasarder aux environs du Family-
lake sans nécessité tant que Walston et sa bande n'auraient pas quitté l'île.

Et d'abord, il y eut lieu de savoir si, pendant leur
retour de Severn-shores à Bear-rock, Doniphan, Cross,
Webb et Wilcox n'avaient rien remarqué qui fût de
nature à leur faire soupçonner la présence des matelots
du *Severn* ?

« Rien, répondit Doniphan. A la vérité, pour revenir
à l'embouchure de l'East-river, nous n'avons pas suivi
le chemin que nous avions pris en remontant vers le
nord.

— Il est pourtant certain que Walston s'est éloigné
dans la direction de l'est ! fit observer Gordon.

— D'accord, répondit Doniphan ; mais il a dû longer
la côte, tandis que nous revenions directement par
Beechs-forest. Prenez la carte, et vous verrez que l'île
forme une courbe très prononcée au-dessus de Deception-bay. Il y a là une vaste contrée où ces malfaiteurs
ont pu chercher refuge, sans trop s'écarter de l'endroit
où ils avaient laissé leur chaloupe. — Au fait, peut-être
Kate saurait-elle nous dire à peu près dans quels parages
se trouve située l'île Chairman ? »

Kate, interrogée déjà à ce sujet par Gordon et Briant,
n'avait rien pu leur répondre. Après l'incendie du
Severn, lorsque le master Evans eut pris la barre de la
chaloupe, il avait manœuvré de manière à rallier au
plus près le continent américain, dont l'île Chairman
ne pouvait être très éloignée. Or, il n'avait jamais
prononcé le nom de cette île sur laquelle la tempête
l'avait poussé. Toutefois, comme les nombreux archipels
de la côte ne devaient être qu'à une distance rela-

tivement courte, il y avait des raisons plausibles pour que Walston voulût tenter de les atteindre, et, en attendant, qu'il eût intérêt à rester sur le littoral de l'est. En effet, dans le cas où il parviendrait à remettre son embarcation en état de naviguer, il n'aurait pas grand-peine à se diriger vers quelque terre du Sud-Amérique.

« A moins, fit observer Briant, que Walston, arrivé à l'embouchure d'East-river et y retrouvant des traces de ton passage, Doniphan, n'ait l'idée de pousser plus loin ses recherches !

— Quelles traces ? répondit Doniphan. Un amas de cendres éteintes ? Et qu'en pourrait-il conclure ? Serait-ce que l'île est habitée ? Eh bien, dans ce cas, ces misérables ne songeraient qu'à se cacher...

— Sans doute, répliqua Briant, à moins qu'ils ne découvrent que la population de l'île se réduit à une poignée d'enfants ! Ne faisons donc rien qui puisse leur apprendre qui nous sommes ! — Cela m'amène à te demander, Doniphan, si tu as eu l'occasion de tirer quelques coups de feu pendant ton retour à Deception-bay ?

— Non, et par extraordinaire, répondit Doniphan en souriant, car je suis un peu trop brûleur de poudre ! Depuis que nous avons abandonné la côte, nous étions suffisamment pourvus de gibier, et aucune détonation n'a pu révéler notre présence. Hier, dans la nuit, Wilcox a failli tirer sur le jaguar ; mais, par bonheur, tu es arrivé à temps pour l'en empêcher, Briant, et me sauver la vie en risquant la tienne !

— Je te le répète, Doniphan, je n'ai fait que ce que tu aurais fait à ma place ! — Et, à l'avenir, plus un seul coup de fusil ! Cessons même les visites à Traps-woods, et vivons sur nos réserves ! »

Il va sans dire que, dès son arrivée à French-den, Briant avait reçu tous les soins que nécessitait sa blessure, dont la cicatrisation fut bientôt complète. Il ne lui resta plus qu'une certaine gêne dans le bras — gêne qui ne tarda pas à disparaître.

Cependant le mois d'octobre venait de finir, et Walston n'avait pas encore été signalé aux environs du rio Zealand. Était-il donc parti, après avoir réparé sa chaloupe ? Ce n'était pas impossible, car il devait posséder une hache — Kate s'en souvint — et pouvait se servir aussi de ces solides couteaux que les marins ont toujours en poche, le bois ne manquant pas à proximité des Severn-shores.

Toutefois, dans l'ignorance où l'on était à cet égard, la vie ordinaire dut être modifiée. Plus d'excursions au loin, si ce n'est le jour où Baxter et Doniphan allèrent abattre le mât de signaux, qui se dressait à la crête d'Auckland-hill.

De ce point, Doniphan promena sa lunette sur les masses de verdure qui s'arrondissaient au levant. Bien que son regard ne pût atteindre jusqu'au littoral, caché derrière le rideau des Beechs-forest, si quelque fumée se fût élevée dans l'air, il l'aurait certainement aperçue — ce qui eût indiqué que Walston et les siens étaient campés sur cette partie de l'île. Doniphan ne vit rien dans cette direction, ni davantage au large de Sloughi-bay, dont les parages étaient toujours déserts.

Depuis que les excursions étaient interdites, depuis qu'il y avait lieu de laisser les fusils au repos, les chasseurs de la colonie avaient été contraints de renoncer à leur exercice de prédilection. Heureusement les pièges et collets, tendus aux abords de French-den, fournissaient du gibier en quantité suffisante. D'ailleurs, les tinamous et les outardes s'étaient tellement multipliés dans la basse-cour, que Service et Garnett furent obligés d'en sacrifier un bon nombre. Comme on avait fait une très abondante récolte des feuilles de l'arbre à thé, ainsi que de cette sève d'érables, qui se transforme si aisément en sucre, il ne fut pas nécessaire de remonter jusqu'au Dike-creek pour renouveler ces provisions. Et même, si l'hiver arrivait avant que les jeunes colons eussent recouvré leur liberté, ils étaient largement pourvus d'huile pour leurs fanaux, de conserves et de gibier pour leur office. Ils n'auraient à refaire que le stock de combustible, en charriant le bois coupé dans les massifs de Bog-woods, et sans trop s'exposer, en suivant la rive du rio Zealand.

A cette époque, une nouvelle découverte vint même ajouter au bien-être de French-den.

Cette découverte ne fut point due à Gordon, bien qu'il fût très entendu aux choses de la botanique. Non ! C'est à Kate qu'en revint tout le mérite.

Il y avait, sur la limite des Bog-woods, un certain nombre d'arbres, qui mesuraient cinquante à soixante pieds de hauteur. Si la hache les avait épargnés jusqu'alors, c'est que leur bois, très filandreux, eût médiocrement alimenté les foyers du hall et de l'enclos. Ils portaient des feuilles de forme oblongue, qui s'alternaient aux nœuds de leurs branches, et dont l'extrémité était armée d'une pointe acérée.

Dès la première fois — le 25 octobre — que Kate aperçut un de ces arbres, elle s'écria :

« Eh !... Voici l'arbre à vache ! »

Dole et Costar, qui l'accompagnaient, partirent d'un franc éclat de rire.

« Comment, l'arbre à vache ? dit l'un.

— Est-ce que les vaches le mangent ? dit l'autre.

— Non, mes papooses, non, répondit Kate. Si on

C'était une belle liqueur blanchâtre. (Page 406.)

l'appelle ainsi, c'est qu'il donne du lait, et du lait meilleur que celui de vos vigognes ! »

En rentrant à French-den, Kate fit part à Gordon de sa découverte. Gordon appela aussitôt Service, et tous deux retournèrent avec Kate à la lisière des Bog-woods. Après avoir examiné l'arbre en question, Gordon pensa que ce devait être un de ces « galactendrons » qui poussent en assez grand nombre dans les forêts du nord de l'Amérique, et il ne se trompait pas.

Précieuse découverte ! En effet, il suffit de faire une incision dans l'écorce de ces galactendrons pour qu'il s'en échappe un suc d'une apparence laiteuse, ayant le goût et les propriétés nutritives du lait de vache. En outre, quand on laisse ce lait se coaguler, il forme une sorte de fromage excellent, en même temps qu'il produit une cire très pure, comparable à la cire des abeilles, et dont on peut faire des bougies de bonne qualité.

« Eh bien, s'écria Service, si c'est un arbre à vache, ou plutôt un arbre-vache, il faut le traire ! »

Et, sans s'en douter, le joyeux garçon venait d'employer l'expression dont se servent les Indiens, puisqu'ils disent couramment : « Allons traire l'arbre. »

Gordon fit une incision dans l'écorce du galactendron, et il en sortit un suc, dont Kate recueillit deux bonnes pintes dans un vase qu'elle avait apporté.

C'était une belle liqueur blanchâtre, d'un aspect très appétissant, et qui renferme les mêmes éléments que le lait de vache. Elle est même plus nourrissante, plus consistante, et aussi d'une saveur plus agréable. Le vase fut vidé en un instant à French-den, et Costar s'en barbouilla la bouche comme un jeune chat. A la pensée de tout ce qu'il ferait de cette nouvelle substance, Moko ne cacha point sa satisfaction. D'ailleurs, il n'aurait point à la ménager. Il n'était pas loin, le « troupeau » de galactendrons, qui lui fournirait abondamment ce lait végétal !

En vérité — on ne saurait trop le répéter —, l'île Chairman eût pu suffire aux besoins d'une nombreuse colonie. L'existence des jeunes garçons y était assurée, même pour un long temps. En outre, l'arrivée de Kate parmi eux, les soins qu'ils pouvaient attendre de cette femme dévouée, à laquelle ils inspiraient une affection maternelle, tout se réunissait pour leur rendre la vie plus facile !

Pourquoi fallait-il que la sécurité d'autrefois fût maintenant troublée sur l'île Chairman ! Que de découvertes, sans doute, Briant et ses camarades eussent faites en organisant des explorations sur les parties inconnues de l'est, et auxquelles il fallait renoncer à présent ! Leur serait-il jamais donné de reprendre leurs excursions, n'ayant à redouter que la rencontre de quelques fauves — moins dangereux, à coup sûr, que ces fauves à figure humaine, contre lesquels ils devaient se garder nuit et jour !

Cependant, jusqu'aux premiers jours de novembre, aucune trace suspecte n'avait été relevée aux environs de French-den. Briant se demandait même si les matelots du *Severn* étaient encore sur l'île. Et pourtant, Doniphan n'avait-il pas constaté de ses propres yeux en quel mauvais état se trouvait la chaloupe, avec son mât rompu, sa voilure en lambeaux, son bordage défoncé par les pointes du récif ? Il est vrai — et le master Evans ne devait pas l'ignorer — que si l'île Chairman était voisine d'un continent ou d'un archipel, peut-être la chaloupe, radoubée tant bien que mal, avait-elle été mise en état de faire une traversée relativement courte ? Il était donc admissible que Walston eût pris le parti de quitter l'île !... Oui, et c'est là ce qu'il convenait de reconnaître, avant de reprendre le train de vie habituel.

Plusieurs fois, Briant avait eu l'idée d'aller à la découverte à travers la région située à l'est du Family-lake. Doniphan, Baxter, Wilcox, ne demandaient qu'à l'accompagner. Mais, courir le risque de tomber au pouvoir de Walston, et, par suite, lui apprendre à quels adversaires peu redoutables il aurait affaire, cela eût entraîné les conséquences les plus fâcheuses. Aussi, Gordon, dont les conseils étaient toujours écoutés, détourna-t-il Briant de s'aventurer dans les profondeurs de Beechs-forest.

C'est alors que Kate fit une proposition, qui ne présentait aucun de ces dangers.

« Monsieur Briant, dit-elle un soir, alors que tous les jeunes colons étaient réunis dans le hall, voulez-vous me permettre de vous quitter demain, au lever du jour ?

— Nous quitter, Kate ?... répondit Briant.

— Oui ! Vous ne pouvez rester plus longtemps dans l'incertitude, et pour savoir si Walston est encore sur l'île, j'offre de me rendre à l'endroit où nous avons été jetés par la tempête. Si la chaloupe est encore là, c'est que Walston n'a pu partir... Si elle n'y est pas, c'est que vous n'avez plus rien à craindre de lui.

— Ce que vous voulez faire là, Kate, répondit Doniphan, c'est absolument ce que Briant, Baxter, Wilcox et moi, nous avions proposé de faire nous-mêmes !

— Sans doute, monsieur Doniphan, répondit Kate. Mais ce qui est dangereux avec vous, ne peut l'être avec moi.

— Cependant, Kate, dit Gordon, si vous retombez entre les mains de Walston ?...

— Eh bien, répondit Kate, je me retrouverai dans la situation où j'étais avant de m'enfuir, voilà tout !

— Et si ce misérable se défait de vous, ce qui n'est que trop probable ?... dit Briant.

— Puisque je me suis échappée une première fois, répondit Kate, pourquoi ne m'échapperais-je pas une seconde, surtout maintenant que je connais le chemin de French-den ? Et même, si je parvenais à fuir en compagnie d'Evans — à qui j'aurais appris tout ce qui vous concerne —, de quelle utilité, de quel secours, le brave master ne serait-il pas pour vous !...

— Si Evans avait eu la possibilité de s'échapper, répondit Doniphan, ne l'aurait-il pas déjà fait ?... N'a-t-il pas tout intérêt à se sauver ?...

— Doniphan a raison, dit Gordon. Evans connaît le secret de Walston et de ses complices, qui n'hésiteront pas à le tuer, lorsqu'ils n'auront plus besoin de lui pour diriger la chaloupe vers le continent américain ! Donc, s'il ne leur a pas faussé compagnie, c'est qu'il est gardé à vue...

— Ou qu'il a déjà payé de sa vie une tentative d'évasion ! répondit Doniphan. Aussi, Kate, au cas où vous seriez reprise...

— Croyez, répondit Kate, que je ferai tout pour ne point me laisser reprendre !

— Sans doute, répondit Briant, mais jamais nous ne vous permettrons de courir cette chance ! Non ! Mieux vaut chercher un moyen moins dangereux pour savoir si Walston est encore sur l'île Chairman ! »

La proposition de Kate ayant été repoussée, il n'y avait plus qu'à se garder sans commettre aucune imprudence. Evidemment, si Walston se trouvait en mesure de quitter l'île, il partirait avant la mauvaise saison, afin de gagner quelque terre où les siens et lui seraient accueillis comme on accueille toujours des naufragés, d'où qu'ils viennent.

Du reste, en admettant que Walston fût encore là,

Briant, Doniphan et Moko parcoururent le Family-lake.
(Page 411.)

il ne semblait pas qu'il eût l'intention d'explorer l'intérieur. A plusieurs reprises, par des nuits sombres, Briant,
Doniphan et Moko parcoururent le Family-lake avec la
yole, et jamais ils ne surprirent la lueur d'un feu suspect,
ni sur la rive opposée, ni sous les arbres qui se groupaient
près de l'East-river.

Néanmoins, il était très pénible de vivre dans ces
conditions, sans sortir de l'espace compris entre le rio
Zealand, le lac, la forêt et la falaise. Aussi, Briant songeait-il sans cesse au moyen de s'assurer de la présence de
Walston, et à découvrir, en même temps, en quel
endroit il avait établi le feu de son campement. Pour le
reconnaître, peut-être suffirait-il de s'élever à une certaine hauteur pendant la nuit.

C'est à cela que pensait Briant, et cette pensée était
arrivée chez lui à l'état d'obsession. Par malheur, sauf
la falaise, dont la plus haute crête ne dépassait pas deux
cents pieds d'altitude, l'île Chairman ne renfermait
aucune autre colline de quelque importance. Maintes
fois, Doniphan et deux ou trois autres s'étaient portés
sur le sommet d'Auckland-hill ; mais, de ce point, ils
n'apercevaient même pas l'autre rive du Family-lake.
Donc, aucune fumée, aucune lueur n'auraient pu se
montrer dans l'est au-dessus de l'horizon. Il eût été
nécessaire de s'élever de quelques centaines de pieds
plus haut, pour que le rayon de vue pût s'étendre jusqu'aux premières roches de Deception-bay.

C'est alors qu'il vint à l'esprit de Briant une idée
tellement hasardeuse — on pourrait dire insensée — qu'il
la repoussa tout d'abord. Mais elle le hanta avec une telle
obstination qu'elle finit par s'incruster dans son cerveau.

On ne l'a pas oublié, l'opération du cerf-volant avait
été suspendue. Après l'arrivée de Kate, apportant la
nouvelle que les naufragés du *Severn* erraient sur la

côte orientale, on avait dû renoncer au projet d'enlever dans les airs un appareil qui eût été aperçu de tous les points de l'île.

Mais, puisque le cerf-volant ne pouvait plus être employé comme signal, n'était-il pas possible de l'utiliser pour opérer cette reconnaissance, si nécessaire à la sécurité de la colonie ?

Oui ! voilà à quoi s'obstinait l'imagination de Briant. Il se rappelait avoir lu dans un journal anglais que, vers la fin du siècle dernier, une femme avait eu l'audace de s'élever dans les airs, suspendues à un cerf-volant, spécialement fabriqué pour cette périlleuse ascension[1].

Eh bien, ce qu'une femme avait fait, un jeune garçon n'oserait-il l'entreprendre ? Que sa tentative offrît certains dangers, peu importait. Les risques n'étaient rien auprès des résultats qui seraient sans doute obtenus ! En prenant toutes les précautions que commandait la prudence, n'y avait-il pas bien des chances pour que l'opération réussît ? C'est pourquoi Briant, bien qu'il ne fût pas en état de calculer mathématiquement la force ascensionnelle que nécessiterait un appareil de ce genre, se répétait-il que cet appareil existait, qu'il suffirait de lui donner des dimensions plus grandes et de le rendre plus solide. Et alors, au milieu de la nuit, en s'élevant à quelques centaines de pieds dans les airs, peut-être parviendrait-on à découvrir la lueur d'un feu sur la partie de l'île comprise entre le lac et Deception-bay.

Qu'on ne hausse pas les épaules devant l'idée de ce brave et audacieux garçon ! Sous l'empire de cette

---

1. Ce que méditait Briant allait être fait en France. Quelques années plus tard, un cerf-volant, mesurant vingt-quatre pieds de large sur vingt-sept de long, de forme octogonale, pesant soixante-huit kilogrammes de charpente, quarante-cinq kilogrammes de toile et de corde — en tout cent treize kilogrammes —, avait facilement enlevé un sac de terre pesant près de soixante-dix kilogrammes.

obsession, il en était arrivé à croire son projet, non seulement praticable — il l'était, pas de doute à cet égard —, mais moins dangereux qu'il semblait être de prime abord.

Il ne s'agissait donc plus que de le faire adopter par ses camarades. Et, dans la soirée du 4, après avoir prié Gordon, Doniphan, Wilcox, Webb et Baxter de venir conférer avec lui, il leur fit connaître sa proposition d'utiliser le cerf-volant.

« L'utiliser ?... répondit Wilcox. Et comment l'entends-tu ?... Est-ce en le lançant dans l'air ?

— Evidemment, répondit Briant, puisqu'il est fait pour être lancé.

— Pendant le jour ? demanda Baxter...

— Non, Baxter, car il n'échapperait point aux regards de Walston, tandis que pendant la nuit...

— Mais si tu y suspends un fanal, répondit Doniphan, il attirera aussi bien son attention !

— Aussi n'y mettrai-je point de fanal.

— Alors à quoi servira-t-il ?... demanda Gordon.

— A permettre de voir si les gens du *Severn* sont encore sur l'île ! »

Et Briant, non sans quelque inquiétude que son projet ne fût accueilli par des hochements de tête peu encourageants, l'exposa en quelques mots.

Ses camarades ne songèrent point à rire. Ils n'en avaient aucune envie, et, sauf Gordon peut-être, qui se demandait si Briant parlait sérieusement, les autres parurent très disposés à lui donner leur approbation. En effet ! ces jeunes garçons avaient maintenant une telle habitude du danger, qu'une ascension nocturne, tentée dans ces conditions, leur sembla très exécutable. D'ailleurs, tout ce qui serait de nature à leur rendre leur sécurité première, ils étaient bien résolus à l'entreprendre.

« Cependant, fit observer Doniphan, pour le cerf-volant que nous avons construit le poids de l'un de nous ne sera-t-il pas trop lourd !...

— Evidemment, répondit Briant. Aussi faudra-t-il à la fois agrandir et consolider notre machine.

— Reste à savoir, dit Wilcox, si un cerf-volant pourra jamais résister...

— Ce n'est pas douteux ! affirma Baxter.

— D'ailleurs, cela a été fait », ajouta Briant.

Et il cita le cas de cette femme qui, quelque cent ans auparavant, en avait fait l'expérience, non sans succès.

Puis :

« Tout dépend, ajouta-t-il, des dimensions de l'appareil et de la force du vent au moment du départ.

— Briant, demanda Baxter, quelle hauteur penses-tu qu'il conviendrait d'atteindre ?...

— J'imagine qu'en montant à six ou sept cents pieds, répondit Briant, on apercevrait un feu qui aurait été allumé en n'importe quelle partie de l'île.

— Eh bien, cela est à faire, s'écria Service, et sans attendre davantage ! Je finis par en avoir assez, moi, d'être privé d'aller et de venir à ma fantaisie !

— Et nous, de ne plus pouvoir rendre visite à nos trappes ! ajouta Wilcox.

— Et moi, de ne plus oser tirer un seul coup de fusil ! répliqua Doniphan.

— A demain, donc ! » dit Briant.

Puis, lorsqu'il se trouva seul avec Gordon :

« Est-ce sérieusement, lui demanda celui-ci, que tu songes à cette équipée ?...

— Je veux du moins essayer, Gordon !

— C'est une opération dangereuse !

— Peut-être moins qu'on ne le croit !

« Ton choix est-il déjà fait, Briant ?... » (Page 416.)

— Et quel est celui de nous qui consentira à risquer sa vie dans cette tentative ?...

— Toi, tout le premier, Gordon, répondit Briant, oui ! toi-même, si le sort te désigne !

— C'est donc au sort que tu t'en rapporteras, Briant ?...

— Non, Gordon ! Il faut que celui de nous qui se dévouera le fasse de son plein gré !

— Ton choix est-il déjà fait, Briant ?...

— Peut-être ! »

Et Briant serra la main de Gordon.

XXIV

PREMIER ESSAI. — AGRANDISSEMENT DE L'APPAREIL. — DEUXIEME ESSAI. — REMISE AU LENDEMAIN. — PROPOSITION DE BRIANT. — PROPOSITION DE JACQUES. — L'AVEU. — L'IDEE DE BRIANT. — DANS LES AIRS AU MILIEU DE LA NUIT. — CE QUI APPARAIT. — LE VENT FRAICHIT. — DENOUEMENT.

Dès le matin du 25 novembre, Briant et Baxter se mirent à l'œuvre. Avant de donner à l'appareil des dimensions plus considérables, il parut bon de savoir quel poids il aurait la force d'enlever, tel qu'il était. Cela permettrait d'arriver par tâtonnements, faute de formules scientifiques à lui donner la surface suffisante pour supporter — non compris le sien propre — un poids qui ne devait pas être inférieur à cent vingt ou cent trente livres.

Il ne fut pas nécessaire d'attendre la nuit pour faire cette première expérience. En ce moment, la brise soufflait du sud-ouest, et Briant se dit qu'il n'y aurait aucun inconvénient à en profiter, à la condition de retenir le cerf-volant à une faible hauteur, de façon qu'il ne pût être aperçu de la rive orientale du lac.

L'opération réussit à souhait ; il fut constaté que l'appareil, sous l'action d'un vent ordinaire, soulevait un sac pesant vingt livres. Un peson, provenant du matériel du *Sloughi*, avait permis d'obtenir très exactement ce poids.

Le cerf-volant fut alors ramené à terre et couché sur le sol de Sport-terrace.

En premier lieu, Baxter rendit son armature extrêmement solide, au moyen de cordes qui se reliaient à un nœud central, comme les baleines d'un parapluie à l'anneau qui glisse sur le manche. Ensuite, sa surface fut accrue par un supplément d'armature et une adjonction de nouvelles toiles. Pour cet ajustement, Kate se montra très utile. Les aiguilles et le fil ne manquaient point à French-den, et l'adroite ménagère s'entendait aux travaux de couture.

Si Briant ou Baxter eussent été plus « forts » en mécanique, ils auraient considéré, dans la construction de l'appareil, les principaux éléments, qui sont le poids, la surface plane, le centre de gravité, le centre de pression du vent — lequel se confond avec le centre de figure — et enfin le point d'attache de la corde. Puis, ces calculs établis, ils auraient déduit quelle eût été la puissance ascensionnelle du cerf-volant et la hauteur à laquelle il pourrait atteindre. De même, le calcul leur aurait appris quelle force devrait avoir la corde pour résister à la tension — condition des plus importantes, pour assurer la sécurité de l'observateur.

Heureusement, la ligne, fournie par le loch du schooner, et qui mesurait au moins deux mille pieds de longueur, convenait parfaitement. D'ailleurs, même par une brise très fraîche, un cerf-volant ne « tire » que modérément, lorsque le point d'attache du balancier est judicieusement choisi. Il y aurait donc lieu de régler avec soin ce point d'attache, d'où dépend l'inclinaison de l'appareil sur le lit du vent, et d'où résulte sa stabilité.

Avec cette nouvelle destination, le cerf-volant ne devait plus avoir de queue à son appendice inférieur — ce dont Costar et Dole se montrèrent fort dépités. C'était inutile ; le poids enlevé suffirait à l'empêcher de « piquer une tête. »

Après tâtonnements, Briant et Baxter observèrent qu'il conviendrait d'attacher ce poids au tiers de l'armature, en le fixant à l'une des traverses qui tendaient la toile dans le sens de la largeur. Deux cordes, amarrées à cette traverse, le soutiendraient de façon qu'il se trouvât suspendu à une vingtaine de pieds au-dessous.

Quant à la corde, on en prépara une longueur de douze cents pieds environ, qui, courbe déduite, permettrait de s'élever à sept ou huit cents pieds au-dessus.

Enfin, pour parer autant que possible aux dangers d'une chute, dans le cas où elle se produirait par une rupture de la corde ou un bris de l'armature, il fut convenu que l'ascension se ferait au-dessus du lac. La distance horizontale à laquelle s'effectuerait cette chute ne serait jamais assez considérable, en tout cas, pour qu'un bon nageur ne pût regagner la rive de l'ouest.

Lorsque l'appareil fut terminé, il présentait une surface de soixante-dix mètres carrés, sous la forme d'un octogone, dont le rayon avait près de quinze pieds et chacun des côtés près de quatre. Avec ses armatures solides, sa toile imperméable au vent, il devait facilement enlever un poids de cent à cent vingt livres.

Quant à la nacelle dans laquelle l'observateur prendrait place, ce fut tout simplement une de ces bailles d'osier, qui servent à divers usages à bord des yachts. Elle était assez profonde pour qu'un garçon de taille ordinaire pût y entrer jusqu'aux aisselles, assez large pour qu'il eût la liberté de ses mouvements, assez ouverte pour qu'il lui fût possible de s'en dégager prestement, si besoin était.

Comme on le pense bien, ce travail ne s'était pas fait en un jour, ni même en deux. Commencé le 5 dans la matinée, il ne fut achevé que dans l'après-midi du 7. On remit donc au soir l'expérience préparatoire, qui aiderait à reconnaître la puissance ascensionnelle de l'appareil et son degré de stabilité dans l'air.

Durant ces derniers jours, rien n'était venu modifier la situation. Plusieurs fois, les uns ou les autres étaient restés pendant de longues heures en observation sur la falaise. Ils n'avaient rien vu de suspect ni dans le nord, entre la lisière de Traps-woods et French-den, ni dans le sud, au-delà du rio, ni dans l'ouest, du côté de Sloughi-bay, ni sur le Family-lake, que Walston aurait pu vouloir visiter avant de quitter l'île. Aucune détonation ne s'était fait entendre aux approches d'Auckland-hill. Aucune fumée ne s'était déroulée au-dessus de l'horizon.

Briant et ses camarades étaient-ils donc en droit d'espérer que ces malfaiteurs avaient abandonné définitivement l'île Chairman ? Leur serait-il enfin loisible de reprendre en toute sécurité les habitudes d'autrefois ?

C'est ce que l'expérience projetée allait permettre de constater sans doute.

Maintenant, une dernière question : comment celui qui prendrait place dans la nacelle parviendrait-il à faire le signal d'être ramené à terre, lorsqu'il le jugerait nécessaire ?

Voici ce qu'exposa Briant, lorsque Doniphan et Gordon l'interrogèrent à ce sujet.

« Un signal lumineux est impossible, répondit Briant, car il risquerait d'être aperçu de Walston. Aussi, Baxter et moi, avons-nous recouru au procédé suivant. Une ficelle, d'une longueur égale à la corde du cerf-volant, après avoir été préalablement enfilée dans une balle de plomb percée à son centre, sera attachée à la nacelle par un bout, tandis que l'autre bout restera à terre entre les mains de l'un de nous. Il suffira de laisser glisser cette balle le long de la ficelle, pour donner le signal de ramener le cerf-volant.

— Bien imaginé ! » répondit Doniphan.

Tout étant ainsi convenu, il n'y eut plus qu'à procéder à un essai préliminaire. La lune ne devait se lever que vers deux heures après minuit, et il faisait une jolie brise qui soufflait du sud-ouest. Les conditions parurent donc particulièrement favorables pour opérer dès le soir même.

A neuf heures, l'obscurité était profonde. Quelques nuages, assez épais, couraient à travers l'espace sur un ciel sans étoiles. A quelque hauteur que s'élevât l'appareil, il ne pourrait être aperçu même des environs de French-den.

Grands et petits devaient assister à cette expérience, et, puisqu'il ne s'agissait que d'une opération « à blanc » comme on dit, ce serait avec plus de plaisir que d'émotion qu'ils en suivraient les diverses péripéties.

Le vireveau du *Sloughi* avait été installé au centre de Sport-terrace, et solidement fixé au sol, afin de résister à la traction de l'appareil. La longue ligne, lovée avec soin, fut disposée de manière à se dérouler sans effort, en même temps que la ficelle destinée à donner le signal. Dans la nacelle, Briant avait placé un sac de terre, qui

pesait exactement cent trente livres — poids supérieur
à celui du plus lourd de ses camarades.

Doniphan, Baxter, Wilcox, Webb, allèrent se poster
près du cerf-volant, étendu à terre, à cent pas du virevau.
Au commandement de Briant, ils devaient le redresser
peu à peu au moyen de cordes, qui se rattachaient aux
traverses de l'armature. Dès que l'appareil aurait donné
prise au vent suivant son inclinaison déterminée par la
disposition du balancier, Briant, Gordon, Service, Cross,
Garnett, préposés à la manœuvre du virevau, lui file-
raient de la corde à mesure qu'il s'élèverait dans l'air.

« Attention ! cria Briant

— Nous sommes prêts ! répondit Doniphan.

— Allez ! »

L'appareil se releva peu à peu, frémit sous la brise
et s'inclina sur le lit du vent :

« Filez !... filez ! » cria Wilcox.

Et, aussitôt, le virevau de se dérouler sous la tension
de la ligne, tandis que le cerf-volant et la nacelle mon-
taient lentement à travers l'espace.

Bien que ce fût imprudent, des hurrahs éclatèrent,
lorsque le « Géant des airs » eut quitté le sol. Mais,
presque aussitôt, il disparut dans l'ombre — vif désappointement pour Iverson, Jenkins, Dole et Costar,
qui auraient voulu ne point le perdre de vue, pendant
qu'il se balançait au-dessus du Family-lake. Ce qui
amena Kate à leur dire :

« Ne vous désolez point, mes papooses !... Une autre
fois, quand il n'y aura plus de danger, on l'enlèvera en
plein jour, votre géant, et on vous permettra de lui
envoyer des postillons, si vous avez été sages ! »

Bien qu'on ne le vît plus alors, on sentait que le
cerf-volant tirait régulièrement, preuve qu'une brise
bien établie soufflait dans les hautes zones, et que la

traction était modérée ; preuve aussi que le balancier
était disposé comme il convenait.

Briant, voulant que la démonstration fût convain-
cante, autant que le permettaient les circonstances,
laissa la corde se dérouler jusqu'à son extrémité. Il
put alors apprécier son degré de tension, qui n'avait
rien d'anormal. Le virevau en avait filé douze cents
pieds, et, très probablement, l'appareil avait dû s'élever
à une hauteur de sept à huit cents. Cette manœuvre
n'avait pas demandé plus de dix minutes.

L'expérience étant réalisée, on se relaya aux manivelles,
afin de relever la corde. Seulement, cette seconde partie
de l'opération fut de beaucoup la plus longue. Il ne
fallut pas moins d'une heure pour ramener les douze
cents pieds de ligne.

De même que pour un aérostat, l'atterrissement du
cerf-volant est toujours la manœuvre la plus délicate,
si l'on veut qu'il atterrisse sans choc. Mais, la brise
était si constante alors, que cela se fit avec un entier
succès. Bientôt, l'octogone de toile eut reparu dans
l'ombre, et il vint s'abattre doucement sur le sol, à peu
près au point d'où il était parti.

Des hurrahs accueillirent son arrivée comme ils
avaient salué son départ.

Il n'y avait donc plus qu'à le maintenir à terre, afin
qu'il ne donnât pas prise au vent. Aussi, Baxter et Wilcox
offrirent-ils de le veiller jusqu'au lever du jour.

Le lendemain, 8 novembre, à la même heure se ferait
l'opération définitive.

Et, maintenant, on n'attendait plus que les ordres de
Briant pour rentrer à French-den.

Briant ne disait rien et semblait profondément
absorbé dans ses réflexions.

A quoi songeait-il ? Etait-ce aux périls que présentait

« Moi !... » dit vivement Jacques. (Page 424.)

une ascension tentée dans des conditions si exceptionnelles ? Pensait-il à la responsabilité qu'il assumait, en
laissant un de ses camarades se hasarder dans cette
nacelle ?

« Rentrons, dit Gordon. Il est tard...

— Un instant, répondit Briant. Gordon, Doniphan,
attendez !... J'ai une proposition à faire !

— Parle, répliqua Doniphan.

— Nous venons d'essayer notre cerf-volant, reprit
Briant, et cet essai a réussi, parce que les circonstances
étaient favorables, le vent étant régulier, ni trop faible
ni trop fort. Or, savons-nous quel temps il fera demain,
et si le vent permettra de maintenir l'appareil au-dessus
du lac ? Aussi me paraîtrait-il sage de ne point remettre
l'opération ! »

Rien de plus raisonnable, en effet, du moment qu'on
était résolu à la tenter.

Cependant, à cette proposition personne n'avait
répondu. Au moment de courir de tels risques, l'hési-
tation était naturelle, — même de la part des plus
intrépides.

Et pourtant, lorsque Briant eut ajouté :

« Qui veut monter !...

— Moi !... » dit vivement Jacques.

Et, presque aussitôt :

« Moi ! » s'écrièrent à la fois Doniphan, Baxter,
Wilcox, Cross et Service.

Puis, un silence se fit, que Briant ne se pressait pas
d'interrompre.

Ce fut Jacques qui dit le premier :

« Frère, c'est à moi de me dévouer !... Oui !... à moi !
Je t'en prie !... Laisse-moi partir !...

— Et pourquoi toi plutôt que moi... Plutôt qu'un
autre ? répondit Doniphan.

— Oui !... Pourquoi ?... demanda Baxter.

— Parce que je le dois ! répondit Jacques.

— Tu le dois ?... dit Gordon.

— Oui ! »

Gordon avait saisi la main de Briant, comme pour lui demander ce que Jacques voulait dire, et il la sentit trembler dans la sienne. Et, même, si la nuit n'eût été si obscure, il aurait vu pâlir les joues de son camarade, il aurait vu ses paupières s'abaisser sur ses yeux humides.

« Eh bien, frère !... reprit Jacques d'un ton résolu, et qui surprenait chez un enfant de cet âge.

— Réponds, Briant ! dit Doniphan. Jacques dit qu'il a le droit de se dévouer !... Mais, ce droit, ne l'avons-nous pas comme lui ?... Qu'a-t-il donc fait pour le réclamer ?...

— Ce que j'ai fait, répondit Jacques, ce que j'ai fait... Je vais vous le dire !

— Jacques ! s'écria Briant, qui voulait empêcher son frère de parler.

— Non, reprit Jacques d'une voix entrecoupée par l'émotion. Laisse-moi avouer !... Cela me pèse trop !... Gordon, Doniphan, si vous êtes ici..., tous... loin de vos parents... sur cette île... c'est moi... moi seul qui en suis la cause !... Si le *Sloughi* a été emporté en pleine mer, c'est que, par imprudence... non !... une plaisanterie... une farce... j'ai détaché l'amarre qui le retenait au quai d'Auckland !... Oui ! une farce !... Et puis, lorsque j'ai vu le yacht dériver, j'ai perdu la tête !... Je n'ai pas appelé, lorsqu'il était temps encore !... Et, une heure après... au milieu de la nuit... en pleine mer !... Ah ! Pardon, mes camarades, pardon !... »

Et le pauvre garçon sanglotait, malgré Kate, qui essayait en vain de le consoler.

« Bien, Jacques ! dit alors Briant. Tu as avoué ta

faute, et, maintenant, tu veux risquer ta vie pour la réparer... ou au moins pour racheter en partie le mal que tu as fait ?...

— Et ne l'a-t-il pas racheté déjà ? s'écria Doniphan, qui se laissait aller à sa générosité naturelle. Est-ce qu'il ne s'est pas exposé vingt fois pour nous rendre service !... Ah ! Briant, je comprends maintenant pourquoi tu mettais ton frère en avant, lorsqu'il y avait quelque danger à courir, et pourquoi il était toujours prêt à se dévouer !... Voilà pourquoi il s'est lancé à la recherche de Cross et de moi au milieu du brouillard... au péril de sa vie !... Oui ! mon ami Jacques, nous te pardonnons bien volontiers, et tu n'as plus besoin de racheter ta faute ! »

Tous entouraient Jacques ; ils lui prenaient ses mains, et, cependant les sanglots ne cessaient de gonfler sa poitrine. On savait, à présent, pourquoi cet enfant, le plus gai de tout le pensionnat Chairman, l'un des plus espiègles aussi, était devenu si triste, pourquoi il ne cherchait qu'à se tenir à l'écart !... Puis, par ordre de son frère, par sa volonté surtout, on l'avait vu payer de sa personne toutes les fois qu'une périlleuse occasion s'était offerte !... Et il ne croyait pas avoir fait assez !... Il demandait encore à se dévouer pour les autres !... Et, dès qu'il put parler, ce fut pour dire :

« Vous le voyez, c'est à moi... à moi seul de partir !... N'est-ce pas, frère ?...

— Bien, Jacques, bien ! » répéta Briant, qui attira son frère dans ses bras.

Devant l'aveu que Jacques venait de faire, devant ce droit qu'il réclamait, ce fut en vain que Doniphan et les autres essayèrent d'intervenir. Il n'y avait qu'à le laisser se livrer à la brise, qui manifestait une certaine tendance à fraîchir.

L'appareil, incliné sur la brise... (Page 428.)

Jacques serra la main de ses camarades. Puis, prêt à prendre place dans la nacelle, qui venait d'être débarrassée du sac de terre, il se retourna vers Briant. Celui-ci était immobile à quelques pas en arrière du virevau.

« Que je t'embrasse, frère ! dit Jacques.

— Oui !... Embrasse-moi ! répondit Briant en maîtrisant son émotion. Ou plutôt... c'est moi qui t'embrasserai... car c'est moi qui vais partir !...

— Toi ?... s'écria Jacques.

— Toi... toi ?... répétèrent Doniphan et Service.

— Oui... moi. Que la faute de Jacques soit rachetée par son frère ou par lui, peu importe ! D'ailleurs, lorsque j'ai eu l'idée de cette tentative, avez-vous jamais pu croire que mon intention était de la laisser faire à un autre ?...

— Frère, s'écria Jacques, je t'en prie !...

— Non, Jacques !

— Alors, dit Doniphan, je réclame à mon tour.

— Non, Doniphan ! répondit Briant d'un ton qui n'admettait pas de réplique. C'est moi qui partirai !... Je le veux !

— Je t'avais deviné, Briant ! » dit Gordon, en serrant la main de son camarade.

Sur ces mots, Briant s'était introduit dans la nacelle, et, dès qu'il y fut convenablement installé, il donna l'ordre de redresser le cerf-volant.

L'appareil, incliné sur la brise, monta doucement d'abord ; puis, Baxter, Wilcox, Cross et Service, postés au virevau, lui filèrent de la corde, en même temps que Garnett, qui tenait la ficelle-signal, la faisait glisser entre ses doigts.

En dix secondes, le « géant des airs » eut disparu dans l'ombre, non plus au milieu des hurrahs qui avaient accompagné son départ d'essai, mais au milieu d'un profond silence.

L'intrépide chef de ce petit monde, le généreux Briant, avait disparu avec lui.

Cependant, l'appareil s'élevait avec une régulière lenteur. La constance de la brise lui assurait une stabilité parfaite. A peine se balançait-il d'un côté sur l'autre. Briant ne ressentait aucune de ces oscillations qui eussent rendu sa situation plus périlleuse. Aussi, se tenait-il immobile, les deux mains fixées aux cordes de suspension de la nacelle, que berçait à peine un léger mouvement d'escarpolette.

Quelle étrange impression Briant éprouva tout d'abord, quand il se sentit suspendu dans l'espace, à ce large plan incliné, qui frémissait sous la poussée du courant aérien ! Il lui semblait qu'il était enlevé par quelque fantastique oiseau de proie, ou plutôt accroché aux ailes d'une énorme chauve-souris noire. Mais, grâce à l'énergie de son caractère, il put conserver le sang-froid qu'exigeait son expérience.

Dix minutes après que le cerf-volant eut quitté le sol de Sport-terrace, une petite secousse indiqua que son mouvement ascensionnel venait de prendre fin. Arrivée à l'extrémité de sa corde, il se releva encore, non sans quelques secousses, cette fois. L'altitude atteinte verticalement devait être comprise entre six cents et sept cents pieds.

Briant, très maître de lui, tendit d'abord la ficelle enfilée dans la balle ; puis, il se mit à observer l'espace. Retenu d'une main à l'une des cordes de suspension, il tenait sa lunette de l'autre.

Au-dessous de lui, obscurité profonde. Le lac, les forêts, la falaise, formaient une masse confuse dont il ne pouvait distinguer aucun détail.

Quant à la périphérie de l'île, elle tranchait sur la mer qui la circonscrivait, et, du point occupé par lui,

Briant était à même d'embrasser tout son ensemble.

Et vraiment, s'il eût fait cette ascension en plein jour et dirigé ses regards sur un horizon baigné de lumière, peut-être aurait-il aperçu soit d'autres îles, soit même un continent, s'il en existait dans un rayon de quarante à cinquante milles — portée à laquelle sa vue devait certainement atteindre ?

Si, vers l'ouest, le nord et le sud, le ciel était trop embrumé pour qu'il pût rien apercevoir, il n'en fut pas ainsi dans la direction de l'est, où un petit coin du firmament, momentanément dégagé de nuages, laissait briller quelques étoiles.

Et, précisément de ce côté, une lueur assez intense, qui se réfléchissait jusque dans les basses volutes des vapeurs, attira l'attention de Briant.

« C'est la lueur d'un feu ! se dit-il. Est-ce que Walston aurait établi son campement en cet endroit ?... Non !... Ce feu est beaucoup trop éloigné, et il se trouve très certainement bien au-delà de l'île !... Serait-ce donc un volcan en éruption, et y aurait-il une terre dans les parages de l'est ?

Il revint à la pensée de Briant que, pendant sa première expédition à Deception-bay, une tache blanchâtre avait apparu dans le champ de sa lunette.

« Oui, se dit-il, c'était bien de ce côté... Et cette tache, serait-ce la réverbération d'un glacier ?... Il doit y avoir, dans l'est, une terre assez rapprochée de l'île Chairman ! »

Briant avait braqué sa lunette sur cette lueur que l'obscurité contribuait à rendre plus apparente encore. Nul doute qu'il n'y eût là quelque montagne ignivome, voisine du glacier entrevu, et qui appartenait, soit à un continent, soit à un archipel, dont la distance ne mesurait pas plus d'une trentaine de milles.

En ce moment, Briant ressentit une nouvelle impression lumineuse. Beaucoup plus près de lui, à cinq ou six milles environ, et par conséquent à la surface de l'île, une autre lueur brillait entre les arbres, à l'ouest du Family-lake.

« C'est dans la forêt, cette fois, se dit-il, et à sa lisière même, du côté du littoral ! »

Mais il semblait que cette lueur n'avait fait que paraître et disparaître, car, malgré une observation attentive, Briant ne parvint pas à la revoir.

Oh ! le cœur lui battait violemment, et sa main tremblait au point qu'il lui était impossible de braquer sa lunette avec une précision suffisante !

Cependant, il y avait là un feu de campement, non loin de l'embouchure de l'East-river. Briant l'avait vu, et bientôt il reconnut que sa lueur se réverbérait encore sur le massif des arbres.

Ainsi Walston et sa bande étaient campés en cet endroit, à proximité du petit port de Bear-rock ! Les meurtriers du *Severn* n'avaient point abandonné l'île Chairmann ! Les jeunes colons étaient toujours exposés à leurs agressions, et il n'y avait plus aucune sécurité pour French-den !

Quelle déception éprouva Briant ! Evidemment, dans l'impossibilité de radouber sa chaloupe, Walston avait dû renoncer à reprendre la mer pour se diriger vers l'une des terres voisines ! Et pourtant il s'en trouvait dans ces parages ! Il n'y avait plus aucun doute à cet égard !

Briant, ayant terminé ses observations, jugea inutile de prolonger cette exploration aérienne. Il se prépara donc à redescendre. Le vent fraîchissait sensiblement. Déjà les oscillations, devenues plus fortes, imprimaient à la nacelle un balancement qui allait rendre l'atterrissement difficile.

Après s'être assuré que la ficelle-signal était convenablement tendue, Briant laissa glisser la balle, qui arriva en quelques secondes à la main de Garnett.

Aussitôt, la corde du virevau commença à ramener l'appareil vers le sol.

Mais, en même temps que le cerf-volant s'abaissait, Briant regardait encore dans la direction des lueurs relevées par lui. Il revoyait celle de l'éruption, puis, plus près, sur le littoral, le feu du campement.

On le pense bien, c'était avec une extrême impatience que Gordon et les autres avaient attendu le signal de descente. Qu'elles leur avaient paru longues, les vingt minutes que Briant venait de passer dans l'espace!

Cependant Doniphan, Baxter, Wilcox, Service et Webb manœuvraient vigoureusement les manivelles du virevau. Eux aussi avaient observé que le vent prenait de la force et soufflait avec moins de régularité. Ils le sentaient aux secousses que subissait la corde et ils ne songeaient pas, sans une vive angoisse, à Briant qui devait en éprouver le contrecoup.

Le virevau fonctionna donc rapidement pour ramener les douze cents pieds de ligne qui avaient été déroulés. Le vent fraîchissait toujours, et, trois quarts d'heure après le signal donné par Briant, il soufflait en grande brise.

En ce moment, l'appareil devait être encore à plus de cent pieds au-dessus du lac.

Soudain une violente secousse se produisit. Wilcox, Doniphan, Service, Webb, Baxter, auxquels le point d'appui avait manqué faillirent être précipités sur le sol. La corde du cerf-volant venait de se rompre.

Et, au milieu des cris de terreur, ce nom fut vingt fois répété :

« Briant !... Briant !... »

Briant piqua une tête. (Page 434.)

Quelques minutes après, Briant sautait sur la grève et appelait d'une voix forte.

« Frère !... Frère !... s'écria Jacques, qui fut le premier à le presser dans ses bras.

— Walston est toujours là ! »

C'est là ce que Briant dit tout d'abord, dès que ses camarades l'eurent rejoint.

Au moment où la corde avait cassé, Briant s'était senti emporté, non dans une chute verticale, mais oblique et relativement lente, parce que le cerf-volant faisait en quelque sorte parachute au-dessus de lui. Se dégager de la nacelle, avant qu'elle eût atteint la surface du lac, c'est ce qu'il importait de faire. Au moment où elle allait s'immerger, Briant piqua une tête, et, bon nageur comme il était, il n'eut pas de peine à gagner la rive, distante de quatre à cinq cents pieds au plus.

Pendant ce temps, le cerf-volant, délesté de son poids, avait disparu dans le nord-est, entraîné par la brise comme une gigantesque épave de l'air.

XXV

LA CHALOUPE DU *SEVERN*. — COSTAR MALADE. — LE RETOUR DES HIRONDELLES. — DECOURAGEMENT. — LES OISEAUX DE PROIE. — LE GUANAQUE TUE D'UNE BALLE. — LE CULOT DE PIPE. — SURVEILLANCE PLUS ACTIVE. — VIOLENT ORAGE. — UNE DETONATION AU-DEHORS. UN CRI DE KATE.

LE lendemain, après une nuit pendant laquelle Moko était resté de garde à French-den, les jeunes colons, fatigués de leurs émotions de la veille, ne se réveillèrent

que fort tard. Aussitôt levés, Gordon, Doniphan, Briant
et Baxter passèrent dans Store-room, où Kate vaquait
à ses travaux habituels.

Là, ils s'entretinrent de la situation, qui ne laissait
pas d'être très inquiétante.

En effet — ainsi que le fit observer Gordon —, il
y avait déjà plus de quinze jours que Walston et ses
compagnons étaient sur l'île. Donc, si les réparations
de la chaloupe n'étaient point encore faites, c'est qu'ils
manquaient des outils indispensables à une besogne de
ce genre.

« Cela doit être, dit Doniphan, car, en somme, cette
embarcation n'était pas très endommagée. Si notre
Sloughi n'eut pas été plus maltraité, après son échouage,
nous serions venus à bout de le mettre en état de naviguer ! »

Cependant, si Walston n'était point parti, il n'était
pas probable que son intention fût de se fixer sur l'île
Chairman, car il aurait déjà fait quelques excursions
à l'intérieur, et French-den eût certainement reçu sa
visite.

Et, à ce propos, Briant parla de ce qu'il avait observé,
pendant son ascension, relativement aux terres qui
devaient exister à une distance assez rapprochée dans
l'est.

« Vous ne l'avez point oublié, dit-il, lors de notre
expédition à l'embouchure de l'East-river, j'avais entrevu
une tache blanchâtre, un peu au-dessus de l'horizon,
et dont je ne savais comment expliquer la présence...

— Pourtant, Wilcox et moi, nous n'avons rien découvert de semblable, répondit Doniphan, bien que nous
ayons cherché à retrouver cette tache...

— Moko l'avait aussi distinctement aperçue que moi,
répondit Briant.

— Soit ! Cela peut-être ! répliqua Doniphan. Mais
qui te donne à croire, Briant, que nous soyons à proximité d'un continent ou d'un groupe d'îles ?

— Le voici, dit Briant. Hier, pendant que j'observais
l'horizon dans cette direction, j'ai distingué une lueur,
très visible en dehors des limites de la côte, et ne pouvant
provenir que d'un volcan en éruption. J'en conclus
donc qu'il existe une terre voisine dans ces parages !
Or, les matelots du *Severn* ne doivent pas l'ignorer, et
ils feront tout pour l'atteindre...

— Ce n'est pas douteux ! répondit Baxter. Que
gagneraient-ils à rester ici ? Evidemment, puisque nous
ne sommes point délivrés de leur présence, cela tient
à ce qu'ils n'ont pas encore pu radouber leur chaloupe ! »

Ce que Briant venait de faire connaître à ses camarades
avait une importance extrême. Cela leur donnait la
certitude que l'île Chairman n'était pas isolée — comme
ils le croyaient — dans cette partie du Pacifique. Mais,
ce qui aggravait les choses, c'est que, d'après le relèvement du feu de son campement, Walston se trouvait
actuellement aux environs de l'embouchure de l'East-
river. Après avoir abandonné la côte des Severn-shores,
il s'était rapproché d'une douzaine de milles. Il lui
suffirait, dès lors, de remonter l'East-river pour arriver
en vue du lac, de le contourner par le sud pour découvrir French-den !

Briant eut donc à prendre les plus sévères mesures en
vue de cette éventualité. Désormais, les excursions furent
réduites au strict nécessaire, sans même s'étendre, sur
la rive gauche du rio, jusqu'aux massifs de Bog-woods.
En même temps, Baxter dissimula les palissades de
l'enclos sous un rideau de broussailles et d'herbes, ainsi
que les deux entrées du hall et de Store-room. Enfin,
défense fut faite de se montrer dans la partie comprise

entre le lac et Auckland-hill. Vraiment, s'assujettir à des précautions si minutieuses, c'était bien des ennuis ajoutés aux difficultés de la situation !

Il y eut encore, à cette époque, d'autres sujets d'inquiétude. Costar fut pris de fièvres, qui mirent sa vie en danger. Gordon dut recourir à la pharmacie du schooner, non sans craindre de commettre quelque erreur ! Heureusement, Kate fit pour cet enfant ce que sa mère eût fait pour lui. Elle le soigna avec cette prudente affection, qui est comme un instinct chez les femmes, et ne cessa de le veiller nuit et jour. Grâce à son dévouement, la fièvre finit par être enrayée, et la convalescence, s'étant franchement manifestée, suivit régulièrement son cours. Costar s'était-il trouvé en danger de mort ? il serait difficile de se prononcer à cet égard. Mais, faute de soins si intelligents, peut-être eût-elle amené l'épuisement du petit malade ?

Oui ! si Kate n'eût été là, on ne sait ce qui serait advenu. On ne peut trop le redire, l'excellente créature avait reporté sur les plus jeunes enfants de la colonie tout ce que son cœur contenait de tendresses maternelles, et jamais elle ne leur marchandait ses caresses.

« Je suis comme cela, mes papooses ! répétait-elle. C'est dans ma nature que je tricote, tripote et fricote ! »

Et, en vérité, est-ce que toute la femme n'est pas là !

Ce dont Kate se préoccupait le plus, c'était d'entretenir de son mieux la lingerie de French-den. A son grand déplaisir, il était bien usé, ce linge qui servait depuis près de vingt mois déjà ! Comment le remplacer, lorsqu'il serait hors de service ? Et les chaussures, bien qu'on les ménageât le plus possible et que personne ne regardât à marcher pieds nus, lorsque le temps le permettait, elles étaient en fort mauvais état ! Tout cela était pour inquiéter la prévoyante ménagère !

La première quinzaine de novembre fut marquée par des averses fréquentes. Puis à dater du 17, le baromètre se remit au beau fixe, et la période des chaleurs s'établit régulièrement. Arbres, arbrisseaux, arbustes, toute la végétation ne fut bientôt plus que verdure et fleurs. Les hôtes habituels des South-moors étaient revenus en grand nombre. Quel crève-cœur pour Doniphan d'être privé de ses chasses à travers les marais, et, pour Wilcox, de ne pouvoir tendre des fleurons, par crainte qu'ils fussent aperçus des rives inférieures du Family-lake !

Et non seulement, ces volatiles fourmillaient sur cette partie de l'île, mais d'autres se firent prendre dans les pièges, aux abords de French-den.

Un jour, parmi ces derniers, Wilcox trouva l'un des migrateurs que l'hiver avait dirigés vers les pays inconnus du nord. C'était une hirondelle, qui portait encore le petit sac attaché sous son aile. Le sac contenait-il un billet à l'adresse des jeunes naufragés du *Sloughi* ? Non, hélas !... Le messager était revenu sans réponse !

Pendant ces longues journées inoccupées, que d'heures se passaient maintenant dans le hall ! Baxter, chargé de tenir en état le journal quotidien, n'avait plus aucun incident à y relater. Et, avant quatre mois, allait commencer un troisième hiver pour les jeunes colons de l'île Chairman !

On pouvait observer, non sans une anxiété profonde, le découragement, qui s'emparait des plus énergiques — à l'exception de Gordon, toujours absorbé dans les détails de son administration. Briant, lui aussi, se sentait accablé parfois, bien qu'il employât toute sa force d'âme à n'en rien laisser paraître. Il essayait de réagir en excitant ses camarades à continuer leurs études, à faire des conférences, des lectures à haute voix. Il

Tous deux glissaient entre les hautes herbes. (Page 440.)

les ramenait sans cesse au souvenir de leur pays, de leurs familles, affirmant qu'ils les reverraient un jour ! Enfin il s'ingéniait à relever leur moral, mais sans y trop parvenir, et sa grande appréhension était que le désespoir ne vînt l'abattre. Il n'en fut rien. D'ailleurs, des événements extrêmement graves les obligèrent bientôt à payer tous de leur personne.

Le 21 novembre, vers deux heures de l'après-midi, Doniphan était occupé à pêcher sur les bords du Family-lake, lorsque son attention fut vivement attirée par les cris discordants d'une vingtaine d'oiseaux qui planaient au-dessus de la rive gauche du rio. Si ces volatiles n'étaient point des corbeaux — auxquels ils ressemblaient quelque peu —, ils eussent mérité d'appartenir à cette espèce vorace et croassante.

Doniphan ne se fût donc pas préoccupé de la troupe criarde, si son allure n'avait eu de quoi le surprendre. En effet, ces oiseaux décrivaient de larges orbes, dont le rayon diminuait à mesure qu'ils s'approchaient de terre ; puis, réunis en un groupe compact, ils se précipitèrent vers le sol.

Là, leurs cris redoublèrent ; mais Doniphan chercha vainement à les apercevoir au milieu des hautes herbes entre lesquelles ils avaient disparu.

La pensée lui vint alors qu'il devait y avoir en cet endroit quelque carcasse d'animal. Aussi, curieux de savoir à quoi s'en tenir, il rentra à French-den et pria Moko de le transporter avec la yole de l'autre côté du rio Zealand.

Tous deux s'embarquèrent, et, dix minutes après, ils se glissaient entre les touffes d'herbes de la berge. Aussitôt, les volatiles de s'envoler, en protestant par leurs cris contre les importuns qui se permettaient de troubler leur repas.

A cette place, gisait le corps d'un jeune guanaque, mort depuis quelques heures seulement, car il n'avait pas perdu toute chaleur.

Doniphan et Moko, peu désireux d'utiliser pour l'office les restes du dîner des carnivores, se disposaient à les leur abandonner, quand une question se présenta : comment et pourquoi le guanaque était-il venu tomber sur la lisière du marécage, loin des forêts de l'est que ses congénères ne quittaient guère d'habitude ?

Doniphan examina l'animal. Il avait au flanc une blessure encore saignante — blessure qui ne provenait pas de la dent d'un jaguar ou autre carnassier.

« Ce guanaque a certainement reçu un coup de feu ! fit observer Doniphan.

— En voici la preuve ! » répondit le mousse, qui, après avoir fouillé la blessure avec son couteau, en avait fait sortir une balle.

Cette balle était plutôt du calibre des fusils de bord que de celui des fusils de chasse. Elle ne pouvait donc avoir été tirée que par Walston ou l'un de ses compagnons.

Doniphan et Moko, laissant le corps du guanaque aux volatiles, revinrent à French-den, où ils conférèrent avec leurs camarades.

Que le guanaque eût été frappé par un des matelots du *Severn*, c'était l'évidence même, puisque ni Doniphan ni personne n'avait tiré un seul coup de fusil depuis plus d'un mois. Mais, ce qu'il eût été important de savoir, c'était à quel moment et en quel endroit le guanaque avait reçu cette balle.

Toutes hypothèses examinées, il parut admissible que le fait ne remontait pas à plus de cinq ou six heures, — laps de temps nécessaire pour que l'animal, après avoir traversé les Downs-lands, eût pu arriver à quelques pas du rio. De là, cette conséquence, que, dans la matinée, un des hommes de Walston avait dû chasser en s'approchant de la pointe méridionale du Family-lake, et que la bande, après avoir franchi l'East-river, gagnait peu à peu du côté de French-den.

Ainsi la situation s'aggravait, bien que le péril ne fût peut-être pas imminent. En effet, au sud de l'île s'étendait cette vaste plaine, coupée de ruisseaux, trouée d'étangs, mamelonnée de dunes, où le gibier n'aurait pu suffire à l'alimentation quotidienne de la bande. Il était donc probable que Walston ne s'était point aventuré à travers les Downs-lands. D'ailleurs, on n'avait entendu aucune détonation suspecte que le vent aurait pu porter jusqu'à Sport-terrace, et il y avait lieu d'espérer que la position de French-den n'avait pas été jusque-là découverte.

Néanmoins, il fallut s'imposer des mesures de prudence avec une nouvelle rigueur. Si une agression avait quelque chance d'être repoussée, ce serait à la condition que les jeunes colons ne fussent point surpris en dehors du hall.

Trois jours après, un fait plus significatif vint accroître les appréhensions, et il fallut bien reconnaître que la sécurité était plus que jamais compromise.

Le 24, vers neuf heures du matin, Briant et Gordon s'étaient portés au-delà du rio Zealand, afin de voir s'il ne serait pas à propos d'établir une sorte d'épaulement en travers de l'étroit sentier qui circulait entre le lac et le marécage. A l'abri de cet épaulement, il eût été facile à Doniphan et aux meilleurs tireurs de s'embusquer rapidement pour le cas où l'on signalerait à temps l'arrivée de Walston.

Tous deux se trouvaient à trois cents pas au plus au-delà du rio, lorsque Briant mit le pied sur un objet qu'il

« Regarde ! » dit Briant. (Page 444.)

écrasa. Il n'y avait point fait attention, pensant que c'était un de ces milliers de coquillages, roulés par les grandes marées, lorsqu'elles envahissaient la plaine des South-moors. Mais Gordon, qui marchait derrière lui, s'arrêta et dit :

« Attends, Briant, attends donc !

— Qu'y a-t-il ? »

Gordon se baissa et ramassa l'objet écrasé.

« Regarde ! dit-il.

— Ce n'est pas un coquillage, cela, répondit Briant, c'est...

— C'est une pipe ! »

En effet, Gordon tenait à la main une pipe noirâtre, dont le tuyau venait d'être brisé au ras du culot.

« Puisque personne de nous ne fume, dit Gordon, c'est que cette pipe a été perdue par...

— Par l'un des hommes de la bande, répondit Briant, à moins qu'elle n'ait appartenu au naufragé français qui nous a précédés sur l'île Chairman... »

Non ! ce culot, dont les cassures étaient fraîches, n'avait jamais pu être en la possession de François Baudoin, mort depuis plus de vingt ans déjà. Il avait dû tomber récemment en cet endroit, et le peu de tabac qui y adhérait le démontrait d'une façon indiscutable. Donc, quelques jours avant, quelques heures peut-être, un des compagnons de Walston ou Walston lui-même s'était avancé jusqu'à cette rive du Family-lake.

Gordon et Briant retournèrent aussitôt à French-den. Là, Kate, à qui Briant présenta ce culot de pipe, put affirmer qu'elle l'avait vu entre les mains de Walston.

Ainsi, nul doute que les malfaiteurs eussent contourné la pointe extrême du lac. Peut-être, pendant la nuit, s'étaient-ils même avancés jusqu'au bord du rio Zealand. Et si French-den avait été découvert, si Walston savait ce qu'était le personnel de la petite colonie, ne devait-il pas venir à sa pensée qu'il y avait là des outils, des instruments, des munitions, des provisions, tout ce dont il était privé ou à peu près, et que sept hommes vigoureux auraient facilement raison d'une quinzaine de jeunes garçons — surtout s'ils parvenaient à les surprendre ?

En tout cas, ce dont il n'y avait plus lieu de douter, c'est que la bande se rapprochait de plus en plus.

En présence de ces éventualités menaçantes, Briant, d'accord avec ses camarades, s'ingénia pour organiser une surveillance plus active encore. Pendant le jour, un poste d'observation fut établi en permanence sur la crête d'Auckland-hill, afin que toute approche suspecte, soit du côté du marécage, soit du côté de Traps-woods, soit du côté du lac, pût être immédiatement signalée. Pendant la nuit, deux des grands durent rester de garde à l'entrée du hall et de Store-room pour épier les bruits du dehors. Les deux portes furent consolidées au moyen d'étais, et, en un instant, il eût été possible de les barricader avec de grosses pierres, qui furent entassées à l'intérieur de French-den. Quant aux étroites fenêtres, percées dans la paroi et qui servaient d'embrasures aux deux petits canons, l'une défendrait la façade du côté du rio Zealand, et l'autre, la façade du côté du Family-lake. En outre, les fusils, les revolvers furent prêts à tirer dès la moindre alerte.

Kate approuvait toutes ces mesures, cela va sans dire. Cette femme énergique se gardait bien de rien laisser voir de ses inquiétudes, trop justifiées, hélas ! lorsqu'elle songeait aux chances si incertaines d'une lutte avec les matelots du *Severn*. Elle les connaissait, eux et leur chef. S'ils étaient insuffisamment armés, ne pouvaient-ils agir par surprise en dépit de la plus sévère surveillance ?

Et, pour les combattre, quelques jeunes garçons, dont le plus âgé n'avait pas seize ans accomplis ! Vraiment, la partie eût été par trop inégale ! Ah ! pourquoi le courageux Evans n'était-il pas avec eux ? Pourquoi n'avait-il pas suivi Kate dans sa fuite ? Peut-être aurait-il su mieux organiser la défense et mettre French-den en état de résister aux attaques de Walston !

Malheureusement, Evans devait être gardé à vue, si même ses compagnons ne s'étaient pas déjà défaits de lui, comme d'un témoin dangereux, et dont ils n'avaient plus besoin pour conduire la chaloupe aux terres voisines !

Telles étaient les réflexions de Kate. Ce n'était pas pour elle qu'elle craignait, c'était pour ces enfants, sur lesquels elle veillait sans cesse, bien secondée par Moko, dont le dévouement égalait le sien.

On était au 27 novembre. Depuis deux jours, la chaleur avait été étouffante. De gros nuages passaient lourdement sur l'île, et quelques roulements lointains annonçaient l'orage. Le storm-glass indiquait une prochaine lutte des éléments.

Ce soir-là, Briant et ses camarades étaient rentrés plus tôt que d'habitude dans le hall, non sans avoir pris la précaution — ainsi que cela se faisait depuis quelque temps — de traîner la yole à l'intérieur de Storeroom. Puis, les portes bien closes, chacun n'eut plus qu'à attendre l'heure du repos, après avoir fait la prière en commun et donné un souvenir aux familles de là-bas.

Vers neuf heures et demie, l'orage était dans toute sa force. Le hall s'illuminait de l'intense réverbération des éclairs, qui pénétrait à travers les embrasures. Les détonations de la foudre se propageaient sans discontinuer ; il semblait que le massif d'Auckland-hill tremblait en répercutant ces étourdissants fracas. C'était un de ces météores, sans pluie ni vent, qui n'en sont que plus terribles, car les nuages immobilisés se déchargent sur place de toute la matière électrique accumulée en eux, et souvent une nuit entière ne suffit pas à l'épuiser.

Costar, Dole, Iverson et Jenkins, blottis au fond de leurs couchettes, sursautaient à ces formidables craquements d'étoffes déchirées, qui indiquent la proximité des décharges. Et, cependant, il n'y avait rien à craindre dans cette inébranlable caverne. La foudre pouvait frapper vingt fois, cent fois, les crêtes de la falaise ! Elle ne traverserait pas les épaisses parois de French-den, aussi imperméables au fluide électrique qu'inaccessibles aux bourrasques. De temps à autre, Briant, Doniphan ou Baxter se levaient, entrouvraient la porte et rentraient aussitôt, à demi aveuglés par les éclairs, après un rapide regard jeté au-dehors. L'espace était en feu, et le lac, réverbérant les fulgurations du ciel, semblait rouler une immense nappe de flammes.

De dix heures à onze heures, pas un seul instant de répit des éclairs et du tonnerre. Ce fut seulement un peu avant minuit que l'accalmie tendit à se faire. Des intervalles de plus en plus longs séparèrent les coups de foudre, dont la violence diminuait avec l'éloignement. Le vent se leva alors, chassant les nuages qui s'étaient rapprochés du sol, et la pluie ne tarda pas à tomber à torrents.

Les petits commencèrent donc à se rassurer. Deux ou trois têtes, enfoncées sous les couvertures, se hasardèrent à reparaître, bien qu'il fût l'heure de dormir pour tout le monde. Aussi, Briant et les autres, ayant organisé les précautions accoutumées, allaient-ils se mettre au lit, lorsque Phann donna manifestement des marques d'une inexplicable agitation. Il se dressait sur ses pattes, il s'élançait vers la porte du hall, il poussait des grognements sourds et continus.

« Est-ce que Phann a senti quelque chose ? dit Doniphan en essayant de calmer le chien.

— En bien des circonstances déjà, fit observer Baxter, nous lui avons vu cette singulière allure, et l'intelligente bête ne s'est jamais trompée !

— Avant de nous coucher, il faut savoir ce que cela signifie ! ajouta Gordon.

— Soit, dit Briant, mais que personne ne sorte, et soyons prêts à nous défendre ! »

Chacun prit son fusil et son revolver. Puis, Doniphan s'avança vers la porte du hall, et Moko vers la porte de Store-room. Tous deux, l'oreille collée contre le vantail, ne surprirent aucun bruit au-dehors, bien que l'agitation de Phann continuât à se produire. Et même, le chien se mit bientôt à aboyer avec une telle violence, que Gordon ne parvint pas à le calmer. C'était une circonstance très fâcheuse. Dans les instants d'accalmie, s'il eût été possible d'entendre le bruit d'un pas sur la grève, à plus forte raison les aboiements de Phann auraient-ils été entendus de l'extérieur.

Soudain éclata une détonation qu'on ne pouvait confondre avec l'éclat de la foudre. C'était bien un coup de feu, qui venait d'être tiré à moins de deux cents pas de French-den.

Tous se tinrent sur la défensive. Doniphan, Baxter, Wilcox, Cross, armés de fusils et postés aux deux portes, étaient prêts à faire feu sur quiconque tenterait de les forcer. Les autres commençaient à les étayer avec les pierres préparées dans ce but, lorsqu'une voix cria du dehors :

« A moi !... A moi ! »

Un homme, ruisselant d'eau... (Page 450.)

Il y avait là un être humain, en danger de mort, sans doute, et qui réclamait assistance...

« A moi ! » répéta la voix, et, cette fois, à quelques pas seulement.

Kate, près de la porte, écoutait...

« C'est lui ! s'écria-t-elle.

— Lui ?... dit Briant.

— Ouvrez !... Ouvrez !... » répétait Kate.

La porte fut ouverte, et un homme, ruisselant d'eau, se précipita dans le hall.

C'était Evans, le master du *Severn*.

XXVI

KATE ET LE MASTER. — LE RECIT D'EVANS. — APRES L'ECHOUAGE DE LA CHALOUPE. — WALSTON AU PORT DE BEAR-ROCK. — LE CERF-VOLANT. — FRENCH-DEN DECOUVERT. — FUITE D'EVANS. — LA TRAVERSEE DU RIO. — PROJETS. — PROPOSITION DE GORDON. — LES TERRES DANS L'EST. — L'ILE CHAIRMAN-HANOVRE.

TOUT d'abord, Gordon, Briant, Doniphan étaient restés immobiles, à cette apparition si inattendue d'Evans. Puis, par un mouvement instinctif, ils s'élancèrent vers le master comme au-devant d'un sauveur.

C'était un homme de vingt-cinq à trente ans, épaules larges, torse vigoureux, œil vif, front découvert, physionomie intelligente et sympathique, démarche ferme et résolue, figure que cachait en partie les broussailles d'une barbe inculte, qui n'avait pu être taillée depuis le naufrage du *Severn*.

A peine entré, Evans se retourna et vint appuyer son

oreille contre la porte qu'il avait refermée vivement.
N'entendant rien au-dehors, il s'avança au milieu du
hall. Là, il regarda à la lueur du fanal suspendu à la
voûte ce petit monde qui l'entourait, et murmura ces
mots :

« Oui !... des enfants !... Rien que des enfants !... »

Tout à coup, son œil s'anima, sa figure rayonna de
joie, ses bras s'ouvrirent...

Kate venait d'aller à lui.

« Kate !... s'écria-t-il. Kate vivante ! »

Et il lui saisit les mains, comme pour bien s'assurer
que ce n'étaient pas celles d'une morte.

« Oui ! vivante comme vous, Evans ! répondit Kate.
Dieu m'a sauvée comme il vous a sauvé, et c'est lui qui
vous envoie au secours de ces enfants ! »

Le master comptait du regard les jeunes garçons,
réunis autour de la table du hall.

« Quinze, dit-il, et à peine cinq ou six qui soient en
état de se défendre !... N'importe !

— Sommes-nous en danger d'être attaqués, master
Evans ? demanda Briant.

— Non, mon garçon, non, — du moins pour l'instant ! » répondit Evans.

Que tous eussent hâte de connaître l'histoire du
master, et principalement ce qui avait eu lieu depuis
que la chaloupe avait été jetée sur les Severn-shores,
cela se comprend. Ni grands ni petits n'auraient pu
s'abandonner au sommeil, sans avoir entendu ce récit
qui était pour eux de si haute importance. Mais, auparavant, il convenait qu'Evans se débarrassât de ses vêtements mouillés et prît quelque nourriture. Si ses habits
ruisselaient, c'est qu'il avait dû traverser le rio Zealand
à la nage. S'il était épuisé de fatigue et de faim, c'est
qu'il n'avait pas mangé depuis douze heures, c'est que,

depuis le matin, il n'avait pu se reposer un instant.

Briant le fit immédiatement passer dans Store-room, où Gordon mit à sa disposition de bons vêtements de matelot. Après quoi, Moko lui servit de la venaison froide, du biscuit, quelques tasses de thé bouillant, un bon verre de brandy.

Un quart d'heure après, Evans, assis devant la table du hall, faisait le récit des événements survenus depuis que les matelots du *Severn* avaient été jetés sur l'île.

« Quelques instants avant que la chaloupe eût accosté la grève, dit-il, cinq des hommes — moi compris —, nous avions été lancés sur les premières roches des récifs. Aucun de nous n'avait été grièvement meurtri dans l'échouage. Rien que des contusions, pas de blessures. Mais, ce qui ne laissa pas d'être difficile, ce fut de se dégager du ressac au milieu de l'obscurité et par mer furieuse qui descendait contre le vent du large.

« Cependant, après de longs efforts, nous arrivâmes sains et saufs, hors de la portée des lames, Walston, Brandt, Rock, Book, Cope et moi. Il en manquait deux, — Forbes et Pike. Avaient-ils été élingués par quelque coup de mer, ou bien s'étaient-ils sauvés, quand la chaloupe avait atteint la grève ? nous ne savions. En ce qui concerne Kate, je croyais qu'elle avait été entraînée par les lames, et je ne pensais plus jamais la revoir. »

Et, en disant cela, Evans ne cherchait point à cacher son émotion, ni la joie qu'il éprouvait d'avoir retrouvé la courageuse femme, échappée avec lui aux massacres du *Severn* ! Après avoir été tous deux à la merci de ces meurtriers, tous deux étaient maintenant hors de leur pouvoir, sinon hors de leurs atteintes dans l'avenir.

Evans reprit :

« Lorsque nous fûmes arrivés sur la grève, il fallut quelque temps pour chercher la chaloupe. Elle avait dû accoster vers sept heures du soir, et il était près de minuit, lorsque nous l'aperçûmes renversée sur le sable. C'est que nous avions d'abord redescendu le long de la côte de...

— Des Severn-shores, dit Briant. C'est le nom que lui ont donné quelques-uns de nos camarades, qui avaient découvert l'embarcation du *Severn*, avant même que Kate nous eût raconté son naufrage...

— Avant ?... répondit Evans assez surpris.

— Oui, master Evans, dit Doniphan. Nous étions arrivés en cet endroit dans la soirée même du naufrage, comme vos deux compagnons étaient encore étendus sur le sable !... Mais, le jour venu, lorsque nous sommes allés pour leur rendre les derniers devoirs, ils avaient disparu.

— En effet, reprit Evans, et je vois comment tout cela s'enchaîne ! Forbes et Pike, que nous croyions noyés — et plût au Ciel qu'ils l'eussent été, cela aurait fait deux coquins de moins sur sept ! — avaient été jetés à peu de distance de la chaloupe. C'est là qu'ils furent retrouvés par Walston et les autres, qui les ranimèrent avec quelques gorgées de gin.

« Heureusement pour eux — si c'est un malheur pour nous —, les coffres de l'embarcation n'avaient été ni brisés pendant l'échouage, ni atteints par l'eau de mer. Les munitions, les armes, cinq fusils de bord, ce qui restait des provisions, embarquées précipitamment pendant l'incendie du *Severn*, tout cela fut retiré de la chaloupe, car il était à craindre qu'elle fût démolie à la marée prochaine. Cela fait, nous abandonnâmes le lieu du naufrage, en suivant la côte dans la direction de l'est.

« A ce moment, l'un de ces gueux — Rock, je crois —, fit observer qu'on n'avait pas retrouvé Kate. A quoi

Walston répondit : « Elle a été emportée par une lame !...
Bon débarras ! » Ce qui me donna à penser que si
la bande se félicitait d'être débarrassée de Kate, maintenant qu'on n'avait plus besoin d'elle, il en serait ainsi
de master Evans, quand on n'aurait plus besoin de lui.
— Mais où étiez-vous donc, Kate ?

— J'étais près de la chaloupe, du côté de la mer,
répondit Kate, à l'endroit où j'avais été jetée après
l'échouage... On ne pouvait me voir et j'ai entendu tout
ce qui s'est dit entre Walston et les autres... Mais, après
leur départ, Evans, je me suis relevée, et, pour ne pas
retomber entre les mains de Walston, j'ai pris la fuite
en me dirigeant du côté opposé. Trente-six heures plus
tard, à demi morte de faim, j'ai été recueillie par ces
braves enfants et conduite à French-den.

— French-den ?... répéta Evans.

— C'est le nom que porte notre demeure, répondit
Gordon, en souvenir d'un naufragé français, qui l'avait
habitée bien des années avant nous !

— French-den ?... Severn-shores ?... dit Evans. Je
vois, mes garçons, que vous avez donné des noms aux
diverses parties de cette île ! C'est joli, cela !

— Oui, master Evans, de jolis noms, répliqua Service,
et il y en a bien d'autres, Family-lake, Downs-lands,
South-moors, rio Zealand, Traps-woods...

— Bon !... Bon !... Vous m'apprendrez tout cela...
plus tard... demain !... En attendant, je continue mon
histoire. — On n'entend rien au-dehors ?...

— Rien, répondit Moko, qui se tenait de garde près
de la porte du hall.

— A la bonne heure ! dit Evans. Je reprends.

« Une heure après avoir abandonné l'embarcation,
nous avions atteint un rideau d'arbres, où notre campement fut établi. Le lendemain et pendant quelques

Nous parvînmes à haler la chaloupe. (Page 456.)

jours, nous revînmes à la place où s'était échouée la chaloupe, et nous essayâmes de la radouber ; mais, n'ayant pour outils qu'une simple hache, il fut impossible de remplacer son bordage fracassé et de la remettre en état de tenir la mer, même pour une petite traversée. D'ailleurs, l'endroit était très incommode pour un travail de ce genre.

« On partit donc, afin de chercher un autre campement dans une région moins aride, où la chasse pourrait fournir à notre nourriture quotidienne, et, en même temps, près d'un rio où nous trouverions de l'eau douce, car notre provision était entièrement épuisée.

« Après avoir suivi la côte pendant une douzaine de milles, nous atteignîmes une petite rivière...

— L'East-river ! dit Service.

— Va pour l'East-river ! répondit Evans. Là, au fond d'une vaste baie...

— Deception-bay ! répliqua Jenkins.

— Va pour Deception-bay ? dit Evans en souriant. Il y avait au milieu des roches un port...

— Bear-rock ! s'écria Costar à son tour.

— Va pour Bear-rock, mon petit ! répondit Evans, qui approuva d'un signe de tête. Rien n'était plus facile que de s'installer en cet endroit, et, si nous pouvions y conduire la chaloupe, que la première tempête eût achevée de démolir là-bas, peut-être arriverait-on à la radouber.

« On retourna donc la chercher, et, quand on l'eut allégée autant que possible, elle fut remise à flot. Puis, bien qu'elle eût de l'eau jusqu'au plat-bord, nous parvînmes à la haler le long du rivage et à l'amener dans le port où elle est maintenant en sûreté.

— La chaloupe est à Bear-rock ?... dit Briant.

— Oui, mon garçon, et je crois qu'il ne serait pas

impossible de la réparer, si on avait les outils nécessaires...

— Mais, ces outils, nous les avons, master Evans ! répondit vivement Doniphan.

— Eh ! c'est bien ce que Walston a supposé, lorsque le hasard lui eut appris que l'île était habitée et par qui elle l'était !

— Comment a-t-il pu l'apprendre ?... demanda Gordon.

— Le voici, répondit Evans. Il y a huit jours, Walston, ses compagnons et moi — car on ne me laissait jamais seul —, nous étions allés en reconnaissance à travers la forêt. Après trois ou quatre heures de marche, en remontant le cours de l'East-river, nous arrivâmes sur les bords d'un vaste lac, d'où sortait ce cours d'eau. Et là, jugez de notre surprise, lorsque nous trouvâmes un singulier appareil, échoué sur la rive... C'était une sorte de carcasse en roseaux, tendue de toile...

— Notre cerf-volant ! s'écria Doniphan.

— Notre cerf-volant, qui était tombé dans le lac, ajouta Briant, et que le vent avait poussé jusque-là !

— Ah ! c'était un cerf-volant ? répondit Evans. Ma foi, nous ne l'avions pas deviné, et cette machine nous intriguait fort ! En tout cas, elle ne s'était pas faite toute seule !... Elle avait été fabriquée sur l'île !... Pas de doute à cela !... L'île était donc habitée !... Par qui ?... C'est ce qu'il importait à Walston de savoir. Quant à moi, dès ce jour, je pris le parti de m'enfuir. Quels que fussent les habitants de cette île — même si c'étaient des sauvages —, ils ne pouvaient être pires que les meurtriers du *Severn* ! Depuis ce moment, d'ailleurs, je fus gardé à vue, nuit et jour !...

— Et comment French-den a-t-il été découvert ? demande Baxter.

— J'y arrive, répondit Evans. Mais, avant de poursuivre mon récit, dites-moi, mes garçons, à quoi vous a servi cet énorme cerf-volant ? Etait-ce un signal ? »

Gordon raconta à Evans ce qui avait été fait, dans quel but on l'avait tenté, comment Briant avait risqué sa vie pour le salut de tous, et de quelle façon il avait pu constater que Walston était encore sur l'île.

« Vous êtes un hardi garçon ! » répondit Evans, qui prit la main de Briant et la secoua de bonne amitié. Puis, continuant : « Vous comprenez, reprit-il, que Walston n'eut plus alors qu'une préoccupation : savoir quels étaient les habitants de cette île, qui nous était inconnue. Si c'étaient des indigènes, peut-être pourrait-il s'entendre avec eux ? Si c'étaient des naufragés, peut-être possédaient-ils les outils qui lui manquaient ? Dans ce cas, ils ne lui refuseraient pas leur concours pour mettre la chaloupe en état de reprmndre la mer.

« Les recherches commencèrent donc, — très prudemment, je dois le dire. On ne s'avança que peu à peu en explorant les forêts de la rive droite du lac, pour s'approcher de sa pointe sud. Mais pas un être humain ne fut aperçu. Aucune détonation ne se faisait entendre en cette partie de l'île.

— Cela tenait, dit Briant, à ce que personne de nous ne s'éloignait plus de French-den, et que défense était faite de tirer un seul coup de feu !

— Cependant, vous avez été découverts ! reprit Evans. Et comment en aurait-il pu être autrement ? Ce fut dans la nuit du 23 au 24 novembre, que l'un des compagnons de Walston arriva en vue de French-den par la rive méridionale du lac. La mauvaise chance voulut qu'à un certain moment, il entrevit une lueur qui filtrait à travers les parois de la falaise, — sans doute la lueur de votre fanal que la porte, un instant entrouverte, avait laissée passer. Le lendemain, Walston

Walston avait vu la plupart de vous. (Page 460.)

lui-même se dirigea de ce côté, et, pendant une partie
de la soirée, il resta caché entre les hautes herbes, à
quelques pas du rio...

— Nous le savions, dit Briant.

— Vous le saviez ?...

— Oui, car, en cet endroit, Gordon et moi, nous
avions trouvé les fragments d'une pipe que Kate a
reconnue pour être la pipe de Walston !

— Juste ! reprit Evans. Walston l'avait perdue pendant
son excursion, — ce qui, au retour, parut le contrarier
vivement. Mais alors l'existence de la petite colonie
était connue de lui. En effet, pendant qu'il était blotti
dans les herbes, il avait vu la plupart de vous aller et
venir sur la rive droite du cours d'eau... Il n'y avait là
que de jeunes garçons, dont sept hommes viendraient
facilement à bout ! Walston revint faire part à ses compagnons de ce qu'il avait vu. Une conversation, que je
surpris entre Brandt et lui, m'apprit ce qui se préparait
contre French-den...

— Les monstres ! s'écria Kate. Ils n'auraient pas eu
pitié de ces enfants...

— Non, Kate, répondit Evans, pas plus qu'ils n'ont
eu pitié du capitaine et des passagers du *Severn* ! Des
monstres !... Vous les avez bien nommés, et ils sont
commandés par le plus cruel d'entre eux, ce Walston,
qui, je l'espère, n'échappera pas au châtiment de ses
crimes !

— Enfin, Evans, vous êtes parvenu à vous enfuir,
Dieu merci ! dit Kate.

— Oui, Kate. Il y a douze heures environ, j'ai pu
profiter d'une absence de Walston et des autres, qui
m'avaient laissé sous la surveillance de Forbes et de
Rock. Le moment me parut bon pour prendre le large.
Quant à dépister ces deux scélérats, ou tout au moins

à les distancer, si je parvenais à prendre sur eux quelque avance, cela me regardait !

« Il était environ dix heures du matin, lorsque je me jetai à travers la forêt... Presque aussitôt Forbes et Rock s'en aperçurent et se mirent à ma poursuite. Ils étaient armés de fusils... Moi, je n'avais que mon couteau de marin pour me défendre, et mes jambes pour filer comme un marsouin !

« La poursuite dura toute la journée. En coupant obliquement sous bois, j'étais arrivé à la rive gauche du lac. Il fallait encore en tourner la pointe, car, d'après la conversation que j'avais entendue, je savais que vous étiez établis sur les bords d'un rio qui coulait vers l'ouest.

« Vraiment, je n'ai jamais si bien détalé de ma vie, ni si longtemps ! près de quinze milles, franchis dans cette journée ! Mille diables ? Les gueux couraient aussi vite que moi, et leurs balles volaient plus vite encore. A plusieurs reprises, elles sifflèrent à mes oreilles. Songez donc ! Je savais leur secret ! Si je leur échappais, je pourrais les dénoncer ! Il fallait me reprendre à tout prix ! Vrai ! s'ils n'avaient pas eu d'armes à feu, je les aurais attendus de pied ferme, mon couteau à la main ! Je les aurais tués ou ils m'auraient tué !... Oui, Kate ! j'eusse préféré mourir que de revenir au campement avec ces bandits !

« Cependant j'espérais que cette damnée poursuite cesserait avec la nuit !... Il n'en fut rien. Déjà, j'avais dépassé la pointe du lac, je remontais de l'autre côté, mais je sentais toujours Forbes et Rock sur mes talons. L'orage, qui menaçait depuis quelques heures, éclata alors. Il rendit ma fuite plus difficile, car, à la lueur des éclairs, ces coquins pouvaient m'apercevoir entre les roseaux de la berge. Enfin, j'étais arrivé à une cen-

« Une balle m'effleura l'épaule. » (Page 463.)

taine de pas du rio... Si je parvenais à le mettre entre moi et ces gredins, je me regardais comme sauvé ! Jamais ils ne se hasarderaient à le franchir, sachant bien qu'ils étaient dans le voisinage de French-den.

« Je courus donc, et j'allais atteindre la rive gauche du cours d'eau, lorsqu'un dernier éclair vint illuminer l'espace. Aussitôt une détonation retentit...

— Celle que nous avons entendue ?... dit Doniphan.

— Evidemment ! reprit Evans. Une balle m'effleura l'épaule... Je bondis et me précipitai dans le rio... En quelques brasses, je fus sur l'autre bord, caché entre les herbes, tandis que Rock et Forbes, arrivés sur la rive opposée, disaient : « Crois-tu l'avoir touché ? — « J'en réponds ! — Alors, il est par le fond ? — Pour sûr, « et, à cette heure, mort et bien mort ! — Bon débarras ! » Et ils déguerpirent.

« Oui ! bon débarras... pour moi comme pour Kate ! Ah ! gueux ! Vous verrez si je suis mort !... Quelques instants après, je me dégageai des herbes, et me dirigeai vers l'angle de la falaise... Des aboiements arrivèrent jusqu'à moi... J'appelai... La porte de French-den s'ouvrit... Et maintenant, ajouta Evans, en tendant la main dans la direction du lac, à nous, mes garçons, d'en finir avec ces misérables et d'en débarrasser votre île ! »

Et il prononça ces paroles avec une telle énergie que tous s'étaient levés, prêts à le suivre.

Il fallut alors faire à Evans le récit de ce qui s'était passé depuis vingt mois, lui raconter dans quelles conditions le *Sloughi* avait quitté la Nouvelle-Zélande, sa longue traversée du Pacifique jusqu'à l'île, la découverte des restes du naufragé français, l'installation de la petite colonie à French-den, les excursions pendant la saison chaude, les travaux pendant l'hiver, comment

enfin la vie avait été relativement assurée et exempte
de périls, avant l'arrivée de Walston et de ses complices.

« Et, depuis vingt mois, pas un bâtiment ne s'est montré
en vue de l'île ? demanda Evans.

— Du moins nous n'en avons pas aperçu un seul au
large, répondit Briant.

— Aviez-vous établi des signaux ?...

— Oui ! un mât élevé sur le plus haut sommet de la
falaise.

— Et il n'a pas été reconnu ?...

— Non, master Evans, répondit Doniphan. Mais il
faut dire que, depuis six semaines, nous l'avons abattu,
afin de ne point attirer l'attention de Walston.

— Et vous avez bien fait, mes garçons ! Maintenant,
il est vrai, ce coquin sait à quoi s'en tenir ! Aussi, nuit
et jour, nous serons sur nos gardes !

— Pourquoi, fit alors observer Gordon, pourquoi
faut-il que nous ayons affaire à de pareils misérables
au lieu d'honnêtes gens, auxquels nous aurions été
si heureux de venir en aide ! Notre petite colonie n'en
eût été que plus forte ! Désormais, c'est la lutte qui
nous attend, c'est notre vie à défendre, c'est un combat,
et savons-nous quelle en sera l'issue !

— Dieu qui vous a protégés jusqu'ici, mes enfants,
répondit Kate, Dieu ne vous abandonnera pas ! Il vous
a envoyé ce brave Evans, et avec lui...

— Evans !... hurrah pour Evans !... s'écrièrent d'une
seule voix tous les jeunes colons.

— Comptez sur moi, mes garçons, répondit le master,
et, comme je compte aussi sur vous, je vous promets
que nous nous défendrons bien !

— Et pourtant, reprit Gordon, s'il était possible
d'éviter cette lutte, si Walston consentait à quitter l'île ?...

— Que veux-tu dire, Gordon ?... demanda Briant.

— Je veux dire que ses compagnons et lui seraient déjà partis, s'ils avaient pu se servir de la chaloupe !
— N'est-ce pas vrai, master Evans ?

— Assurément.

— Eh bien, si l'on entrait en pourparlers avec eux, si on leur fournissait les outils dont ils ont besoin, peut-être accepteraient-ils ?... Je sais bien que d'établir des relations avec les meurtriers du *Severn*, cela doit répugner ! Mais, pour nous débarrasser d'eux, pour empêcher une attaque qui coûtera bien du sang, peut-être !... Enfin, qu'en pense master Evans ? »

Evans avait attentivement écouté Gordon. Sa proposition dénotait un esprit pratique, qui ne se laissait point aller à des entraînements inconsidérés, et un caractère qui le portait à envisager toute situation avec calme. Il pensa — il ne se trompait pas —, que ce devait être le plus sérieux de tous, et son observation lui parut digne d'être discutée.

« En effet, monsieur Gordon, répondit-il, n'importe quel moyen serait bon pour se délivrer de la présence de ces malfaiteurs. C'est pourquoi, après avoir été mis à même de réparer leur chaloupe, s'ils consentaient à partir, cela vaudrait mieux que d'engager une lutte dont le résultat peut être douteux. Mais, se fier à Walston, est-ce possible ? Lorsque vous serez en relation avec lui, n'en profitera-t-il pas pour tenter de surprendre French-den, pour s'emparer de ce qui vous appartient ? Ne peut-il s'imaginer que vous avez dû sauver quelque argent du naufrage ? Croyez-moi, ces coquins ne chercheront qu'à vous faire du mal en échange de vos services ! Dans ces âmes-là, il n'y a pas place pour la reconnaissance ! S'entendre avec eux, c'est se livrer...

— Non !... Non !... s'écrièrent Baxter et Doniphan.

à qui leurs camarades se joignirent avec une énergie qui fit plaisir au master.

— Non !... ajouta Briant. N'ayons rien de commun avec Walston et sa bande !

— Et puis, reprit Evans, ce ne sont pas seulement des outils dont ils ont besoin, ce sont des munitions ! Qu'ils en aient encore assez pour tenter une attaque, cela n'est que trop certain !... Mais, quand il s'agira de courir d'autres parages à main armée, ce qui leur reste de poudre et de plomb ne suffira pas !... Ils vous en demanderont !... Ils en exigeront !... Leur en donnerez-vous ?...

— Non, certes ! répondit Gordon.

— Eh bien, ils essaieront de s'en procurer par la force ! Vous n'aurez fait que reculer le combat, et il se fera dans des conditions moins bonnes pour vous !...

— Vous avez raison, master Evans ! répondit Gordon. Tenons-nous sur la défensive et attendons !

— Oui, c'est le bon parti !... Attendons, monsieur Gordon. D'ailleurs, pour attendre, il y a une raison qui me touche plus encore que toute autre.

— Laquelle ?

— Ecoutez-moi bien ! Walston, vous le savez, ne peut quitter l'île qu'avec la chaloupe du *Severn* ?

— C'est évident ! répondit Briant.

— Or, cette chaloupe est parfaitement réparable, je l'affirme, et si Walston a renoncé à la mettre en état de naviguer, c'est faute d'outils...

— Sans cela, dit Baxter, il serait loin déjà !

— Comme vous dites, mon garçon. Donc, si vous fournissez à Walston les moyens de radouber l'embarcation —j'admets qu'il abandonne l'idée de piller French-den —, il se hâtera de partir sans s'inquiéter de vous.

— Eh ! que ne l'a-t-il fait ! s'écria Service.

— Mille diables ! s'il l'avait fait, répondit Evans,

comment serions-nous à même de le faire, puisque la chaloupe du *Severn* ne serait plus là ?

— Quoi, master Evans, demanda Gordon, vous comptez sur cette embarcation pour quitter l'île ?...

— Absolument, monsieur Gordon !

— Pour regagner la Nouvelle-Zélande, pour traverser le Pacifique ? ajouta Doniphan.

— Le Pacifique ?... Non, mes garçons, répondit Evans, mais pour gagner une station peu éloignée, où nous attendrions l'occasion de revenir à Auckland !

— Dites-vous vrai, monsieur Evans ? » s'écria Briant.

Et en même temps, deux ou trois de ses camarades voulurent presser le master de questions.

« Comment cette chaloupe pourrait-elle suffire à une traversée de plusieurs centaines de milles ? fit observer Baxter.

— Plusieurs centaines de milles ? répondit Evans. Non point ! Une trentaine seulement !

— N'est-ce donc pas la mer qui s'étend autour de l'île ? demanda Doniphan.

— A l'ouest, oui ! répondit Evans. Mais au sud, au nord, à l'est, ce ne sont que des canaux que l'on peut aisément traverser en soixante heures !

— Ainsi nous ne nous trompions pas en pensant qu'il existait des terres dans le voisinage ? dit Gordon.

— Nullement, répondit Evans, et même, ce sont de larges terres qui s'étendent à l'est.

— Oui... à l'est ! s'écria Briant. Cette tache blanchâtre, puis cette lueur que j'ai aperçues dans cette direction...

— Une tache blanchâtre, dites-vous ? répliqua Evans. C'est évidemment quelque glacier, et cette lueur, c'est la flamme d'un volcan dont la situation doit être portée sur les cartes ! — Ah ! çà, mes garçons, où croyez-vous donc être, s'il vous plaît ?

— Dans l'une des îles isolées de l'océan Pacifique ! répondit Gordon.

— Une île ?... oui !... Isolée, non ! Tenez pour certain qu'elle appartient à l'un de ces nombreux archipels, qui couvrent la côte du Sud-Amérique ! — Et, au fait, si vous avez donné des noms aux caps, aux baies, aux cours d'eau de votre île, vous ne m'avez pas dit comment vous l'appelez ?...

— L'île Chairman, du nom de notre pensionnat, répondit Doniphan.

— L'île Chairman !... répliqua Evans. Eh bien, ça lui fera deux noms, puisqu'elle s'appelle déjà l'île Hanovre ! »

Là-dessus, après avoir procédé aux mesures de surveillance habituelles, tous allèrent prendre du repos, après qu'une couchette eut été disposée dans le hall pour le master. Les jeunes colons se trouvaient alors sous une double impression, bien faite pour troubler leur sommeil : d'un côté, la perspective d'une lutte sanglante, de l'autre, la possibilité de se rapatrier...

Le master Evans avait remis au lendemain de compléter ses explications en indiquant sur l'atlas quelle était la position exacte de l'île Hanovre, et, tandis que Moko et Gordon veillaient, la nuit s'écoula tranquillement à French-den.

XXVII

Un canal, long de trois cent quatre-vingts milles environ,
dont la courbure se dessine de l'ouest à l'est, depuis
le cap des Vierges sur l'Atlantique jusqu'au cap de Los
Pilares sur le Pacifique — encadré de côtes très acci-
dentées —, dominé par des montagnes de trois mille
pieds au-dessus du niveau de la mer —, creusé de baies
au fond desquelles se multiplient les ports de refuge —,
riches en aiguades où les navires peuvent sans peine
renouveler leur provision d'eau —, bordé de forêts
épaisses où le gibier abonde —, retentissant du fracas
des chutes qui se précipitent par milliers dans ses
innombrables criques —, offrant aux navires venus de
l'est ou de l'ouest un passage plus court que celui de
Lemaire entre la Terre des Etats et la Terre de Feu,
et moins battu des tempêtes que celui du cap Horn —,
tel est ce détroit de Magellan que l'illustre navigateur
portugais découvrit en l'année 1520.

Les Espagnols, qui furent seuls à visiter les terres
magellaniques pendant un demi-siècle, fondèrent sur
la presqu'île de Brunswick l'établissement de Port-
Famine. Aux Espagnols succédèrent les Anglais avec
Drake, Cavendish, Chidley, Hawkins ; puis les Hollan-
dais avec de Weert, de Cord, de Noort, avec Lemaire
et Schouten qui découvrirent en 1610 le détroit de ce

nom. Enfin, de 1696 à 1712, les Français y apparaissent avec Degennes, Beauchesne-Gouin, Frezier, et, depuis cette époque, ces parages s'ouvrirent aux navigateurs les plus célèbres de la fin du siècle, Anson, Cook, Byron, Bougainville et autres.

Dès lors, le détroit de Magellan devint une voie fréquentée pour le passage d'un Océan à l'autre — surtout depuis que la navigation à vapeur, qui ne connaît ni les vents défavorables ni les courants contraires, eût permis de le traverser dans des conditions de navigation exceptionnelles.

Tel est donc le détroit que — le lendemain 28 novembre — Evans montrait sur la carte de l'Atlas de Stieler à Briant, à Gordon et à leurs camarades.

Si la Patagonie — cette dernière province du Sud-Amérique —, la terre du Roi-Guillaume et la presqu'île de Brunswick forment la limite septentrionale du détroit, il est bordé au sud par cet archipel magellanique qui comprend de vastes îles, la Terre de Feu, la Terre de Désolation, les îles Clarence, Hoste, Gordon, Navarin, Wollaston, Stewart, et nombre d'autres moins importantes, jusqu'au dernier groupe des Hermites, dont la plus avancée entre les deux océans n'est que le dernier sommet de la haute Cordillère des Andes, et s'appelle le cap Horn.

A l'est, le détroit de Magellan s'évase par un ou deux goulets, entre le cap des Vierges de la Patagonie et le cap Espiritu-Santo de la Terre de Feu. Mais il n'en est pas ainsi à l'ouest, — ainsi que le fit observer Evans. De ce côté, îlots, îles, archipels, détroits, canaux, bras de mer, s'y mélangent à l'infini. C'est par une passe, située entre le promontoire de Los Pilares et la pointe méridionale de la grande île de la Reine-Adélaïde, que le détroit débouche sur le Pacifique. Au-dessus se

Briant, Gordon, Doniphan, penchés sur l'atlas. (Page 472.)

développe toute une série d'îles, capricieusement
groupées, depuis le détroit de Lord Nelson jusqu'au
groupe des Chonos et des Chiloë, confinant à la côte
chilienne.

« Et maintenant, ajouta Evans, voyez-vous, au-delà
du détroit de Magellan, une île que de simples canaux
séparent de l'île Cambridge au sud et des îles Madre
de Dios et Chatam au nord ? Eh bien, cette île, sur le
51º de latitude, c'est l'île Hanovre, celle à laquelle vous
avez donné le nom de Chairman, celle que vous habitez
depuis plus de vingt mois ! »

Briant, Gordon, Doniphan, penchés sur l'atlas, regardaient curieusement cette île qu'ils avaient crue éloignée
de toutes terres, et qui était si voisine de la côte américaine.

« Quoi, dit Gordon, nous n'étions séparés du Chili
que par des bras de mer ?...

— Oui, mes garçons, répondit Evans. Mais, entre
l'île Hanovre et le continent américain, il n'y a que des
îles aussi désertes que celle-ci. Et, une fois arrivés sur
ledit continent, il aurait fallu franchir des centaines de
milles, avant d'atteindre les établissements du Chili ou
de la République Argentine ! Et que de fatigues, sans
compter les dangers, car les Indiens Puelches, qui
errent à travers les pampas, sont peu hospitaliers ! Je
pense donc que mieux a valu pour vous de n'avoir pu
abandonner votre île, puisque l'existence matérielle
y était assurée, et puisque, Dieu aidant, j'espère que
nous pourrons la quitter ensemble ! »

Ainsi, ces divers canaux qui entourent l'île Hanovre
ne mesuraient, en de certains endroits, que quinze à
vingt milles de largeur, et Moko, par beau temps, eût
pu les traverser sans peine, rien qu'avec sa yole. Si
Briant, Gordon, Doniphan, lors de leurs excursions au

nord et à l'est, n'avaient pu apercevoir ces terres, c'est qu'elles sont absolument basses. Quant à la tache blanchâtre, c'était un des glaciers de l'intérieur, et la montagne en éruption, un des volcans des régions magellaniques.

D'ailleurs — autre observation que fit Briant en examinant attentivement la carte —, le hasard de leurs excursions les avait précisément conduits sur les points du littoral qui s'éloignaient le plus des îles voisines. Il est vrai, lorsque Doniphan atteignit les Severn-shores, peut-être aurait-il pu apercevoir la côte méridionale de l'île Chatam, si ce jour-là, l'horizon, embrumé par les vapeurs de la bourrasque, n'eût été visible que dans un assez court rayon ? Quant à Deception-bay, qui creuse profondément l'île Hanovre, aussi bien de l'embouchure de l'East-river que des hauteurs de Bear-rock, on ne peut rien voir de l'îlot, situé dans l'est, ni de l'île de l'Espérance, qui se recule à une vingtaine de milles. Pour apercevoir les terres avoisinantes, il aurait fallu se transporter soit au North-Cape, d'où l'extrémité de l'île Chatam et de l'île Madre de Dios sont visibles au-delà du détroit de la Conception — soit au South-Cape, duquel on peut entrevoir les pointes des îles Reine, Reine-Adélaïde ou Cambridge —, soit enfin au littoral extrême des Downs-lands, que dominent les sommets de l'île Owen ou les glaciers des terres du sud-est.

Or, les jeunes colons n'avaient jamais poussé leurs reconnaissances jusqu'à ces points éloignés. Quant à la carte de François Baudoin, Evans ne put s'expliquer pourquoi ces îles et ces terres n'y étaient point indiquées. Puisque le naufragé français avait pu déterminer assez exactement la configuration de l'île Hanovre, c'est qu'il en avait fait le tour. Fallait-il donc admettre que les brumes eussent restreint la portée de sa vue à moins de quelques milles ? C'était admissible, après tout.

Et maintenant, au cas où l'on parviendrait à s'emparer de la chaloupe du *Severn* et à la réparer, de quel côté Evans la dirigerait-il ?

Ce fut la demande que lui adressa Gordon.

« Mes garçons, répondit Evans, je ne chercherai à remonter ni au nord ni à l'est. Plus nous ferons de chemin par mer, mieux cela vaudra. Evidemment, avec une brise bien établie, la chaloupe pourrait nous conduire vers quelque port chilien, où l'on nous ferait bon accueil. Mais la mer est extrêmement dure sur ces côtes, tandis que les canaux de l'archipel nous offriront toujours une traversée assez facile.

— En effet, répondit Briant. Seulement, trouverons-nous des établissements sur ces parages, et, dans ces établissements, les moyens de nous rapatrier ?

— Je n'en doute pas, répondit Evans. Tenez ! Voyez la carte. Après avoir franchi les passes de l'archipel de la Reine-Adélaïde, où arrivons-nous par le canal de Smyth ? Dans le détroit de Magellan, n'est-ce pas ? Eh bien, presque à l'entrée du détroit, est situé le havre Tamar qui appartient à la Terre de Désolation, et là, nous serons déjà sur le chemin du retour.

— Et si nous n'y rencontrons aucun navire, demanda Briant, attendrons-nous donc qu'il en passe ?

— Non, monsieur Briant. Suivez-moi plus loin à travers le détroit de Magellan. Apercevez-vous cette grande presqu'île de Brunswick ?... C'est là, au fond de la baie Fortescue, au Port-Galant, que les bâtiments viennent souvent en relâche. Faudra-t-il aller au-delà, et doubler le cap Foward au sud de la presqu'île ? Voici la baie Saint-Nicolas ou baie de Bougainville, où s'arrêtent la plupart des navires qui franchissent le détroit. Enfin, au-delà encore, voici Port-Famine, et plus au nord, Punta-Arena. »

Le master avait raison. Une fois engagée dans le détroit, la chaloupe aurait de nombreux points de relâche. Dans ces conditions, le rapatriement était donc assuré, sans parler de la rencontre des navires qui se dirigent vers l'Australie ou la Nouvelle-Zélande. Si Port-Tamar, Port-Galant, Port-Famine, n'offrent que peu de ressources, Punta-Arena, au contraire, est pourvue de tout ce qui est nécessaire à l'existence. Ce grand établissement, fondé par le gouvernement chilien, forme une véritable bourgade, bâtie sur le littoral, avec une jolie église, dont la flèche se dresse entre les superbes arbres de la presqu'île de Brunswick. Il est en pleine prospérité, tandis que la station de Port-Famine, qui date de la fin du xᵉ siècle, n'est plus aujourd'hui qu'un village en ruine.

Du reste, à l'époque actuelle, il existe, plus au sud, d'autres colonies que visitent les expéditions scientifiques, — telles la station de Liwya sur l'île Navarin, et principalement celle d'Ooshooia dans le canal du Beagle, au-dessous de la Terre de Feu. Cette dernière, grâce au dévouement des missionnaires anglais, aide beaucoup à la reconnaissance de ces régions, où les Français ont laissé de nombreuses traces de leur passage, dont témoignent les noms de Dumas, Cloué, Pasteur, Chanzy, Grévy, donnés à certaines îles de l'archipel magellanique.

Le salut des jeunes colons serait donc certain, s'ils parvenaient à gagner le détroit. Pour l'atteindre, il est vrai, il était nécessaire de radouber la chaloupe du *Severn*, et, pour la radouber, de s'en emparer, — ce qui ne serait possible qu'après avoir réduit à l'impuissance Walston et ses complices.

Si, encore, cette embarcation fût restée à l'endroit où Doniphan l'avait rencontrée sur la côte de Severn-

shores, peut-être eût-on pu essayer d'en prendre possession. Walston, pour le moment installé à quinze milles
de là, au fond de Deception-bay, n'aurait sans doute
rien su de cette tentative. Ce qu'il avait fait, Evans l'eût
pu faire aussi, c'est-à-dire conduire la chaloupe, non
point à l'embouchure de l'East-river, mais à l'embouchure
du rio Zealand, et, même, en remontant le rio, jusqu'à
la hauteur de French-den. Là, les réparations auraient
été entreprises dans des conditions meilleures, sous
la direction du master. Puis, l'embarcation gréée, chargée
de munitions, de provisions et des quelques objets
qu'il eût été dommage d'abandonner, se serait éloignée
de l'île, avant que les malfaiteurs eussent été en mesure
de l'attaquer.

Par malheur, ce plan n'était plus exécutable. La
question de départ ne pouvait être tranchée que par la
force, soit en prenant l'offensive, soit en se tenant sur
la défensive. Rien à faire, tant qu'on n'aurait pas eu
raison de l'équipage du *Severn* !

Evans, d'ailleurs, inspirait une confiance absolue aux
jeunes colons. Kate leur en avait tant parlé et en termes
si chaleureux ! Depuis que le master avait pu tailler sa
chevelure et sa barbe, c'était tout à fait rassurant que
de voir sa figure hardie et franche. S'il était énergique
et brave, on le sentait bon aussi, d'un caractère résolu,
capable de tous les dévouements.

En vérité, comme l'avait dit Kate, c'était bien un
envoyé du Ciel, qui venait d'apparaître à French-den,
un « homme », enfin, au milieu de ces enfants !

Et, d'abord, le master voulut connaître les ressources,
dont il pourrait user au point de vue de la résistance.

Store-room et le hall lui parurent convenablement
disposés pour la défensive. Par leurs faces, l'un commandait la berge et le cours du rio, et l'autre, Sport-terrace

jusqu'à la rive du lac. Les embrasures permettraient de tirer dans ces directions, tout en restant à couvert. Avec leurs huit fusils, les assiégés pourraient tenir les assaillants à distance, et, avec les deux petits canons, les mitrailler, s'ils s'aventuraient jusqu'à French-den. Quant aux revolvers, aux haches, aux coutelas de bord, tous sauraient s'en servir, si l'on en venait à un combat corps à corps.

Evans approuva Briant d'avoir entassé, à l'intérieur, ce qu'il fallait de pierres pour empêcher que les deux portes pussent être enfoncées. Au-dedans, si les défenseurs étaient relativement forts, au-dehors, ils seraient faibles. Il ne faut pas l'oublier, ils n'étaient que six garçons de treize à quinze ans contre sept hommes vigoureux, habitués au maniement des armes, et d'une audace qui ne reculait pas devant le meurtre.

« Vous les considérez comme de redoutables malfaiteurs, master Evans ? demanda Gordon.

— Oui, monsieur Gordon, très redoutables !

— Sauf l'un d'eux, qui n'est pas tout à fait perdu peut-être ! dit Kate, ce Forbes qui m'a sauvé la vie...

— Forbes ? répondit Evans. Eh ! mille diables ! Qu'il ait été entraîné par les mauvais conseils ou par peur de ses compagnons, il n'en a pas moins trempé dans le massacre du *Severn* ! D'ailleurs, est-ce que ce gredin ne s'est pas mis à ma poursuite avec Rock ? Est-ce qu'il n'a pas tiré sur moi comme sur une bête fauve ? Est-ce qu'il ne s'est pas félicité, quand il m'a cru noyé dans le rio ? Non, bonne Kate, je crains bien qu'il ne vaille pas mieux que les autres ! S'il vous a épargnée, c'est qu'il savait bien que ces gueux avaient encore besoin de vos services, et il ne restera pas en arrière, lorsqu'il s'agira de marcher contre French-den ! »

Cependant quelques jours se passèrent. Rien de suspect n'avait été signalé par ceux des jeunes colons qui observaient les environs du haut d'Auckland-hill. Cela ne laissait pas de surprendre Evans.

Connaissant les projets de Walston, sachant l'intérêt qu'il avait à se hâter, il se demandait pourquoi, du 27 au 30 novembre, aucune démonstration n'avait été encore faite.

Alors l'idée lui vint que Walston chercherait sans doute à employer la ruse au lieu de la force, afin de pénétrer dans French-den. Et voici ce dont il informa Briant, Gordon, Doniphan et Baxter, avec lesquels il conférait le plus souvent.

« Tant que nous serons renfermés dans French-den, dit-il, Walston sera bien empêché de forcer l'une ou l'autre porte, s'il n'a personne pour les lui ouvrir ! Il peut donc vouloir essayer d'y pénétrer par ruse...

— Et comment ?... demanda Gordon.

— Peut-être de la façon qui m'est venue à l'idée, répondit Evans. Vous le savez, mes garçons, il n'y avait que Kate et moi qui fussions à même de dénoncer Walston comme le chef d'une bande de gredins, dont la petite colonie aurait à redouter l'attaque. Or, Walston ne met pas en doute que Kate ait péri pendant le naufrage. Quant à moi, je me suis bel et bien noyé dans le rio, après avoir reçu les coups de feu de Rock et de Forbes — et vous n'ignorez pas que je les ai entendus s'applaudir de cet heureux dénouement. Walston doit donc croire que vous n'êtes prévenus de rien —, pas même de la présence des matelots du *Severn* sur votre île, et que, si l'un d'eux se présentait à French-den, vous lui feriez l'accueil que l'on fait à tout naufragé. Or, une fois ce coquin dans la place, il ne lui serait que trop aisé d'y introduire ses compagnons — ce qui rendrait toute résistance impossible !

« — Eh bien, répondit Briant, si Walston ou tout autre de la bande vient nous demander l'hospitalité, nous le recevrons à coups de fusil...

— A moins qu'il ne soit plus adroit de le recevoir à coups de chapeau ! fit observer Gordon.

— Eh ! peut-être bien, monsieur Gordon ! répliqua le master. Cela vaudrait mieux ! Ruse contre ruse. Aussi, le cas échéant, verrons-nous ce qu'il faudra faire ! »

Oui ! il conviendrait d'agir avec la plus grande circonspection. En effet, si les choses tournaient bien, si Evans rentrait en possession de la chaloupe du *Severn*, il était permis de croire que l'heure de la délivrance ne serait pas éloignée. Mais que de périls encore ! et tout ce petit monde serait-il au complet, lorsqu'on ferait route pour la Nouvelle-Zélande ?

Le lendemain, la matinée s'écoula sans incidents. Le master, accompagné de Doniphan et de Baxter, remonta même pendant un demi-mille dans la direction de Traps-woods, en se dissimulant derrière les arbres groupés à la base d'Auckland-hill. Il ne vit rien d'anormal, et Phann, qui le suivait, n'eut point l'occasion de le mettre en défiance.

Mais, dans la soirée, un peu avant le coucher du soleil, il y eut une alerte. Webb et Cross, de faction sur la falaise, venaient d'en redescendre précipitamment, en signalant l'approche de deux hommes, qui s'avançaient par la berge méridionale du lac, de l'autre côté du rio Zealand.

Kate et Evans, tenant à ne point être reconnus, rentrèrent aussitôt dans Store-room. Puis, regardant à travers une des meurtrières, ils observèrent les hommes signalés. C'étaient deux des compagnons de Walston, Rock et Forbes.

« Evidemment, dit le master, c'est par ruse qu'ils veulent agir, et ils vont se présenter ici comme des matelots qui viennent d'échapper au naufrage !

— Que faire ?... demanda Briant.

— Les bien accueillir, répondit Evans.

— Bon accueil à ces misérables ! s'écria Briant. Jamais je ne pourrai...

— Je m'en charge, répondit Gordon.

— Bien, monsieur Gordon ! répliqua le master. Et surtout qu'ils n'aient aucun soupçon de notre présence ! Kate et moi, nous nous montrerons quand il en sera temps ! »

Evans et sa compagne vinrent se blottir au fond de l'un des réduits du couloir, dont la porte fut refermée sur eux. Quelques instants après, Gordon, Briant, Doniphan et Baxter accouraient sur le bord du rio Zealand. En les apercevant, les deux hommes feignirent une extrême surprise, à laquelle Gordon répondit par une surprise non moins grande.

Rock et Forbes semblaient accablés de fatigue, et, dès qu'ils eurent atteint le cours d'eau, voici les paroles qui s'échangèrent d'une rive à l'autre :

« Qui êtes-vous ?

— Des naufragés qui viennent de se perdre au sud de l'île, avec la chaloupe du trois-mâts *Severn* !

— Vous êtes Anglais ?...

— Non, Américains.

— Et vos compagnons ?...

— Ils ont péri ! Seuls, nous avons échappé au naufrage, et nous sommes à bout de forces !... A qui avons-nous affaire, s'il vous plaît ?...

— Aux colons de l'île Chairman.

— Que les colons prennent pitié de nous et nous accueillent, car nous voilà sans ressources...

« — Des naufragés ont toujours droit à l'assistance de leurs semblables !... répondit Gordon. Vous serez les bienvenus ! »

Sur un signe de Gordon, Moko embarqua dans la yole, qui était amarrée près de la petite digue, et, en quelques coups d'aviron, il eut ramené les deux matelots sur la rive droite du rio Zealand.

Sans doute, Walston n'avait pas eu le choix, mais, il faut bien l'avouer, la figure de Rock n'était pas faite pour inspirer la confiance, — même à des enfants, si peu habitués qu'ils fussent à déchiffrer une physionomie humaine. Bien qu'il eût essayé de se faire une tête d'honnête homme, quel type de bandit que ce Rock, avec son front étroit, sa tête élargie par-derrière, sa mâchoire inférieure très prononcée ! Forbes — celui en qui tout sentiment d'humanité n'était peut-être pas éteint, au dire de Kate — se présentait sous un meilleur aspect. C'était probablement la raison pour laquelle Walston l'avait adjoint à l'autre.

Tous deux jouèrent alors leur rôle de faux naufragés. Toutefois, par crainte d'exciter les soupçons, s'ils se laissaient adresser des questions trop précises, ils se dirent plus accablés de fatigue que de besoin, et demandèrent qu'on leur permît de prendre quelque repos et même de passer la nuit à French-den. Ils y furent aussitôt conduits. A leur entrée, il est vrai — ce qui n'échappa point à Gordon —, ils n'avaient pu s'empêcher de jeter des regards un peu trop investigateurs sur la disposition du hall. Ils parurent même assez surpris en voyant le matériel défensif que possédait la petite colonie, — surtout la pièce de canon braquée à travers l'embrasure.

Il s'en suit que les jeunes colons — à qui cela répugnait fort d'ailleurs — n'eurent point à continuer leur rôle, puisque Rock et Forbes avaient hâte de se coucher.

après avoir remis au lendemain le récit de leurs aventures.

« Une botte d'herbe nous suffira, dit Rock. Mais, comme nous ne voudrions pas vous gêner, si vous aviez une autre chambre que celle-ci...

— Oui, répondit Gordon, celle qui nous sert de cuisine, et vous n'avez qu'à vous y installer jusqu'à demain ! »

Rock et son compagnon passèrent dans Store-room, dont ils examinèrent l'intérieur d'un coup d'œil, après avoir reconnu que la porte donnait sur le rio.

En vérité, on ne pouvait être plus accueillant pour ces pauvres naufragés ! Les deux coquins devaient se dire que pour avoir raison de ces innocents, il ne valait pas la peine que l'on se mît en frais d'imagination !

Rock et Forbes s'étendirent donc dans un coin de Store-room. Ils n'allaient pas y être seuls, il est vrai, puisque c'était là que couchait Moko ; mais ils ne s'embarrassaient guère de ce garçon, bien décidés à l'étrangler en un tour de main, s'il s'avisait de ne dormir que d'un œil. A l'heure convenue, Rock et Forbes devaient ouvrir la porte de Store-room, et Walston, qui rôderait sur la berge avec ses quatre compagnons, deviendrait aussitôt maître de Franch-den.

Vers neuf heures, alors que Rock et Forbes étaient censés dormir, Moko rentra et ne tarda pas à se jeter sur sa couchette, prêt à donner l'alerte.

Briant et les autres étaient restés dans le hall. Puis, la porte du couloir ayant été fermée, ils furent rejoints par Evans et Kate. Les choses s'étaient passées comme l'avait prévu le master, et il ne doutait pas que Walston ne fût aux environs de French-den, attendant le moment d'y pénétrer.

« Soyons sur nos gardes ! » dit-il.

Cependant deux heures s'écoulèrent, et Moko se demandait si Rock et Forbes n'avaient pas remis leur

Moko vit Rock et Forbes ramper. (Page 484.)

machination à une autre nuit, lorsque son attention fut attirée par un léger bruit qui se produisait à l'intérieur de Store-room.

A la lueur du fanal suspendu à la voûte, il vit alors Rock et Forbes quitter le coin dans lequel ils s'étaient étendus, et ramper du côté de la porte.

Cette porte était consolidée par un amas de grosses pierres, — véritable barricade qu'il eût été difficile pour ne pas dire impossible de renverser.

Aussi, les deux matelots commencèrent-ils à enlever ces pierres qu'ils déposaient une à une contre la paroi de droite. En quelques minutes, la porte fut complètement dégagée. Il n'y avait plus qu'à retirer la barre qui l'assujettissait en dedans, pour que l'entrée de French-den devînt libre.

Mais, au moment où Rock, après avoir retiré ladite barre, ouvrait la porte, une main s'abattit sur son épaule. Il se retourna et reconnut le master que le fanal éclairait en pleine figure.

« Evans ! s'écria-t-il. Evans ici !...

— A nous, mes garçons ! » cria le master.

Briant et ses camarades se précipitèrent aussitôt dans Store-room. Là, tout d'abord, Forbes, saisi par les quatre plus vigoureux, Baxter, Wilcox, Doniphan et Briant, fut mis hors d'état de s'échapper.

Quant à Rock, d'un mouvement rapide, il avait repoussé Evans, en lui portant un coup de couteau, qui l'effleura légèrement au bras gauche. Puis, par la porte ouverte, il s'élança au-dehors. Il n'avait pas fait dix pas qu'une détonation éclatait.

C'était le master qui venait de tirer sur Rock. Selon toute apparence, le fugitif n'avait pas été atteint, car aucun cri ne se fit entendre.

« Mille diables !... J'ai manqué ce gueux ! s'écria

Une détonation éclatait. (Page 484.)

Evans. Quant à l'autre... ce sera toujours un de moins ! »

Et, son coutelas à la main, il leva le bras sur Forbes.

« Grâce !... Grâce !... fit le misérable que les jeunes garçons maintenaient à terre.

— Oui ! grâce, Evans ! répéta Kate, qui se jeta entre le master et Forbes. Faites-lui grâce, puisqu'il m'a sauvé la vie !...

— Soit ! répondit Evans. J'y consens, Kate ; du moins pour l'instant ! »

Et Forbes, solidement garrotté, fut déposé dans l'un des réduits du couloir.

Puis, la porte de Store-room ayant été refermée et barricadée, tous restèrent sur le qui-vive jusqu'au jour.

XXVIII

INTERROGATOIRE DE FORBES. — LA SITUATION. — UNE RECONNAISSANCE PROJETÉE. — ÉVALUATION DES FORCES. — RESTE DE CAMPEMENT. — BRIANT DISPARU. — DONIPHAN A SON SECOURS. — GRAVE BLESSURE. — CRIS DU CÔTÉ DE FRENCH-DEN. — APPARITION DE FORBES. — UN COUP DE CANON DE MOKO.

Le lendemain, si fatigante qu'eût été cette nuit sans sommeil, personne n'eut la pensée de prendre une heure de repos. Il n'était pas douteux, maintenant, que Walston emploierait la force, puisque la ruse avait échoué. Rock, échappé au coup de feu du master, avait dû le rejoindre et lui apprendre que, ses agissements étant découverts, il ne pourrait plus pénétrer dans French-den sans en forcer les portes.

Dès l'aube, Evans, Briant, Doniphan et Gordon sortirent du hall, en se tenant sur leurs gardes. Avec le lever du soleil, les brumes matinales se condensaient peu à peu et découvraient le lac que ridait une légère brise de l'est.

Tout était tranquille aux abords de French-den, du côté du rio Zealand aussi bien que du côté de Traps-woods. A l'intérieur de l'enclos, les animaux domestiques allaient et venaient comme à l'ordinaire. Phann, qui courait sur Sport-terrace, ne donnait aucun signe d'inquiétude.

Avant tout, Evans se préoccupa de savoir si le sol portait des empreinte de pas. En effet, des traces y furent relevées en grand nombre, — surtout près de French-den. Elles se croisaient en sens divers et indiquaient bien que, pendant la nuit, Walston et ses compagnons s'étaient avancés jusqu'au rio, attendant que la porte de Store-room leur fût ouverte.

Quant à des taches de sang, on n'en vit aucune sur le sable, — preuve que Rock n'avait pas même été blessé par le coup de fusil du master.

Mais une question se posait : Walston était-il venu, comme les faux naufragés, par le sud du Family-lake, ou n'avait-il point plutôt gagné French-den, en descendant par le nord ? Dans ce cas, ce devait être du côté de Traps-woods que Rock se serait enfui pour le rejoindre ?

Or, comme il importait d'éclaircir ce fait, il fut décidé que l'on interrogerait Forbes afin de savoir quelle route Walston avait suivie. Forbes consentirait-il à parler, et, s'il parlait, dirait-il la vérité ? Par reconnaissance de ce que Kate lui avait sauvé la vie, quelque bon sentiment se réveillerait-il au fond de son cœur ? Oublierait-il que c'était pour les trahir qu'il avait demandé l'hospitalité aux hôtes de French-den ?

Voulant l'interroger lui-même, Evans rentra dans le

hall ; il ouvrit la porte du réduit où était enfermé Forbes, relâcha ses liens, l'amena dans le hall.

« Forbes, dit Evans, la ruse que Rock et toi vous méditiez n'a pas réussi. Il importe que je sache quels sont les projets de Walston que tu dois connaître. Veux-tu répondre ? »

Forbes avait baissé la tête, et, n'osant lever les yeux sur Evans, sur Kate, sur les jeunes garçons devant lesquels le master l'avait fait comparaître, il gardait le silence.

Kate intervint.

« Forbes, dit-elle, une première fois, vous avez montré un peu de pitié, en empêchant vos compagnons de me tuer pendant le massacre du *Severn*. Eh bien, ne voudrez-vous rien faire pour sauver ces enfants d'un massacre plus affreux encore ? »

Forbes ne répondit pas.

« Forbes, reprit Kate, ils vous ont laissé la vie, quand vous méritiez la mort ! Toute humanité ne peut pas être éteinte en vous ! Après avoir fait tant de mal, vous pouvez revenir au bien ! Songez à quel horrible crime vous prêtiez la main ! »

Un soupir, à demi étouffé, sortit péniblement de la poitrine de Forbes.

« Eh ! que puis-je ?... répondit-il d'une voix sourde.

— Tu peux nous apprendre, reprit Evans, ce qui devait se faire cette nuit, ce qui doit se faire plus tard. Attendais-tu Walston et les autres, qui devaient s'introduire ici, dès qu'une des portes aurait été ouverte ?...

— Oui ! fit Forbes.

— Et ces enfants, qui t'avaient fait bon accueil, eussent été tués ?... »

Forbes baissa la tête plus bas encore, et, cette fois, il n'eut pas la force de répondre.

« Et maintenant, par quel côté Walston et les autres sont-ils venus jusqu'ici ? demanda le master.

— Par le nord du lac, répondit Forbes.

— Pendant que Rock et toi, vous veniez par le sud ?...

— Oui !

— Ont-ils visité l'autre partie de l'île, à l'ouest ?

— Pas encore.

— Où doivent-ils être en ce moment ?

— Je ne sais...

— Tu ne peux en dire davantage, Forbes ?

— Non... Evans... non !...

— Et tu penses que Walston reviendra ?...

— Oui ! »

Evidemment, Walston et les siens, effrayés par le coup de fusil du master, comprenant que la ruse était découverte, avaient trouvé prudent de se tenir à l'écart, en attendant quelque occasion plus favorable.

Evans, n'espérant pas en apprendre davantage de Forbes, le reconduisit dans le réduit, dont la porte fut refermée extérieurement.

La situation était donc toujours des plus graves. Où se trouvait présentement Walston ? Etait-il campé sous les futaies de Traps-woods ? Forbes n'avait pu ou n'avait pas voulu le dire. Et pourtant, rien n'eût été plus désirable que d'être fixé à cet égard. Aussi, la pensée vint-elle au master d'opérer une reconnaissance dans cette direction, bien que ce ne fût pas sans danger.

Vers midi, Moko porta quelque nourriture au prisonnier. Forbes, affaissé sur lui-même, y toucha à peine. Que se passait-il dans l'âme de ce malheureux ? Sa conscience s'était-elle ouverte au remords ? On ne savait.

Après le déjeuner, Evans fit connaître aux jeunes garçons son projet de s'avancer jusqu'à la lisière de

Traps-woods, tant il avait à cœur de savoir si les malfaiteurs étaient encore aux environs de French-den.
Cette proposition ayant été acceptée sans discussion,
les dispositions furent prises pour parer à toute fâcheuse
éventualité.

Sans doute, Walston et ses compagnons n'étaient
plus que six, depuis la capture de Forbes, tandis que
la petite colonie se composait de quinze garçons, sans
compter Kate et Evans, — en tout dix-sept. Mais, de
ce nombre, il fallait éliminer les plus jeunes, qui ne
pouvaient prendre directement part à une lutte. Donc,
il fut décidé que, pendant que le master opérerait sa
reconnaissance, Iverson, Jenkins, Dole et Costar resteraient dans le hall, avec Kate, Moko et Jacques, sous la
garde de Baxter. Quant aux grands, Briant, Gordon,
Doniphan, Cross, Service, Webb, Wilcox, Garnett,
ils accompagneraient Evans. Huit garçons à opposer à
six hommes dans la force de l'âge, cela ne ferait pas
la partie égale. Il est vrai, chacun d'eux serait armé
d'un fusil et d'un revolver, tandis que Walston ne
possédait que les cinq fusils provenant du *Severn*. Aussi,
dans ces conditions, un combat à distance paraissait-il
offrir des chances plus favorables, puisque Doniphan,
Wilcox, Cross, étaient bons tireurs, et, en cela, très
supérieurs aux matelots américains. En outre, les
munitions ne leur manqueraient pas, tandis que Walston,
ainsi que l'avait dit le master, devait être réduit à quelques cartouches seulement.

Il était deux heures après midi, lorsque la petite troupe
se forma sous la direction d'Evans. Baxter, Jacques,
Moko, Kate et les petits rentrèrent immédiatement dans
French-den, dont les portes furent refermées, mais
non barricadées, afin que, le cas échéant, le master et
les autres pussent se mettre rapidement à l'abri.

Du reste, il n'y avait rien à craindre du côté du sud, ni même de l'ouest, car, pour suivre cette direction, il aurait fallu que Walston eût gagné Sloughi-bay, afin de remonter la vallée du rio Zealand, — ce qui aurait demandé trop de temps. D'ailleurs, d'après la réponse de Forbes, c'était par la rive ouest du lac qu'il avait descendu, et il ne connaissait point cette partie de l'île. Evans n'avait donc pas à redouter d'être surpris par-derrière, l'attaque ne pouvant venir que du côté du nord.

Les jeunes garçons et le master s'avancèrent prudemment, en longeant la base d'Auckland-hill. Au-delà de l'enclos, les buissons et les groupes d'arbres leur permettaient d'atteindre la forêt, sans trop se découvrir.

Evans marchait en tête, — après avoir dû réprimer l'ardeur de Doniphan, toujours prêt à se porter en avant. Lorsqu'il eut dépassé le petit tertre qui recouvrait les restes du naufragé français, le master jugea opportun de couper obliquement, afin de se rapprocher de la rive du Family-lake.

Phann, que Gordon eût en vain essayé de retenir, semblait quêter, l'oreille dressée, le nez au sol, et il parut bientôt qu'il était tombé sur une piste.

« Attention ! dit Briant.

— Oui, répondit Gordon. Ce n'est point la piste d'un animal ! Voyez l'allure de Phann !

— Glissons-nous entre les herbes, répliqua Evans, et vous, monsieur Doniphan, qui êtes bon tireur, si l'un de ces gueux se montre à bonne portée, ne le manquez pas ! Vous n'aurez jamais si à propos envoyé une balle. »

Quelques instants après, tous avaient atteint les premiers groupes d'arbres. Là, sur la limite de Traps-woods, il y avait encore des traces d'une halte récente, des branches à demi consumées, des cendres à peine refroidies.

« C'est ici, à coup sûr, que Walston a passé la nuit dernière, fit observer Gordon.

— Et peut-être y était-il, il y a quelques heures ? répondit Evans. Je pense qu'il vaut mieux nous rabattre vers la falaise... »

Il n'avait pas achevé qu'une détonation éclatait sur la droite. Une balle, après avoir effleuré la tête de Briant, vint s'incruster dans l'arbre près duquel il s'appuyait.

Presque en même temps se faisait entendre un autre coup de feu, qui fut suivi d'un cri, tandis qu'à cinquante pas de là, une masse s'abattait brusquement sous les arbres.

C'était Doniphan, qui venait de tirer au juger d'après la fumée produite par le premier coup de fusil.

Mais le chien ne s'arrêtant plus, Doniphan, emporté par sa fougue, se lança derrière lui.

« En avant ! dit Evans. Nous ne pouvons le laisser s'engager seul !... »

Un instant après, ayant rejoint Doniphan, tous faisaient cercle autour d'un corps étendu au milieu des herbes et qui ne donnait plus signe de vie.

« Celui-là, c'est Pike ! dit Evans. Le coquin est bien mort ! Si le diable s'est mis en chasse aujourd'hui, il ne reviendra pas bredouille ! Un de moins !

— Les autres ne peuvent être éloignés ! fit observer Baxter.

— Non, mon garçon ! Aussi, ne nous découvrons pas !... A genoux !... A genoux !... »

Troisième détonation venant de la gauche, cette fois. Service, qui n'avait pas assez promptement baissé la tête, eut son front rasé par une balle.

« Gare ! » cria soudain Cross. (Page 494.)

« Tu es blessé ?... s'écria Gordon en courant à lui.

— Ce n'est rien, Gordon, ce n'est rien ! répondit Service. Une égratignure seulement ! »

En ce moment, il importait de ne point se séparer. Pike tué, restaient encore Walston et quatre des siens, qui devaient être postés à petite distance derrière les arbres. Aussi Evans et les autres, accroupis entre les herbes, formaient-ils un groupe compact, prêt à la défensive, de quelque côté que vînt l'attaque.

Tout à coup, Garnett s'écria :

« Où est donc Briant ?

— Je ne le vois plus ! » répondit Wilcox.

En effet, Briant avait disparu, et comme les aboiements de Phann retentissaient encore avec plus de violence, il était à craindre que le hardi garçon ne fût aux prises avec quelques hommes de la bande.

« Briant... Briant !... » cria Doniphan.

Et tous, inconsidérément peut-être, se jetèrent sur les traces de Phann. Evans n'avait pu les retenir. Ils allaient d'arbre en arbre, gagnant du terrain.

« Gare, master, gare ! » cria soudain Cross, qui venait de se jeter à plat ventre.

Instinctivement, le master baissa la tête, au moment où une balle passait à quelques pouces au-dessus de lui.

Puis, se redressant, il aperçut un des compagnons de Walston qui s'enfuyait à travers le bois.

C'était précisément Rock, qui lui avait échappé la veille.

« A toi, Rock ! » cria-t-il.

Il fit feu, et Rock disparut, comme si le sol se fût subitement ouvert sous ses pas.

« Est-ce que je l'ai encore manqué ?... s'écria Evans. Mille diables ! Ce serait de la malchance ! »

Tout cela s'était fait en quelques secondes. Tout

aussitôt, les aboiements du chien éclatèrent à proximité. Immédiatement la voix de Doniphan se fit entendre :

« Tiens bon, Briant !... Tiens bon ! » criait-il.

Evans et les autres se portèrent de ce côté, et, vingt pas plus loin, ils aperçurent Briant aux prises avec Cope.

Ce misérable venait de terrasser le jeune garçon, et il allait le frapper de son coutelas, lorsque Doniphan, arrivé juste à temps pour détourner le coup, se jeta sur Cope, avant d'avoir eu le temps de saisir son revolver.

Ce fut lui que le coutelas atteignit en pleine poitrine... Il tomba, sans pousser un cri.

Cope, observant alors qu'Evans, Garnett et Webb cherchaient à lui couper la retraite, prit la fuite dans la direction du nord. Plusieurs coups de feu furent simultanément tirés sur lui. Il disparut, et Phann revint sans avoir pu l'atteindre.

A peine relevé, Briant était revenu près de Doniphan, il lui soutenait la tête, il essayait de le ranimer...

Evans et les autres les avaient rejoints, après avoir rapidement rechargé leurs armes.

En réalité, la lutte avait commencé au désavantage de Walston, puisque Pike était tué, et que Cope et Rock devaient être hors de combat.

Par malheur, Doniphan avait été frappé à la poitrine, et mortellement, semblait-il. Les yeux fermés, le visage blanc comme une cire, il ne faisait plus un mouvement, il n'entendait même pas Briant qui l'appelait.

Cependant Evans s'était penché sur le corps du jeune garçon. Il avait ouvert sa veste, puis déchiré sa chemise qui était trempée de sang. Une étroite plaie triangulaire saignait à la hauteur de la quatrième côte, du côté gauche. La pointe du coutelas avait-elle touché le cœur ? Non, puisque Doniphan respirait encore. Mais il était à craindre que le poumon eût été atteint, car la respiration du blessé était extrêmement faible.

« Transportons-le à French-den ! dit Gordon. Là, seulement, nous pourrons le soigner...

— Et le sauver ! s'écria Briant. Ah ! mon pauvre camarade !... C'est pour moi que tu t'es exposé ! »

Evans approuva la proposition de ramener Doniphan à French-den — d'autant plus qu'en ce moment il paraissait y avoir quelque répit à la lutte. Vraisemblablement, Walston, voyant que les choses tournaient mal, avait pris le parti de battre en retraite dans les profondeurs de Traps-woods.

Toutefois — ce qui ne laissait pas d'inquiéter Evans — c'est qu'il n'avait aperçu ni Walston ni Brandt ni Book, et ce n'étaient pas les moins redoutables de la bande.

L'état de Doniphan exigeait qu'il fût transporté sans secousse. Aussi Baxter et Service se hâtèrent-ils d'établir une civière de branchages, sur laquelle le jeune garçon fut étendu, sans avoir repris connaissance. Puis, quatre de ses camarades le soulevèrent doucement, tandis que les autres l'entouraient, leur fusil armé, leur revolver à la main.

Le cortège regagna directement la base d'Auckland-hill. Cela valait mieux que de suivre la rive du lac. En longeant la falaise, il n'y aurait plus à veiller que sur la gauche et en arrière. Rien, d'ailleurs, ne vint troubler ce pénible cheminement. Quelquefois, Doniphan poussait un soupir si douloureux que Gordon faisait signe de s'arrêter, afin d'écouter sa respiration, et, un instant après, on se remettait en marche.

Les trois quarts de la route furent faits dans ces conditions. Il ne restait plus que huit à neuf cents pas à franchir pour atteindre French-den, dont on ne pouvait encore apercevoir la porte, cachée par une saillie de la falaise.

Tout à coup, des cris retentirent du côté du rio Zealand. Phann bondit dans cette direction.

Evidemment, French-den était attaqué par Walston et ses deux compagnons.

En effet, voici ce qui s'était passé — ainsi que cela fut reconnu plus tard.

Pendant que Rock, Cope et Pike, embusqués sous les arbres de Traps-woods, occupaient la petite troupe du master, Walston, Brandt et Book avaient gravi Auckland-hill, en remontant le lit desséché du torrent de Dike-creek. Après avoir rapidement parcouru le plateau supérieur, ils étaient descendus par la gorge qui aboutissait à la berge du rio, non loin de l'entrée de Store-room. Une fois là, ils étaient parvenus à enfoncer la porte, qui n'était pas barricadée, et avaient envahi French-den.

Et maintenant, Evans arriverait-il assez tôt pour prévenir une catastrophe ?

Le master eut rapidement pris son parti. Tandis que Cross, Webb et Garnett restaient près de Doniphan qu'on ne pouvait laisser seul, Gordon, Briant, Service, Wilcox et lui s'élancèrent dans la direction de French-den, en prenant au plus court. Quelques minutes plus tard, dès que leurs regards purent s'étendre jusqu'à Sport-terrace, ce qu'ils virent était bien pour leur enlever tout espoir !

En ce moment, Walston sortait par la porte du hall, tenant un enfant qu'il entraînait vers le rio.

Cet enfant, c'était Jacques. En vain, Kate, qui venait de se précipiter sur Walston, essayait-elle de le lui arracher.

Un instant après, apparaissait le second compagnon

de Walston. Brandt, qui s'était saisi du petit Costar et l'emportait dans la même direction.

Baxter, lui aussi, vint se jeter sur Brandt ; mais, repoussé violemment, il roula sur le sol.

Quant aux autres enfants, Dole, Jenkins, Iverson, on ne les voyait pas, non plus que Moko. Est-ce qu'ils avaient déjà succombé à l'intérieur de French-den ?

Cependant Walston et Brandt gagnaient rapidement du côté du rio. Avaient-ils donc la possibilité de le franchir autrement qu'à la nage ? Oui, car Book était là, près de la yole, qu'il avait tirée hors de Store-room.

Une fois sur la rive gauche, tous trois seraient hors d'atteinte. Avant qu'on eût pu leur couper la retraite, ils auraient regagné leur campement de Bear-rock, avec Jacques et Costar, devenus des otages entre leurs mains !

Aussi, Evans, Briant, Gordon, Cross, Wilcox couraient-ils à perte d'haleine, espérant atteindre Sport-terrace, avant que Walston, Book et Brandt se fussent mis en sûreté au-delà du rio. Quant à tirer sur eux à la distance où ils se trouvaient, c'eût été s'exposer à frapper Jacques et Costar en même temps.

Mais Phann était là. Il venait de bondir sur Brandt et le tenait à la gorge. Celui-ci, gêné pour se défendre contre le chien, dut lâcher Costar, pendant que Walston se hâtait d'entraîner Jacques vers la yole...

Soudain, un homme s'élança hors du hall.

C'était Forbes.

Venait-il se joindre à ses anciens compagnons de crime après avoir forcé la porte du réduit ? Walston n'en douta pas.

« A moi, Forbes !... Viens... Viens ! » lui cria-t-il.

Evans s'était arrêté, et il allait faire feu, lorsqu'il vit Forbes se jeter sur Walston.

Jacques lui déchargea son revolver en pleine poitrine. (Page 500.)

Walston, surpris par cette agression à laquelle il ne pouvait s'attendre, fut obligé d'abandonner Jacques, et, se retournant, il frappa Forbes d'un coup de coutelas.

Forbes tomba aux pieds de Walston.

Cela s'était fait si vite qu'à ce moment, Evans, Briant, Gordon, Service et Wilcox étaient encore à une centaine de pas de Sport-terrace.

Walston voulut alors ressaisir Jacques, afin de l'emporter jusqu'à la yole, où Book l'attendait avec Brandt, lequel était parvenu à se débarrasser du chien.

Il n'en eut pas le temps. Jacques, qui était armé d'un revolver, le lui déchargea en pleine poitrine. C'est à peine si Walston, grièvement blessé, eut la force de ramper vers ses deux compagnons qui le prirent dans leurs bras, l'embarquèrent et repoussèrent vigoureusement la yole.

En ce moment, retentit une violente détonation. Une volée de mitraille cingla les eaux du rio.

C'était la petite pièce, que le mousse venait de décharger à travers l'embrasure de Store-room.

Et maintenant, à l'exception des deux misérables, qui avaient disparu sous les massifs de Traps-woods, l'île Chairman était délivrée des meurtriers du *Severn*, entraînés vers la mer par le courant du rio Zealand !

XXIX

Une ère nouvelle commençait maintenant pour les jeunes colons de l'île Chairman.

Après avoir lutté jusqu'alors pour assurer leur existence dans des conditions assez critiques, c'était à l'œuvre de la délivrance qu'ils allaient travailler en tentant un dernier effort pour revoir leurs familles et leur pays.

Après la surexcitation causée par les incidents de la lutte, il s'était produit en eux une réaction bien naturelle. Ils furent comme accablés de leur succès, auquel ils ne pouvaient croire. Le danger passé, il leur apparaissait plus grand qu'il ne leur avait semblé, — en réalité, tel qu'il était. Certes, après le premier engagement sur la lisière de Traps-woods, leurs chances s'étaient accrues dans une certaine mesure. Mais, sans l'intervention si inattendue de Forbes, Walston, Book et Brandt leur échappaient ! Moko n'aurait pas osé envoyer ce coup de mitraille, qui eût atteint Jacques et Costar en même temps que leurs ravisseurs !... Que se serait-il passé ensuite ?... A quel compromis aurait-il fallu consentir pour délivrer les deux enfants ?

Aussi, lorsque Briant et ses camarades purent envisager froidement cette situation, ce fut comme une sorte d'épouvante rétrospective qui les saisit. Elle dura peu, et, bien qu'on ne fût pas fixé sur le sort de Rock et de Cope, la sécurité était en grande partie revenue sur l'île Chairman.

Quant aux héros de la bataille, ils avaient été félicités comme ils le méritaient — Moko, pour son coup de canon, tiré si à propos à travers l'embrasure de Store-room —, Jacques, pour le sang-froid dont il avait fait preuve en déchargeant son revolver sur Walston, — Costar enfin qui « en aurait bien fait autant, dit-il, s'il avait eu un pistolet ! » Mais il n'en avait pas !

Il n'y eut pas jusqu'à Phann auquel revint sa bonne part de caresses, sans compter un stock d'os à moelle dont Moko le gratifia pour avoir attaqué à coups de crocs ce coquin de Brandt qui entraînait le petit garçon.

Il va sans dire que Briant, après le coup de canon de Moko, était revenu en toute hâte vers l'endroit où ses camarades gardaient la civière. Quelques minutes après, Doniphan avait été déposé dans le hall, sans avoir repris connaissance, tandis que Forbes, relevé par Evans, était étendu sur la couchette de Store-room. Pendant toute la nuit, Kate, Gordon, Briant, Wilcox et le master veillèrent près des deux blessés.

Que Doniphan eût été atteint très gravement, ce n'était que trop visible. Toutefois, comme il respirait assez régulièrement, il fallait que le poumon n'eût point été perforé par le coutelas de Cope. Pour panser sa blessure, Kate eut recours à certaines feuilles dont on fait communément usage au Far-West, et que fournirent quelques arbrisseaux des bords du rio Zealand. C'étaient des feuilles d'aune, lesquelles, froissées et disposées en compresses, sont très efficaces pour empêcher la suppuration interne, car tout le danger était là. Mais il n'en fut pas ainsi de Forbes que Walston avait atteint au ventre. Il se savait frappé à mort, et, lorsqu'il reprit

connaissance, pendant que Kate, penchée sur sa couchette, lui donnait ses soins :

« Merci, bonne Kate ! merci !... murmura-t-il. C'est
inutile !... Je suis perdu ! »

Et des larmes coulaient de ses yeux.

Le remords avait-il donc remué ce qu'il y avait encore
de bon dans le cœur de ce malheureux ?... Oui ! Entraîné
surtout par les mauvais conseils et le mauvais exemple,
s'il avait pris part aux massacres du *Severn*, tout son
être s'était révolté devant l'horrible sort qui menaçait
les jeunes colons, et il avait risqué sa vie pour eux.

« Espère, Forbes ! lui dit Evans. Tu as racheté tes
crimes... Tu vivras... »

Non ! l'infortuné devait mourir ! Malgré les soins
qui ne lui furent pas épargnés, l'aggravation de son
état devint d'heure en heure plus manifeste. Pendant
les quelques instants de répit que lui laissait la douleur,
ses yeux inquiets se tournaient vers Kate, vers Evans !...
Il avait versé le sang, et son sang coulait en expiation de
son existence passée...

Vers quatre heures du matin, Forbes s'éteignit. Il mourut repentant, pardonné des hommes, pardonné de Dieu,
qui lui évita une longue agonie, et ce fut presque sans
souffrance que s'échappa son dernier souffle.

On l'enterra, le lendemain, dans une fosse, creusée
près de l'endroit où reposait le naufragé français, et
deux croix indiquent maintenant l'emplacement des
deux tombes.

Cependant la présence de Rock et de Cope constituait
encore un danger ; la sécurité ne saurait être complète,
tant qu'ils ne seraient pas mis hors d'état de nuire.

Evans résolut donc d'en finir avec eux, avant de se
rendre au port de Bear-rock.

Gordon, Briant, Baxter, Wilcox et lui partirent le

jour même, fusil sous le bras, revolver à la ceinture,
accompagnés de Phann, car il n'était que juste de s'en
remettre à son instinct pour découvrir une piste.

Les recherches ne furent ni difficiles ni longues, et
il faut ajouter, ni dangereuses. Il n'y avait plus rien
à craindre des deux complices de Walston. Cope, dont
on put suivre le passage à des traces de sang au milieu
des fourrés de Traps-woods, fut trouvé mort à quelques
centaines de pas de l'endroit où il avait été atteint d'une
balle. On releva également le cadavre de Pike, tué au
début de l'affaire. Quant à Rock, qui avait si inopinément disparu comme s'il se fût englouti dans le sol,
Evans eut bientôt l'explication de ce fait : c'était au
fond d'une des fosses, creusées par Wilcox, que le misérable était tombé, après avoir été frappé mortellement.
Les trois cadavres furent enterrés dans cette fosse,
dont on fit une tombe. Puis, le master et ses compagnons
revinrent avec cette bonne nouvelle que la colonie
n'avait plus rien à craindre.

La joie eût donc été complète à French-den, si Doniphan n'eût été si grièvement blessé ! Les cœurs n'étaient-
ils pas maintenant ouverts à l'espérance ?

Le lendemain, Evans, Gordon, Briant et Baxter mirent
en discussion les projets dont on devait provoquer la
réalisation immédiate. Ce qui importait, avant tout,
c'était de rentrer en possession de la chaloupe du
Severn. Cela nécessitait un voyage et même un séjour à
Bear-rock, où l'on procéderait aux travaux de répara-
tion qui remettraient l'embarcation en état.

Il fut donc convenu qu'Evans, Briant et Baxter s'y
rendraient par la voie du lac et de l'East-river. C'était
à la fois le plus sûr et le plus court.

La yole, retrouvée dans un remous du rio, n'avait
rien reçu du coup de mitraille qui avait passé au-dessus

d'elle. On y embarqua les outils pour le radoubage, des provisions, des munitions, des armes, et, par un bon vent largue, elle partit, dès le matin du 6 décembre, sous la direction d'Evans.

La traversée du Family-lake se fit assez rapidement. Il n'y eut pas même lieu de mollir ou de raidir l'écoute, tant la brise était égale et constante. Avant onze heures et demie, Briant signalait au master la petite crique par laquelle les eaux du lac se déversaient dans le lit de l'East-river, et la yole, servie par le jusant, descendit entre les deux rives du rio.

Non loin de l'embouchure, la chaloupe, tirée au sec, gisait sur le sable de Bear-rock.

Après un examen très détaillé des réparations qui devaient être faites, voici ce que dit Evans :

« Mes garçons, nous avons bien les outils ; mais ce qui nous manque, c'est de quoi réparer la membrure et le bordage. Or, il y a précisément à French-den des planches et des courbes qui proviennent de la coque du *Sloughi*, et, si nous pouvions conduire l'embarcation au rio Zealand...

— C'est à quoi je songeais, répondit Briant. Est-ce que c'est impossible, master Evans ?

— Je ne le pense pas, reprit Evans. Puisque la chaloupe est bien venue des Severn-shores jusqu'à Bear-rock, elle peut bien aller de Bear-rock jusqu'au rio Zealand ? Là, le travail se ferait plus aisément, et c'est de French-den que nous repartirions pour gagner Sloughi-bay, où nous prendrions la mer ! »

Incontestablement, si ce projet était réalisable, on n'en pouvait imaginer un meilleur. Aussi fut-il décidé que l'on profiterait de la marée du lendemain pour remonter l'East-river en remorquant la chaloupe au moyen de la yole.

Tout d'abord, Evans s'occupa d'aveugler, tant bien que mal, les voies d'eau de l'embarcation avec des bouchons d'étoupe qu'il avait apportés de French-den, et ce premier travail ne se termina que très avant dans la soirée.

La nuit se passa tranquillement au fond de la grotte, où Doniphan et ses compagnons avaient élu domicile, lors de leur première visite à Deception-bay.

Le lendemain, au petit jour, la chaloupe ayant été mise à la remorque de la yole, Evans, Briant et Baxter repartirent avec le flot montant. En manœuvrant les avirons, tant que la marée se fit sentir, ils s'en tirèrent. Mais, dès que le jusant eut pris de la force, l'embarcation, alourdie par l'eau qui y pénétrait, ne fut pas remorquée sans grande peine. Aussi était-il cinq heures du soir, lorsque la yole atteignit la rive droite de Family-lake.

Le master ne jugea pas prudent de s'exposer, dans ces conditions, à une traversée nocturne.

D'ailleurs, le vent tendait à mollir avec le soir, et, très probablement, ainsi qu'il arrivait pendant la belle saison, la brise fraîchirait aux premiers rayons du soleil.

On campa en cet endroit, on mangea de bon appétit, on dormit d'un bon sommeil, la tête appuyée au tronc d'un gros hêtre, les pieds devant un foyer pétillant qui brûla jusqu'à l'aube.

« Embarquons ! » tel fut le premier mot que prononça le master, dès que les lueurs matinales eurent éclairé les eaux du lac.

Ainsi qu'on s'y attendait, la brise du nord-est avait repris avec le jour. Le master ne pouvait demander un temps plus favorable pour se diriger sur French-den.

La voile fut hissée, et la yole, traînant la pesante embarcation, qui était noyée jusqu'à son plat-bord, mit le cap à l'ouest.

La yole et la chaloupe à l'abri de la digue. (Page 508.)

Il ne se produisit aucun incident pendant cette traversée du Family-lake. Par prudence, Evans se tint toujours prêt à couper la remorque, pour le cas où la chaloupe eût coulé à pic, car elle aurait entraîné la yole avec elle. Grave appréhension, à coup sûr ! En effet, l'embarcation engloutie, c'était le départ indéfiniment ajourné, et, peut-être, un long temps encore à passer sur l'île Chairman !

Enfin, les hauteurs d'Auckland-hill apparurent dans l'ouest vers trois heures du soir. A cinq heures, la yole et la chaloupe entraient dans le rio Zealand et mouillaient à l'abri de la petite digue. Des hurrahs accueillirent Evans et ses compagnons, sur lesquels on ne comptait pas avant quelques jours.

Pendant leur absence, l'état de Doniphan s'était quelque peu amélioré. Aussi le brave garçon put-il répondre aux pressements de main de son camarade Briant. Sa respiration se faisait plus librement, le poumon n'ayant point été atteint. Bien qu'on le tînt à une diète très sévère, les forces commençaient à lui revenir, et, sous les compresses d'herbes que Kate renouvelait de deux heures en deux heures, sa plaie ne tarderait probablement pas à se fermer. Sans doute, la convalescence serait de longue durée ; mais Doniphan avait tant de vitalité que sa guérison complète ne serait qu'une question de temps.

Dès le lendemain, les travaux de radoubage furent entrepris. Il y eut d'abord un fort coup de collier à donner pour mettre la chaloupe à terre. Longue de trente pieds, large de six à son maître-bau, elle devait suffire aux dix-sept passagers que comptait alors la petite colonie, en comprenant Kate et le master.

Cette opération terminée, les travaux suivirent régulièrement leur cours. Evans, aussi bon charpentier

Les travaux durèrent trente jours. (Page 510.)

que bon marin, s'y entendait, et il put apprécier l'adresse
de Baxter. Les matériaux ne manquaient pas, les outils
non plus. Avec les débris de la coque du schooner, on
put refaire les courbes brisées, les bordages disjoints,
les barreaux rompus ; enfin la vieille étoupe, retrempée
dans la sève de pin, permit de rendre les coutures de
la coque parfaitement étanches.

La chaloupe, qui était pontée à l'avant, le fut alors
jusqu'aux deux tiers environ — ce qui assurait un abri
contre le mauvais temps, peu à craindre, d'ailleurs,
pendant cette seconde période de la saison d'été. Les
passagers pourraient se tenir sous ce pont ou se tenir
dessus — comme il leur plairait. Le mât de hune du
Sloughi servit de grand mât, et Kate, sur les indications
d'Evans, parvint à tailler une misaine dans la brigantine
de rechange du yacht, ainsi qu'un tapecul pour l'arrière,
et un foc pour l'avant. Avec ce gréement, l'embarcation
serait mieux équilibrée et utiliserait le vent sous n'importe quelle allure.

Ces travaux, qui durèrent trente jours, ne furent pas
achevés avant le 8 janvier. Il n'y avait plus qu'à terminer
certains détails d'appropriation.

C'est que le master avait voulu donner tous ses soins
à la mise en état de la chaloupe. Il convenait qu'elle
fût à même de naviguer à travers les canaux de l'archipel
magellanique et de faire, au besoin, quelques centaines
de milles, dans le cas où il serait nécessaire de descendre
jusqu'à l'établissement de Punta-Arena sur la côte
orientale de la presqu'île de Brunswick.

Il faut mentionner que, dans ce laps de temps, le Christmas avait été célébré avec un certain apparat, et aussi le
1ᵉʳ janvier de cette année 1862 — que les jeunes colons
espéraient bien ne pas finir sur l'île Chairman.

A cette époque, la convalescence de Doniphan était

assez avancée pour qu'il pût quitter le hall, quoique bien faible encore. Le bon air et une nourriture plus substantielle lui rendirent visiblement ses forces. D'ailleurs, ses camarades ne comptaient pas partir avant qu'il fût capable de supporter une traversée de quelques semaines, sans avoir à craindre une rechute.

Entre-temps, la vie habituelle avait repris son cours à French-den.

Par exemple, les leçons, les cours, les conférences, furent plus ou moins délaissés. Jenkins, Iverson, Dole et Costar ne se considéraient-ils pas comme en vacances ?

Comme bien on pense, Wilcox, Cross et Webb avaient repris leurs chasses, soit sur le bord des South-moors, soit dans les futaies de Traps-woods. On dédaignait maintenant les collets et les pièges, malgré les conseils de Gordon, toujours ménager de ses munitions. Aussi les détonations éclataient de part et d'autre, et l'office de Moko s'enrichissait de venaison fraîche, — ce qui permettait de garder les conserves pour le voyage.

En vérité, si Doniphan eût pu reprendre ses fonctions de chasseur en chef de la petite colonie, avec quelle ardeur il eût poursuivi tout ce gibier de poil et de plume, sans avoir à se préoccuper d'économiser ses coups de feu ! C'était pour lui un crève-cœur de ne pas se joindre à ses camarades ! Mais il fallait se résigner, et ne point commettre d'imprudence.

Enfin, pendant les dix derniers jours de janvier, Evans procéda au chargement de l'embarcation. Certes, Briant et les autres avaient bien le désir d'emporter tout ce qu'ils avaient sauvé du naufrage de leur *Sloughi*... C'était impossible, faute de place, et il convint de faire un choix.

En premier lieu, Gordon mit à part l'argent qui avait été recueilli à bord du yacht, et dont les jeunes

colons auraient peut-être besoin en vue de leur rapatriement. Moko, lui, embarqua des provisions de bouche
en quantité suffisante pour la nourriture de dix-sept
passagers, non seulement en prévision d'une traversée
qui durerait peut-être trois semaines, mais aussi dans
le cas où quelque accident de mer obligerait à débarquer
sur une des îles de l'archipel, avant d'avoir atteint
Punta-Arena, Port-Galant ou le Port-Tamar.

Puis, ce qui restait de munitions fut placé dans les
coffres de la chaloupe, ainsi que les fusils et les revolvers de French-den. Et même, Doniphan demanda
que l'on n'abandonnât point les deux petits canons
du yacht. S'ils chargeaient trop l'embarcation, il serait
temps de s'en défaire en route.

Briant prit également tout l'assortiment des vêtements
de rechange, la plus grande partie des livres de la bibliothèque, les principaux ustensiles qui serviraient à la
cuisine du bord — entre autres un des poêles de Store-
room —, enfin les instruments nécessaires à la navigation,
montres marines, lunettes, boussoles, loch, fanaux,
sans oublier le halkett-boat. Wilcox choisit, parmi les
filets et les lignes, ceux des engins qui pourraient être
employés à la pêche, tout en faisant route.

Quant à l'eau douce, après qu'on l'eut puisée au rio
Zealand, Gordon la fit enfermer dans une dizaine de
petits barils, qui furent disposés régulièrement le long
de la carlingue, au fond de l'embarcation. On n'oublia
pas non plus ce qu'il y avait encore de brandy, de gin
et autres liqueurs fabriquées avec les fruits du trulca
et de l'algarrobe.

Enfin, toute la cargaison était en place à la date du
3 février. Il n'y avait plus qu'à fixer le jour du départ,
si toutefois Doniphan se sentait en état de supporter
le voyage.

Oui ! Le brave garçon répondait de lui-même ! Sa blessure était entièrement cicatrisée, et, l'appétit lui étant revenu, il ne devait prendre garde qu'à ne pas trop manger. Maintenant, appuyé sur le bras de Briant ou de Kate, il se promenait, chaque jour, sur Sport-terrace pendant quelques heures.

« Partons !... Partons !... dit-il. J'ai hâte d'être en route !... La mer me remettra tout à fait ! »

Le départ fut fixé au 5 février.

La veille, Gordon avait rendu la liberté aux animaux domestiques. Guanaques, vigognes, outardes, et toute la gent emplumée, peu reconnaissants des soins qui leur avaient été donnés, s'enfuirent, les uns à toutes jambes, les autres à tire-d'aile, tant l'instinct de la liberté est irrésistible.

« Les ingrats ! s'écria Garnett. Après les attentions que nous avons eues pour eux !

— Voilà le monde ! » répondit Service d'un ton si plaisant que cette philosophique réflexion fut accueillie par un rire général.

Le lendemain, les jeunes passagers s'embarquèrent dans la chaloupe, qui allait prendre la yole à sa remorque, et dont Evans se servirait comme de you-you.

Mais, avant de larguer l'amarre, Briant et ses camarades voulurent se réunir encore une fois devant les tombes de François Baudoin et de Forbes. Ils s'y rendirent avec recueillement, et, en même temps qu'une dernière prière, ce fut un dernier souvenir qu'ils donnèrent à ces infortunés.

Doniphan s'était placé à l'arrière de l'embarcation près d'Evans, chargé de gouverner. A l'avant, Briant et Moko se tenaient aux écoutes des voiles, bien qu'il y eût plus à compter sur le courant pour descendre le rio Zealand que sur la brise, dont le massif d'Auckland-hill rendait la direction très incertaine.

Les autres, ainsi que Phann, s'étaient placés à leur fantaisie sur la partie antérieure du pont.

L'amarre fut détachée, et les avirons frappèrent l'eau.

Trois hurrahs saluèrent alors cette hospitalière demeure, qui, depuis tant de mois, avait offert un abri si sûr aux jeunes colons, et ce ne fut pas sans émotion — sauf Gordon tout triste d'abandonner son île — qu'ils virent Auckland-hill disparaître derrière les arbres de la berge.

En descendant le rio Zealand, la chaloupe ne pouvait aller plus vite que le courant, qui n'était pas très rapide. Et, d'ailleurs, vers midi, à la hauteur de la fondrière de Bogs-woods, Evans dut faire jeter l'ancre.

En effet, en cette partie du cours d'eau, le lit était peu profond, et l'embarcation, très chargée, aurait risqué de s'échouer. Mieux valait attendre le flux, puis repartir avec la marée descendante.

La halte dura six heures environ. Les passagers en profitèrent pour faire un bon repas, après lequel Wilcox et Cross allèrent tirer quelques bécassines sur la lisière des South-moors.

De l'arrière de la chaloupe, Doniphan put même abattre deux superbes tinamous, qui voletaient au-dessus de la rive droite. Du coup, il était guéri.

Il était fort tard, lorsque l'embarcation arriva à l'embouchure du rio. Aussi, comme l'obscurité ne permettait guère de se diriger entre les passes du récif, Evans, en marin prudent, voulut attendre au lendemain pour prendre la mer.

Nuit paisible, s'il en fut. Le vent était tombé avec le soir, et, lorsque les oiseaux marins, les pétrels, les mouettes, les goélands, eurent regagné les trous de roches, un silence absolu régna sur Sloughi-bay.

Le lendemain, la brise venant de terre, la mer serait belle jusqu'à la pointe extrême des South-moors. Il fallait en profiter pour franchir une vingtaine de milles, pendant lesquels la houle eût été dure, si le vent fût venu du large.

Dès la pointe du jour, Evans fit hisser la misaine, le tape-cul et le foc. Alors, la chaloupe, dirigée d'une main sûre par le master, sortit du rio Zealand.

En ce moment, tous les regards se portèrent sur la crête d'Auckland-hill, puis, sur les dernières roches de Sloughi-bay, qui disparurent au tournant d'Américan-Cape.

Et un coup de canon fut tiré, suivi d'un triple hurrah, pendant que le pavillon du Royaume-Uni se développait à la corne de l'embarcation.

Huit heures plus tard, la chaloupe donnait dans le canal, bordé par les grèves de l'île Cambridge, doublait South-Cape et suivait les contours de l'île Adélaïde.

L'extrême pointe de l'île Chairman venait de s'effacer à l'horizon du nord.

XXX

ENTRE LES CANAUX. — RETARDS PAR SUITE DE VENTS CONTRAIRES. — LE DETROIT. — LE STEAMER *GRAFTON*. — RETOUR A AUCKLAND. — ACCUEIL DANS LA CAPITALE DE LA NOUVELLE-ZELANDE. — EVANS ET KATE. — CONCLUSION.

IL n'y a pas lieu de rapporter par le menu ce voyage à travers les canaux de l'archipel magellanique. Il ne fut marqué par aucun incident de quelque impor-

Le temps demeura constamment au beau. (Page 517.)

tance. Le temps demeura constamment au beau.
D'ailleurs, dans ces passes, larges de six à sept milles,
la mer n'eût pas eu le temps de se lever au souffle
d'une bourrasque.

Tous ces canaux étaient déserts, et, au surplus, mieux
valait ne point rencontrer les naturels de ces parages,
qui ne sont pas toujours d'humeur hospitalière. Une
ou deux fois, pendant la nuit, des feux furent signalés
à l'intérieur des îles, mais aucun indigène ne se montrait sur les grèves.

Le 11 février, la chaloupe, qui avait toujours été servie
par un vent favorable, déboucha dans le détroit de
Magellan par le canal de Smyth, entre la côte ouest de
l'île de la Reine-Adélaïde et les hauteurs de la terre
du Roi-Guillaume. A droite s'élevait le pic Sainte-
Anne. A gauche, au fond de la baie de Beaufort, s'éta-
geaient quelques-uns de ces magnifiques glaciers,
dont Briant avait entrevu l'un des plus élevés à l'est
de l'île Hanovre — à laquelle les jeunes colons donnaient
toujours le nom d'île Chairman.

Tout allait bien à bord ; il faut croire notamment que
l'air, chargé de senteurs marines, était excellent pour
Doniphan, car il mangeait, il dormait, et se sentait
assez fort pour débarquer, si l'occasion se présentait
de reprendre avec ses camarades leur vie de Robinsons.

Dans la journée du 12, la chaloupe arriva en vue de
l'île Tamar, sur la terre du Roi-Guillaume, dont le
port ou plutôt la crique était déserte en ce moment.
Aussi, sans s'y arrêter, après avoir doublé le cap Tamar,
Evans prit-il la direction du sud-est à travers le détroit
de Magellan.

D'un côté, la longue terre de Désolation développait
ses côtes plates et arides, dépourvues de cette verdoyante
végétation que revêtait l'île Chairman. De l'autre,

se dessinaient les indentations si capricieusement déchiquetées de la presqu'île Crooker. C'était par là qu'Evans comptait chercher les passes du sud, afin de doubler le cap Forward et de remonter la côte est de la presqu'île de Brunswick jusqu'à l'établissement de Punta-Arena.

Il ne fut pas nécessaire d'aller si loin.

Dans la matinée du 13, Service, qui se tenait debout à l'avant, s'écria :

« Une fumée par tribord !

— La fumée d'un feu de pêcheurs ? demanda Gordon.

— Non !... C'est plutôt une fumée de steamer ! » répliqua Evans.

En effet, dans cette direction, les terres étaient trop éloignées pour que la fumée d'un campement de pêche y fût visible.

Aussitôt Briant, s'élançant dans les agrès de la misaine, atteignit la tête du mât, et s'écria à son tour :

« Navire !... Navire !... »

Le bâtiment fut bientôt en vue. C'était un steamer de huit à neuf cents tonneaux, qui marchait avec une vitesse de onze à douze milles à l'heure.

Des hurrahs partirent de la chaloupe, des coups de fusil également.

La chaloupe avait été vue, et, dix minutes après, elle accostait le steamer *Grafton*, qui faisait route pour l'Australie.

En un instant, le capitaine du *Grafton*, Tom Long, eut été mis au courant des aventures du *Sloughi*. D'ailleurs, la perte du schooner avait eu un retentissement considérable en Angleterre comme en Amérique, Tom Long s'empressa de recueillir à son bord les passagers de la chaloupe. Il offrit même de les reconduire directement à Auckland, — ce qui l'écartait peu de sa route, puisque

le *Grafton* était à destination de Melbourne, capitale de
la province d'Adélaïde, au sud des terres australiennes.

La traversée fut rapide, et le *Grafton* vint mouiller
dans la rade d'Auckland à la date du 25 février.

A quelques jours près, deux ans s'étaient écoulés
depuis que les quinze élèves du pensionnat Chairman
avaient été entraînés à dix-huit cents lieues de la Nouvelle-Zélande.

Il faut renoncer à peindre la joie de ces familles,
auxquelles leurs enfants étaient rendus, — ces enfants
que l'on croyait engloutis dans le Pacifique. Pas un ne
manquait de ceux qu'avait emportés la tempête jusqu'aux
parages de l'Amérique du Sud.

En un instant dans toute la ville s'était répandue
cette nouvelle que le *Grafton* rapatriait les jeunes naufragés. La population entière accourut et les acclama,
lorsqu'ils tombèrent dans les bras de leurs parents.

Et comme on fut avide de connaître en détail tout ce
qui s'était passé sur l'île Chairman ! Mais la curiosité
ne tarda pas à être satisfaite. D'abord, Doniphan fit
quelques conférences à ce sujet — conférences qui eurent
un véritable succès, dont le jeune garçon ne manqua
pas de se montrer assez fier. Puis, le journal, qui avait
été tenu par Baxter — on peut dire d'heure en heure
—, le journal de French-den ayant été imprimé, il en
fallut des milliers et des milliers d'exemplaires, rien
que pour contenter les lecteurs de la Nouvelle-Zélande.
Enfin les journaux des deux Mondes le reproduisirent
en toutes les langues, car il n'était personne qui ne se
fût intéressé à la catastrophe du *Sloughi*. La prudence
de Gordon, le dévouement de Briant, l'intrépidité de
Doniphan, la résignation de tous, petits et grands,
cela fut universellement admiré.

Inutile d'insister sur la réception qui fut faite à Kate

et au master Evans. Ne s'étaient-ils pas consacrés au salut de ces enfants ? Aussi, une souscription publique fit-elle don au brave Evans d'un navire de commerce, le *Chairman*, dont il devint à la fois le propriétaire et le capitaine, — à la condition qu'il aurait Auckland pour port d'attache. Et, lorsque les voyages le ramenaient en Nouvelle-Zélande, il retrouvait toujours dans les familles de « ses garçons » l'accueil le plus cordial.

Quant à l'excellente Kate, elle fut réclamée, disputée, par les Briant, les Garnett, les Wilcox et bien d'autres. Finalement, elle se fixa dans la maison de Doniphan, dont elle avait sauvé la vie par ses soins.

Et, comme conclusion morale, voici ce qu'il convient de retenir de ce récit, qui justifie, semble-t-il, son titre de *Deux ans de vacances* :

Jamais, sans doute, les élèves d'un pensionnat ne seront exposés à passer leurs vacances dans de pareilles conditions. Mais — que tous les enfants le sachent bien —, avec de l'ordre, du zèle, du courage, il n'est pas de situations, si périlleuses soient-elles, dont on ne puisse se tirer. Surtout, qu'ils n'oublient pas, en songeant aux jeunes naufragés du *Sloughi*, mûris par les épreuves et faits au dur apprentissage de l'existence, qu'à leur retour, les petits étaient presque des grands, les grands presque des hommes.

TABLE

JULES VERNE
1828-1905

I

Jules Verne a écrit quatre-vingts romans (ou longues nouvelles), publié plusieurs grands ouvrages de vulgarisation comme *Géographie illustrée de la France et de ses colonies* (1868), *Histoire des grands voyages et des grands voyageurs* (1878), *Christophe Colomb* (1883), et fait représenter, seul ou en collaboration, une quinzaine de pièces de théâtre. Sa célébrité est centenaire puisqu'elle date des années 1863-1865 qui furent celles de la publication de : *Cinq semaines en ballon, Voyage au centre de la terre, De la Terre à la Lune,* ses trois premiers grands romans. Dans un siècle qui compte des génies comme Balzac, Dickens, Dumas père, Tolstoï, Dostoïevski, Tourgueniev, Flaubert, Stendhal, George Eliot, Zola — pour ne citer que dix noms parmi ceux des grands maîtres de ce siècle du roman — il apparaît un peu en marge, comme un prodigieux artisan en matière de fictions, comme un enchanteur aux charmes inépuisables et, dans une certaine mesure, comme un voyant, capable d'imaginer, un demi-siècle (ou un siècle) avant leur naissance, quelques-unes des plus étonnantes conquêtes de la science.

On a tout dit sur ce sujet et il est même arrivé qu'on mette du mystère là où il n'y en avait pas, qu'on auréole l'écrivain de pouvoirs surnaturels, qu'on en fasse un magicien. Il est plus véridique de le voir comme un homme de son temps, sensible à la richesse de découvertes scientifiques dont il s'informe avec un soin constant et scrupuleux; comme un travailleur infatigable, attelé quotidiennement pendant près d'un demi-siècle à *faire passer* dans le roman, en les prolongeant par une extrapolation foisonnante, les conquêtes et les découvertes des savants de son époque. Son extrapolation rejoint certes l'avenir, mais elle ne prévoit pas tous les cheminements de la science. Jules Verne est un poète du XIXe siècle, non pas un ingénieur du XXe. La radio, les rayons X, le cinéma, l'automobile, qu'il a vus naître, ne jouent pas dans son œuvre un rôle important. Et on peut remarquer, par exemple, que le moteur même du *Nautilus,* et le canon qui envoie des astronautes vers la lune, sont des machines de théâtre. Mais un de ses plus beaux romans, *Les Cinq cents Millions de la Bégum,* évoque le premier satellite artificiel, et le *Nautilus* précède de dix ans les sous-marins de l'ingénieur Laubeuf...

Jules Verne ne fournit pas les moyens techniques qui permettraient la réalisation des engins modernes : il évoque l'existence et les pouvoirs de ceux-ci. Il n'est pas un surhomme — mais ˉEdison luimême, « vrai » savant, n'a pas prévu l'avenir de ses propres découvertes... Les bouleversements que peut apporter la science pure échappent à la prévision, et nos auteurs de science-fiction, en 1965, ne sont sans doute pas plus proches de l'an 2100 que Jules Verne n'était proche, en 1875 ou 1880, du monde d'aujourd'hui travaillé par la science nucléaire...

Il était quelqu'un d'autre : un créateur qui ne fait pas concurrence à la science mais en incarne la poésie puissante, parfois terrible, dans des mythes fascinants ; un créateur qui, aux écoutes d'un monde que les chemins de fer et les paquebots transforment, pressent des aventures où l'homme et la machine vont devenir un couple au destin fabuleux. Il est sur le seuil d'un monde.

D'un monde, non pas de l'univers dans sa totalité. Il n'est pas métaphysicien : ses astronautes n'emportent pas l'âme de Pascal dans leur voyage à travers le champ stellaire : ni sociologue : c'est déraison que de chercher dans *Michel Strogoff* une analyse « cachée » des forces révolutionnaires russes au XIXe siècle. Mais, conteur, romancier-dramaturge, créateur de fictions, il relaie et développe, avec une verve et une santé inépuisables, un génie qu'eut aussi le grand Dumas père. Celui-ci nourrissait son œuvre en la conduisant dans le passé, Jules Verne vibre et crée à l'intersection du présent et de l'avenir.

II

Il naquit à Nantes le 8 février 1828. Son père, Pierre Verne, fils d'un magistrat de Provins, s'était rendu acquéreur en 1825 d'une étude d'avoué et avait épousé en 1827 Sophie Allotte de la Fuÿe, d'une famille nantaise aisée qui comptait des navigateurs et des armateurs. Jules Verne eut un frère : Paul (1829-1897) et trois sœurs : Anna, Mathilde et Marie. A six ans, il prend ses premières leçons de la veuve d'un capitaine au long cours et à huit entre avec son frère au petit séminaire de Saint-Donatien. En 1839, ayant acheté l'engagement d'un mousse, il s'embarque sur un long-courrier en partance pour les Indes. Rattrapé à Paimbœuf par son père il avoue être parti pour rapporter à sa cousine Caroline Tronson un collier de corail. Mais, rudement tancé, il promet : « Je ne voyagerai plus qu'en rêve. »

A la rentrée scolaire de 1844, il est inscrit au lycée de Nantes où il fera sa rhétorique et sa philosophie. Ses baccalauréats passés, et comme son père lui destine sa succession, il commence son droit. Sans cesser d'aimer Caroline, et tout en écrivant ses premières œuvres : des sonnets et une tragédie en vers ; un théâtre... de marionnettes refuse la tragédie, que le cercle de famille n'applaudit pas, et dont on ignore tout, même le titre.

Caroline se marie en 1847, au grand désespoir de Jules Verne. Il passe son premier examen de droit à Paris où il ne demeure que le temps nécessaire. L'année suivante, il compose une autre œuvre dramatique, assez libre celle-là, qu'on lit en petit comité au

Cercle de la Cagnotte, à Nantes. Le théâtre l'attire et le théâtre c'est Paris. Il obtient de son père l'autorisation d'aller terminer ses études de droit dans la capitale où il débarque, pour la seconde fois, le 12 novembre 1848. Il n'a pas oublié les dédains de Caroline et écrit à un de ses amis, le musicien Aristide Hignard (qui sera son collaborateur au théâtre) : « ... je pars puisqu'on n'a pas voulu de moi, mais les uns et les autres verront de quel bois était fait ce pauvre jeune homme qu'on appelle Jules Verne. »

A Paris il s'installe, avec un autre jeune Nantais en cours d'études, Édouard Bonamy, dans une maison meublée, rue de l'Ancienne-Comédie. Avide de tout savoir, mais bridé par une pension calculée au plus près du strict nécessaire, il joue au naturel, avec Bonamy, *L'Habit vert* de Musset et Augier : ne possédant à eux deux qu'une tenue de soirée complète, les deux étudiants vont dans le monde alternativement. Avide de tout lire, Jules Verne jeûnera trois jours pour s'acheter le théâtre de Shakespeare...

Il écrit, et naturellement pour le théâtre. Avec d'autant plus de confiance qu'il a fait la connaissance de Dumas père et assisté, au Théâtre-Historique [1] dans la loge même de l'écrivain, à l'une des premières représentations de *La Jeunesse des Mousquetaires* (21 février 1849).

En 1849 il mène de front trois sujets, dont deux semblent venir de Dumas lui-même : *La Conspiration des Poudres, Drame sous la Régence,* et une comédie en vers en un acte : *Les Pailles rompues.* C'est le troisième sujet qui plaît à Dumas : la pièce voit les feux de la rampe au Théâtre-Historique le 12 juin 1850. On la jouera douze fois — et elle sera présentée le 7 novembre au théâtre Graslin à Nantes. Succès d'estime que suit la composition de deux pièces : *Les Savants* et *Qui me rit* qui ne seront pas représentées. Mais le droit n'est pas oublié et Jules Verne passe sa thèse

_____

1. Fondé par Dumas, inauguré le 20 février 1847, le Théâtre-Historique avait été construit sur le boulevard du Temple, à un emplacement qu'on peut aujourd'hui situer approximativement, place de la République, entre les Magasins Réunis et le terre-plein qui leur fait face. Déclaré en faillite le 20 décembre 1850, il sera exploité sous le nom de Théâtre-Lyrique et détruit en 1863, un an après les autres théâtres du boulevard du Crime, en application des plans du préfet Haussmann.

(1850). Selon le vœu de son père il devrait alors s'inscrire au barreau de Nantes ou prendre sa charge d'avoué. Fermement, l'écrivain refuse : la seule carrière qui lui convienne est celle des lettres.

Il ne quitte pas Paris et, pour boucler son budget, doit donner des leçons. Sans cesser d'écrire : en 1852 il publie dans *Le Musée des Familles* : *Les premiers navires de la marine mexicaine* et *Un Voyage en ballon* qui figurera plus tard dans le volume *Le Docteur Ox* sous le titre *Un drame dans les airs,* deux récits où déjà se devine le futur auteur des *Voyages extraordinaires*. La même année il devient secrétaire d'Edmond Seveste[1] qui en 1851 a installé, dans les murs du Théâtre-Historique, l'Opéra-National, dénommé en avril 1852 et pour dix ans le Théâtre-Lyrique.

En avril 1852, Jules Verne publie dans *Le Musée des Familles* sa première longue nouvelle : *Martin Paz*, récit historique où la rivalité ethnique des Espagnols, des Indiens et des métis au Pérou se mêle à

une intrigue sentimentale. L'écrivain de vingt-quatre ans possède déjà cette ouverture historico-géographique qui fera de lui un des visionnaires de son époque.

Le 20 avril 1853, sur la scène — qu'il connaît bien maintenant — du Théâtre-Lyrique, Jules Verne voit représenter *Le Colin Maillard*, une opérette en un acte dont il a écrit le livret avec Michel Carré et dont son ami Aristide Hignard a composé la musique. Quarante représentations : c'est presque un succès — et la pièce est imprimée chez Michel-Lévy. L'année suivante, peu après la mort de Jules Seveste, il quitte le Théâtre-Lyrique et

_____

1. Celui-ci mourut en février 1852. Son frère cadet Jules lui succéda, mais mourut en 1854 du choléra apporté par les combattants de Crimée.

se met au travail, dans son petit logement du boulevard Bonne-Nouvelle ; il publie la première version de *Maître Zaccharius* (1854) puis *Un Hivernage dans les glaces* (1855) sans cesser d'écrire pour le théâtre. En 1856 il fait la connaissance de celle qu'il épousera le 10 janvier 1857 : Honorine-Anne-Hébé Morel, née du Fraysne de Viane, veuve de vingt-six ans, mère de deux fillettes. Jules Verne, grâce aux relations de son beau-père et à un apport de Pierre Verne (50 000 francs), entre à la Bourse de Paris comme associé de l'agent de change Eggly. Il s'installe alors boulevard Montmartre puis rue de Sèvres. L'œuvre de sa vie continue de se nourrir d'immenses lectures et aussi de ses premiers grands voyages (Angleterre et Écosse 1859, Norvège et Scandinavie 1861) sans qu'il renonce pour autant à l'expression dramatique : il donne en 1860, aux Bouffes-Parisiens, dirigés par Offenbach, une opérette mise en musique par Hignard, *M. de Chimpanzé*, et en 1861 au Vaudeville, une comédie écrite en collaboration avec Charles Wallut, *Onze jours de siège*. La même année, le 3 août 1861, naît Michel Verne, qui sera son unique enfant.

1862 : il présente à l'éditeur Hetzel *Cinq semaines en ballon* et signe un contrat qui l'engage pour les vingt années suivantes. Sa vraie carrière va commencer : le roman, qui paraît en décembre 1862, remporte un succès triomphal, en France d'abord puis dans le monde. Jules Verne peut abandonner la Bourse sans inquiétude. Hetzel lui demande en effet une collaboration régulière à un nouveau magazine, le *Magasin d'Éducation et de Récréation*. C'est dans les colonnes de ce journal, et dès le premier numéro (20 mars 1864), que paraîtront *Les Aventures du Capitaine Hatteras*, avant leur publication en volume. La même année verra la sortie en librairie de *Voyage au centre de la Terre* que suivra en 1865 *De la Terre à la Lune* (avec ce sous-titre pour nous savoureux : *Trajet direct en 97 heures 20 minutes*).

C'est le grave *Journal des Débats* qui a publié en feuilleton *De la Terre à la Lune* puis *Autour de la Lune* : le public de Jules Verne, dès l'origine de sa carrière, est double : un public d'adolescents qui fait le succès du *Magasin d'Éducation et de Récréation;* un public d'adultes que le « jeu » scientifique de l'écrivain passionne. Le physicien et astronome Jules Janssen, le mathématicien Joseph Bertrand refont les calculs de Jules Verne — et vérifient, dit-on (il serait sans doute imprudent de ne pas placer ici un point d'interrogation), l'exactitude des courbes, paraboles et hyperboles qui définissent le trajet du boulet-wagon de *De la Terre à la Lune.* Et ceux d'entre les lecteurs du *Journal des Débats* que l'astronomie ne passionne pas sont sensibles à la verve d'un Jules Verne, qui met dans son roman beaucoup de la légèreté aimable d'un vaudevilliste boulevardier... Il n'est pas superflu de noter, à ce moment où s'ouvre pour l'écrivain sa carrière véritable, qu'elle l'éclaire alors d'une lumière de gaieté et de fantaisie proche de celle qui règne et régnera chez ses confrères des théâtres — les Labiche, Meilhac et Halévy, Gondinet et bien d'autres moins connus Jules Verne, qu'on le considère comme un auteur dramatique (homme de théâtre plutôt) ou comme romancier,

appartient au Second Empire d'Offenbach autant qu'au XIXe siècle de la science. Il est parisien (et même Parisien) et cosmopolite ; il se plaît dans son époque et avec ses amis, manifestant dans sa vie comme dans ses livres une cordialité généreuse, à peine ironique, qui est, pour le fond, celle-là même des hommes de lettres et de théâtre dont les livres et les répliques ont coloré une part du Second empire. Et il n'est pas douteux que le succès de Jules Verne trouve sa source dans cette bonne humeur railleuse, cette allégresse surveillée autant que dans le foisonnement de son imagination. A dix-sept ans, on le lit et on l'aime comme un guide fraternel, explorateur de contrées inconnues ; on peut le retrouver plus tard sous les apparences, à peine désuètes, d'un camarade de cercle disert, d'un conteur inlassable, à l'invention fertile, au jugement rapide, véridique, sagement ironique. Reconnaître ces deux Jules Verne, c'est comprendre une des raisons de sa durable présence. Son succès est populaire, dans ce sens qu'il se nourrit d'une approbation générale, voire d'une manière d'affection dont les racines sont profondes. On l'aime moins gravement que d'autres, sans doute : Balzac, Hugo, Tolstoï, Flaubert, Zola nous tiennent et nous gouvernent. Jules Verne est un compagnon d'une autre race, et sa voix est moins haute mais elle est pleine et juste.

Et surtout, peut-être, elle s'installe dans une durée, dans un monde. Il y a en effet un monde de Jules Verne, extraordinaire et fraternel, ouvert sur l'imaginaire et d'une puissante ressemblance avec le réel. Ce monde il l'explore avec une rigueur inlassable dans la série des *Voyages extraordinaires* que nous venons de voir naître, et qui se poursuivra durant quarante années. Les jalons sont des titres connus : *Les Enfants du capitaine Grant* (1867), *Vingt mille lieues sous les mers* (1869), *Le Tour du monde en quatre-vingts jours* (1873), *L'Ile mystérieuse* (1874), *Michel Strogoff* (1876), *Les Inaes Noires* (1877), *Un Capitaine de quinze ans* (1878), *Les Tribulations d'un Chinois en Chine* (1879), *Les Cinq Cents millions de la Bégum* (1879), *Le Rayon vert* (1882), *Kéraban le têtu* (1883), *L'Archipel en feu* (1884), *Mathias Sandorf* (1885), *Robur le*

Conquérant (1886), *Deux ans de vacances* (1888), *Le Château des Carpathes* (1892), *L'Ile à hélice* (1895), *Face au drapeau* (1896), *Le superbe Orénoque* (1898), *Un drame en Livonie* (1904), *Maître du Monde* (1904).

On ne peut citer toutes les œuvres ; mais le rapprochement de vingt d'entre elles suffit à évoquer les grands moments d'une réussite quasi continue que l'écrivain, on le sait, avait préparée (sinon prévue) de longue main. Cette préparation explique sinon la fécondité de Jules Verne, du moins une solidité que l'abondance menacera rarement : s'il n'a pas écrit seulement des romans de premier ordre, il n'a rien publié d'indifférent. Il avait une conscience artisanale (on en a la preuve, maintes fois répétée, dans ses lettres) et une dure exigence envers lui-même. Ses années de grande production sont, pour l'essentiel, organisées selon le travail en cours. Voyages, lectures, composition, se succèdent et surtout s'enchaînent.

En 1866, après ses premiers succès, il loua une maison au Crotoy, dans l'estuaire de la Somme, et bientôt acheta son premier bateau baptisé du prénom de son fils : le *Saint-Michel*. C'est une simple chaloupe de pêche, que quelques aménagements rendront propre à la navigation de plaisance ; un lieu de travail aussi ; un instrument de travail et de connaissance concrète : croisières sur la Manche, descente et remontée de Seine, c'est dans ces petits voyages que naissent peu à peu les voyages extraordinaires. Jules Verne ne se contente pas longtemps des fleuves et des côtes. En avril 1867, il part pour les États-Unis avec son frère Paul à bord du *Great Eastern,* grand navire à roues construit pour la pose du câble téléphonique transocéanien. Et au retour il se plonge dans *Vingt mille lieues sous les mers* dont il écrit une grande partie à bord du *Saint-Michel,* qu'il nomme son « cabinet de travail flottant ».

En 1870-1871, Jules Verne est mobilisé comme garde-côte au Crotoy, ce qui ne l'empêche pas d'écrire : quand la maison Hetzel reprendra son activité, il aura quatre livres devant lui. En 1872 il s'installe à Amiens, ville natale et familiale de sa femme. Deux ans plus tard il achètera un hôtel

particulier et un vrai yacht : le *Saint-Michel II. Le Tour du monde en quatre-vingts jours* qu'il a porté à la scène avec la collaboration d'Adolphe d'Ennery, remporte un triomphe à la Porte-Saint-Martin (8 novembre 1874) où il scra joué pendant deux ans. Livres, croisières, vie bourgeoise : c'est un équilibre où le travail joue le premier rôle.

Le travail et l'argent : Jules Verne sait fort bien gérer le patrimoine littéraire que représentent ses romans — et leurs « suites ». La période de 1872 à 1886, disent ceux qui furent les témoins de sa vie, fut

l'apogée de sa gloire et de sa fortune.

Au calendrier des romans et des pièces (*Le Docteur Ox,* musique d'Offenbach sur un livret de Philippe Gille et Arnold Mortier, 1877; *Les Enfants du Capitaine Grant,* avec Adolphe d'Ennery, 1878; *Michel Strogoff, id.* 1880; *Voyage à travers l'impossible, id.* 1882; *Mathias Sandorf,* de William Busnach et Georges Maurens, 1887), il faut épingler quelques dates. Le grand bal travesti donné à Amiens en 1877 au cours duquel l'astronaute-photographe Nadar — vieil ami de Jules Verne et modèle de Michel Ardan, auquel il a donné par anagramme son nom — jaillit de l'obus de *De la Terre à la Lune*... L'achat d'un nouveau yacht, le *Saint-Michel III*... La rencontre en 1878 du jeune Aristide Briand, élève au lycée de Nantes[1], ses croisières en Norvège, Irlande, Écosse (1880), dans la mer du Nord et la Baltique (1881), en Méditerranée (1884). Son élection au conseil municipal d'Amiens sur une liste radicale que quelques biographes baptisent abusivement «ultra-rouge» (1889). Il a perdu son père en 1871, sa mère en 1887. Son frère Paul disparaîtra en 1897[2]. En 1902, il est atteint de la cataracte...

« Ma vie est pleine, aucune place pour l'ennui. C'est à peu près tout ce que je demande », a-t-il écrit dans les années de gloire et de santé.

En 1886-1887, après un drame dont on connaît peu de choses[3] et la vente de son yacht, il renonce à sa vie libre et voyageuse, et jette l'ancre à Amiens où il prend très au sérieux ses fonctions municipales. Le romancier et l'administrateur sont satisfaits l'un de l'autre. « Paris ne me reverra plus », écrit-il en 1892 à l'une de ses sœurs. 1884-1905 : les biographes de Jules Verne le montrent mélancolique, silencieux, et citent ces lignes d'une lettre à son frère (1er août 1894) : « Toute gaieté m'est devenue insup-

---

1. Jules Verne a nommé Briant un des personnages de *Deux ans de vacances.* On a commenté cette ressemblance des noms. Cf. Marcel Moré : *Le très curieux Jules Verne,* Gallimard, 1960.

2. Il avait publié chez Hetzel un livre sur les croisières accomplies avec son frère à bord du *Saint-Michel III : De Rotterdam à Copenhague* (1881).

3. Il fut blessé de deux balles de revolver par un jeune homme qu'on a dit atteint de fièvre cérébrale (?) et qui était, semble-t-il, un de ses neveux.

portable, mon caractère est profondément altéré, et j'ai reçu des coups dont je ne me remettrai jamais. » Mais à cette citation on pourrait en opposer d'autres, sans ombres. Et il est aventureux, pour le moins, de colorer tragiquement les dernières années de Jules Verne. Il travailla jusqu'à ce qu'il ne puisse plus tenir une plume. « Quand je ne travaille pas, je ne me sens plus vivre », dit-il en présence de l'écrivain italien De Amicis. Et il travaille, se passionnant pour les *Aventures d'Arthur Gordon Pym* d'Edgar Poe, l'un des auteurs qu'il admire le plus, depuis cinquante ans. Et il écrit la suite des aventures du héros américain : *Le Sphinx des Glaces*. Il écrira encore dix livres, avant de mourir le 24 mars 1905, dans sa maison d'Amiens.

III

Le premier livre consacré à notre auteur est celui de Charles Lemire : *Jules Verne* (Berger-Levrault 1908). Depuis cette date beaucoup d'ouvrages et d'innombrables articles ont paru en France et à l'étranger. Faute de pouvoir les citer tous, nous renvoyons le lecteur (désireux de mieux connaître Jules Verne) à la biographie minutieuse due à l'une de ses petites-nièces Marguerite Allotte de la Fuÿe : *Jules Verne,* publiée pour la première fois en 1928 (Simm Kra) et rééditée chez Hachette en 1953 et 1966. Signalons en outre l'ouvrage d'André Parménie et C. Bonnier de la Chapelle : *Histoire d'un éditeur et de ses auteurs.* *P. S. Hetzel.* (Albin Michel, 1953) où l'on peut lire des lettres de Jules Verne. Le *Bulletin de la Société Jules Verne* (treize numéros de novembre 1935 à décembre 1938) contient des études et inédits du plus grand intérêt mais ne se trouve pas dans les grandes bibliothèques. Citons encore le numéro spécial de la revue *Arts et Lettres* (nº 15, 1948. Presses Littéraires, Paris) et le numéro de mai-juin 1955 de la revue mensuelle *Livres de France* (Hachette), consacré à Jules Verne. Enfin la Société Jules Verne a publié en 1956 un ouvrage d'Edmondo Marcucci : *Les Illustrations des voyages extraordinaires de Jules Verne.*

BRODARD ET TAUPIN — IMPRIMEUR - RELIEUR
Paris-Coulommiers. — Imprimé en France.
1292-1-6 - Dépôt légal n° 6657, 2ᵉ trimestre 1967.
LE LIVRE DE POCHE - 6, avenue Pierre Iᵉʳ de Serbie - Paris.
30 - 73 - 2049 - 01

30/2049/2